écho

2

A2

méthode
de français

J. GIRARDET
J. PÉCHEUR
avec la collaboration de
C. GIBBE

CLE
INTERNATIONAL

www.cle-inter.com

D1473546

Direction éditoriale : Michèle Grandmangin
Édition : Christine Grall
Conception graphique : Marc Henry
Mise en pages : Nada Abaïdia
Recherche iconographique : Nathalie Lasserre
Illustrations : Jeanne Puchol (pages Simulations) – Jean-Pierre Foissy (pages Ressources)
Cartographie : Jean-Pierre Crivellari (carte p. 187) – Paco (icones sur la carte p. 187)

© CLE International/Sejer, Paris, 2008
ISBN : 978-2-09-035461-4

Introduction

▶ ## Pour grands adolescents et adultes

Ce deuxième niveau de la méthode de français langue étrangère *ÉCHO* s'adresse à de grands adolescents et à des adultes ayant suivi au minimum 100 heures de cours.

La méthode *ÉCHO* est conçue à partir de supports variés qui reflètent les intérêts et les préoccupations de ce public. Elle s'appuie le plus possible sur des activités naturelles, plus proches de la conversation entre adultes que de l'exercice scolaire. Elle cherche aussi à concilier le dosage obligé des difficultés avec le besoin de posséder très vite les clés de la communication et de s'habituer à des environnements linguistiques riches.

▶ ## Une approche orientée vers l'action

Comme le niveau précédent, *ÉCHO 2* s'appuie avant tout sur les interactions en classe. D'emblée l'étudiant est acteur. La classe devient alors un espace social où s'échangent des informations, des expériences, des opinions et où vont se construire des projets.

De ces interactions vont naître le désir de maîtriser le vocabulaire, la grammaire et la prononciation, le besoin d'acquérir des stratégies de compréhension et de production et l'envie de mieux connaître les cultures francophones.

Parallèlement, des activités de simulation permettront aux apprenants d'anticiper les situations qu'ils auront à vivre dans des environnements francophones.

▶ ## Une progression par unités d'adaptation

ÉCHO 2 se présente comme une succession d'unités représentant chacune entre 30 à 40 heures d'apprentissage. Une unité comporte 4 leçons.

Chaque unité vise l'adaptation à un contexte et aux situations liées à ce contexte. Par exemple, l'unité 1 « Entretenir des relations » préparera l'étudiant à entrer en contact avec des francophones et à faire face aux situations les plus courantes de la vie sociale.

Dans l'unité 2 « Se débrouiller au quotidien», il abordera les situations pratiques relatives à la gestion du quotidien (argent, logement, voiture, etc.) et aux problèmes qui peuvent survenir.

ÉCHO 2 compte 4 unités.

▶ ## La possibilité de travailler seul

Il est rare que l'étudiant adulte d'aujourd'hui ait la disponibilité nécessaire pour apprendre une langue étrangère uniquement en suivant des cours. ÉCHO 2 lui donne la possibilité de travailler seul.

Le cahier personnel d'apprentissage, accompagné d'un CD, permet de retrouver le vocabulaire nouveau, d'en noter le sens, de vérifier la compréhension d'un texte ou d'un document sonore étudié en classe et d'automatiser les formes linguistiques. Ce cahier s'utilise en relation avec les autres outils de référence, nombreux dans les leçons et dans les pages finales du livre (tableaux de grammaire, de vocabulaire, de conjugaison).

▶ ## La référence au Cadre européen commun

Par ses objectifs et sa méthodologie, *ÉCHO* s'inscrit pleinement dans le Cadre européen commun de référence pour les langues.

Il prépare également le DELF (Diplôme d'étude en langue française).

Chaque niveau de ÉCHO prépare un niveau du CECR et du DELF.

ÉCHO 1 → A1, à la fin de l'unité 3
ÉCHO 2 → A2, à la fin de l'unité 2
ÉCHO 3 → B1, à la fin de l'unité 4

▶ ## Auto-évaluation et évaluation institutionnelle

• À la fin de chaque unité, l'étudiant procède avec l'enseignant à un bilan de ses savoirs et de ses savoir-faire.
• Un fichier d'évaluation permet le contrôle des acquisitions à la fin de chaque leçon.
• Dans le portfolio, l'étudiant notera les différents moments de son apprentissage ainsi que ses progrès en matière de savoir et de savoir-faire.

L'organisation de ÉCHO 2

▶ **Pour la classe**

Le livre de l'élève
- 4 unités
- Dans chaque unité, 4 leçons de 4 doubles pages
- À la fin de chaque unité :
  – 4 pages de bilan
  – 3 pages « Évasion »
- À la fin du livre :
  – un aide-mémoire grammatical
  – des tableaux de conjugaison
  – des cartes
  – les transcriptions des documents sonores non transcrits dans les leçons
  – le tableau des contenus
- Un portfolio

Les CD audio collectifs
- dialogues des histoires
- activités d'écoute
- exercices de grammaire et de prononciation

Le fichier d'évaluation (avec CD audio)
- fiches photocopiables : une fiche par leçon

Le livre du professeur
- conseils pour la conduite de la classe
- corrigés des exercices
- informations sur des points de langue et de civilisation

▶ **Pour le travail personnel**

Le cahier personnel d'apprentissage (avec CD audio et livret de corrigés)
- activités de révision
- apprentissage du vocabulaire
- exercices oraux d'automatisation (conjugaison et structures grammaticales)
- conseils pour l'apprentissage

Le CD audio individuel
- dialogues des histoires

L'organisation d'une leçon

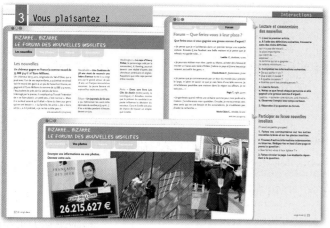

Deux pages « Interactions »

Un ou plusieurs documents permettent aux étudiants d'échanger des informations et des opinions ou de s'exprimer dans le cadre d'une réalisation commune. Ces prises de parole permettent d'introduire les éléments lexicaux et grammaticaux.

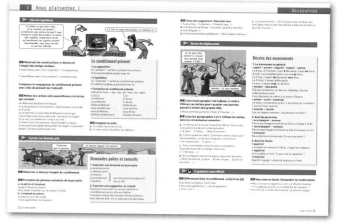

Deux pages « Ressources »

Pour chaque point de langue important, ces pages proposent un parcours qui va de l'observation à la systématisation. Les automatismes et les incidences de la grammaire sur la prononciation sont travaillés dans la partie « La grammaire sans réfléchir ».

Deux pages « Simulations »

L'étudiant retrouvera les éléments linguistiques étudiés précédemment dans des scènes dialoguées qui s'enchaînent pour raconter une histoire.
À chaque unité correspond une histoire qui est représentative de l'objectif général travaillé dans l'unité. Par exemple, l'unité 1 « Entretenir des relations » met en scène quatre amies qui décident d'aller passer quelques jours dans un gîte du Périgord pour fêter leurs trente ans. On se retrouve, on fait la connaissance des compagnons, on organise des activités, on apaise les petites tensions qui ne manquent pas de survenir...
Chaque scène illustre une situation concrète de communication et donne lieu à des activités d'écoute et de simulation.
Cette double page comporte aussi des exercices de prononciation.

Une page « Écrits »

Différents types de textes sont proposés aux étudiants afin qu'ils acquièrent des stratégies de compréhension et de production écrite.

Une page « Civilisation »

Des documents permettent de faire le point sur un sujet de civilisation.

Entretenir des relations

La fête du 14 juillet au Palais présidentiel de l'Élysée.

▶ POUR **ÊTRE À L'AISE** DANS LES RELATIONS SOCIALES, VOUS ALLEZ APPRENDRE À

▶ **ENTRER EN CONTACT** AVEC DES PERSONNES, LES REVOIR, LES **INVITER** ET **RÉPONDRE** À LEUR INVITATION

▶ **RACONTER** DES SOUVENIRS ET DES ANECDOTES, **PARLER** DE CUISINE ET DE FÊTES, **COMPRENDRE** DES PLAISANTERIES

Photo du film *Pur week-end*, de Kad Merad.

▶ **RÉSOUDRE** LES PETITS PROBLÈMES DE LA VIE EN GROUPE

LANGUES ÉTRANGÈRES...
comment les apprendre plus facilement

Avez-vous les qualités pour apprendre facilement
une langue étrangère ? Pour le savoir, faites le test.
Pour développer ces qualités, suivez nos conseils.

**1 Préférez-vous apprendre
en écoutant ou en lisant ?**

- **En classe, vous préférez travailler**
  - **a.** avec le livre
  - **b.** sans le livre

- **Quand vous entendez un mot nouveau**
  - **a.** vous l'écrivez
  - **b.** vous le retenez sans l'écrire

- **Pendant le dernier cours de français**
  - **a.** vous avez pris des notes
  - **b.** vous avez seulement écouté

2 Êtes-vous à l'aise avec les autres ?

- **Quand le professeur pose une question**
  - **a.** vous le regardez
  - **b.** vous baissez la tête

- **En classe, la dernière activité que vous
avez aimée, c'était**
  - **a.** un jeu de rôles
  - **b.** l'étude d'un texte

- **Quand vous serez dans un pays
francophone et que vous aurez besoin
d'un renseignement**
  - **a.** vous le demanderez à quelqu'un
  - **b.** vous le chercherez dans votre guide

3 Êtes-vous spontané ou réfléchi ?

- **Vous venez de parler à des
francophones. Vous pensez :**
  - **a.** J'espère qu'ils m'ont compris
  - **b.** J'espère que je n'ai pas fait
    de fautes

- **Pour comprendre un mot nouveau,
vous avez besoin**
  - **a.** d'une explication en français
  - **b.** d'une traduction

- **Vous devez présenter votre pays
aux autres étudiants**
  - **a.** Vous pouvez parler tout de suite
  - **b.** Vous avez besoin d'un moment
    de préparation

Ils parlent de leur apprentissage

L'écrivain grec Vassilis Alexakis est arrivé en
France à l'âge de dix-sept ans.

« *Quand j'apprenais le français, j'écrivais dans
un cahier tout ce que j'entendais dans les cafés, dans
le métro, et même chez les gens qui m'invitaient à
dîner comme un reporter ou une secrétaire.* »

Les Mots étrangers, Stock, 2002

Le créateur de jeux vidéo Nicolas Gaume raconte
ses premiers jours en Angleterre à l'âge de onze
ans.

« *Le lendemain, nous recevons la visite de Simon, un
fils de proches de Mme Summerfield. C'est un garçon
de mon âge. Nous ne parlons pas la même langue, nous
ne nous comprenons pas... Le voilà qui me montre une
boîte de jeu qu'il garde chez sa tante, "Dungeons &
Dragons". Je balbutie les mots "Bilbo" et "Frodon". Un
sourire illumine son visage [...] Nous nous comprenons
maintenant.* »

Citizen Game, Anne Carrière, 2006

Dans le film *L'Auberge espagnole* (C. Klapisch, 2002), un groupe d'étudiants venus de différents pays d'Europe se retrouve à Barcelone dans le cadre du programme d'échanges Erasmus.

4 **Êtes-vous indépendant ou dépendant des autres ?**

- **Pour vous, la meilleure façon d'apprendre, c'est**
  - **a.** avec un groupe de francophones
  - **b.** en classe
- **Après le cours de français**
  - **a.** vous allez lire un livre ou un magazine en français, visiter un site Internet francophone, écouter une émission de télévision en français
  - **b.** vous allez seulement relire votre livre de classe
- **Quand vous partirez dans un pays francophone**
  - **a.** vous emporterez un guide touristique
  - **b.** vous emporterez un guide de grammaire

Nos conseils

Comptez les « a » et les « b » dans chaque test.

Test 1 – Développez vos compétences auditives

Les personnes qui apprennent facilement les langues ont souvent des qualités auditives. Si vous avez trois « a », vous avez de la chance, mais faites attention à l'orthographe.
Si vous avez un maximum de « b », vous devez travailler avec des documents sonores sans l'aide des transcriptions.

Test 2 – Soyez à l'aise avec les autres

Si vous avez un maximum de « a », tout va bien.
Si vous avez peur de parler français, voici quelques conseils :
- Dites à votre interlocuteur que vous êtes débutant en français. Il vous aidera.
- Posez des questions. C'est votre interlocuteur qui devra parler.
- Faites la liste des questions qu'on va peut-être vous poser. Préparez vos réponses.

Test 3 – Ne réfléchissez pas trop

Si vous avez un maximum de « a », vous êtes spontané(e). Mais faites attention aux fautes de grammaire et de prononciation. Elles peuvent devenir des habitudes.
Si vous avez un maximum de « b », entraînez-vous à vous « jeter à l'eau ».
N'ayez pas peur de faire des fautes. Les Français en font aussi !
Et si vous hésitez trop, vous ennuierez les autres et ils parleront à votre place.

Test 4 – Ne soyez pas trop dépendant des livres et du professeur

Si vous avez un maximum de « a », vous êtes un(e) étudiant(e) indépendant(e). Continuez !
Si vous avez un maximum de « b », essayez de moins utiliser le dictionnaire.
Au niveau 1, vous avez appris plus de 1000 mots et beaucoup de constructions grammaticales.
Utilisez-les d'abord. Vous verrez qu'on peut comprendre et dire beaucoup de choses avec ce petit « bagage ».

Réfléchissez à votre manière d'apprendre

1. Faites le test avec l'aide du professeur.
Pour chaque partie du test, lisez les conseils qu'on vous donne.

2. Préparez une liste de vos points forts et de vos points faibles.
Présentez-la à la classe.

3. Trouvez dans la classe un(e) étudiant(e) qui n'a pas les mêmes points forts que vous.
(qui est timide et indépendant si vous êtes à l'aise et dépendant)
Échangez vos expériences. Donnez-vous des conseils.

Échangez des « trucs » pour apprendre

Travail en petits groupes.

1. Faites la liste de :
- ce qu'il faut apprendre : le vocabulaire, la grammaire, les conjugaisons, etc.
- ce qu'on fait en classe : l'écoute d'un dialogue, des exercices, etc.

Partagez-vous ces sujets de réflexion.

2. Pour chaque sujet (par exemple le vocabulaire), recherchez :
- les problèmes que vous rencontrez
- des « trucs » pour bien apprendre

Observez l'emploi des temps

Dans les phrases du test, relevez des verbes employés :
- au présent
- au passé composé
- au futur
- à l'imparfait
- au passé récent
- au futur proche

▶ **Apprendre les conjugaisons**

Qu'est-ce que vous faites ?

Je t'appelle demain.

Tout va bien. Nous travaillons tous. Marie apprend ses leçons. Léo et Tony lisent. Je prépare le dîner. Et toi, tu rentres bientôt ?

1 Observez les conjugaisons du présent.

a. Observez les terminaisons. Retrouvez les conjugaisons des verbes ci-dessus.

Recherchez les formes qui se ressemblent :

– à l'oral (exemple : je fais, tu fais, elle fait = [fɛ])

– à l'écrit (exemple : je fais, tu fais)

b. Observez les changements dans le radical du verbe.

Exemple : le verbe « savoir » se conjugue avec deux radicaux.

(1) [se] je sais, tu sais, il sait

(2) [sav] nous savons, vous savez, ils savent

Classez les verbes de la BD et les verbes ci-dessous dans le tableau selon leur type de conjugaison.

écrire – donner – venir – amener – vouloir – comprendre – dire – aller

Un seul radical	parler
Un radical pour « je », « tu », « il », « ils » Un radical pour « nous », « vous »	jeter
Un radical pour « je », « tu », « il » Un radical pour « nous », « vous », « ils »	savoir
Un radical pour « je », « tu », « il » Un radical pour « nous », « vous » Un radical pour « ils »	prendre
Quatre ou cinq radicaux	être

2 Retrouvez les conjugaisons du futur.

C'est le début de l'année. Avec vos amis, avec votre famille, vous prenez de grandes décisions.

Utilisez : *faire, apprendre, travailler, arrêter, commencer, aller, visiter,* etc.

Cette année, c'est promis. Je prendrai des vacances, nous irons …, vous … Toi, Paul, tu …

3 Retrouvez les conjugaisons du passé composé. Mettez les verbes entre parenthèses au passé composé.

Retrouvailles

Lucas : Tiens, salut, Florent ! Comment ça va ? Qu'est-ce que tu (*faire*) après le stage ?

Florent : J' (*passer*) l'été avec Noémie.

Lucas : Vous (*rester*) en France ?

Florent : Non, nous (*aller*) au Québec, mais là-bas, Noémie (*revoir*) des anciens copains. Ils (*partir*) en voyage dans le Nord. Alors, j' (*décider*) de rentrer chez moi.

4 Retrouvez les conjugaisons de l'imparfait.

Souvenez-vous de vos vacances quand vous étiez enfant. Utilisez : *aller, faire, jouer, visiter, se lever,* etc.

Je me souviens. J'avais … Mes parents … Nous … Mon meilleur copain …

5 Pour apprendre les conjugaisons, imaginez de petits textes où un verbe apparaît à plusieurs formes. Voici quelques exemples.

Vérifications

• Tu as fini ?

– Oui, j'ai fini.

• Et Marie ?

– Elle a fini.

• Et les enfants ?

– Ils ont fini.

• Vous avez tous fini ?

– Nous avons tous fini.

Entraînez-vous avec : dîner – sortir – se reposer.

Conditions

Si tu sors ce soir, Marie sort aussi.

Si vous sortez, nos amis sortent.

Je sors aussi. Nous sortons tous.

Entraînez-vous avec : danser – aller au cinéma – pouvoir.

L'orchestre

Je faisais du piano. Tu faisais du violon.

Ma sœur faisait de la guitare. Mes frères faisaient de la trompette.

Nous faisions tous de la musique. Et vous faisiez les spectateurs.

Entraînez-vous avec : boire – manger – aller à.

Présent – Passé – Futur

• Le présent

Pour parler du moment présent (*Il fait beau*), d'une action habituelle (*Tous les jours elle se lève à sept heures*), d'une action future ou passée qu'on veut rendre plus présente à l'esprit (*Demain je pars en vacances*).

parler

je parle, tu parles, il/elle parle
nous parlons, vous parlez, ils/elles parlent

partir

je pars, tu pars, il/elle part
nous partons, vous partez, ils/elles partent

• Le passé composé

Pour parler d'un événement passé (*Elle est arrivée à huit heures*).

manger

j'ai mangé, tu as mangé, il/elle a mangé
nous avons mangé, vous avez mangé,
ils/elles ont mangé

sortir

je suis sorti(e), tu es sorti(e), il/elle est sorti(e)
nous sommes sorti(e)s, vous êtes sorti(e)(s),
ils/elles sont sorti(e)s

• Le futur

Pour parler d'une action qui se passe dans le futur (*Elle partira en vacances la semaine prochaine*)

voyager

je voyagerai, tu voyageras, il/elle voyagera
nous voyagerons, vous voyagerez, ils/elles voyageront

aller

j'irai, tu iras, il/elle ira
nous irons, vous irez, ils/elles iront

• L'imparfait

Pour parler d'une action passée habituelle (*Quand elle était à Paris, elle allait souvent au théâtre*).
Pour exprimer les circonstances des événements passés (*Elle est arrivée à huit heures. Il pleuvait. Elle avait une heure de retard*).

déjeuner

je déjeunais, tu déjeunais, il/elle déjeunait
nous déjeunions, vous déjeuniez, ils/elles déjeunaient

N.B. La conjugaison pronominale utilise deux pronoms :
se lever → je me lève – il s'est levé.
(voir toutes les conjugaisons, p. 175)

▶ Employer correctement les temps

**Voici un extrait du journal de voyage de Claudia.
Nous sommes le 5 juillet, Claudia parle de son voyage.
Parlez pour elle.**

« Hier, c'était le 4 juillet, j'ai visité … Aujourd'hui …
Demain… »

• *4 juillet* : visite de Pérouges, village du XIIe siècle à 40 km de Lyon.
Promenade dans les vieilles rues –
beau temps – beaucoup de fleurs
aux fenêtres et aux balcons des maisons
– vu l'église et la maison des princes –
déjeuner dans un restaurant sur la place
– excellent poulet de Bresse.

• *5 juillet* : randonnée à vélo dans
le parc de la Dombes.

• *6 juillet* : départ pour Villars-les-
Dombes – visite du parc des oiseaux –
partie de golf.

▶ 🎧 La grammaire sans réfléchir

1 **Prononciation des participes passés en [y].
Répétez.**

L'homme politique

Il est venu.	Et on l'a élu.	Ou n'a pas pu
On l'a vu,	On a attendu.	Ou n'a pas voulu.
On l'a entendu,	Mais il n'a pas su	Il nous a bien eus.
On l'a cru		

2 **Pratique de la négation « ne … pas » ou « ne … pas de ».**

Vos amis ne sont pas sportifs. Répondez « non ».

• Votre amie Marie fait du tennis ?
– Non, elle ne fait pas de tennis.
• Est-ce qu'elle aime marcher ?
– Non, …

3 **Pratique du passé composé. Parlons voyages.
Répondez « oui » ou « non ».**

• Vous avez beaucoup voyagé ?
– Oui, j'ai beaucoup voyagé.
– Non, je n'ai pas beaucoup voyagé.
• Vous êtes allé(e) à l'étranger ?
– …

L'anniversaire

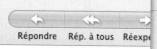

1 - Projets

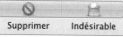

De : Anne-Sophie Dubois-Carpenter
objet : bientôt trente ans
date : lundi 4 janvier
À : Karine Chabrier, Odile Guiraud, Liza N'Guyen

Bonjour les filles
Une nouvelle année commence et je souhaite à mes anciennes copines du lycée Voltaire amour, réussite et santé !
Je n'oublie pas que cette année, toutes les quatre, nous aurons trente ans…
Alors pourquoi ne pas fêter l'événement ensemble ? Je connais un gîte sympa dans le Périgord…

Gîte de Charme

- Belle maison de charme • 6 chambres doubles
- grand salon • salle à manger avec cheminée
- 3 salles de bains • cuisine équipée • barbecue
- silence • près de tous les sites du Périgord, de la Dordogne et de Sarlat

D'octobre à mai : 1 500 € la semaine
Juin et septembre : 2 000 €
Juillet et août : 2 500 €

Lille, le 10 janvier.

Karine : Au fait, on y va seule ou avec les garçons ?
Anne-Sophie : Si Patrick reste en Irlande, il va m'appeler toutes les cinq minutes.
Karine : Remarque, si Harry reste à Lille, c'est moi qui vais l'appeler toutes les cinq minutes.
Anne-Sophie : Ne t'inquiète pas. Ils ne s'ennuieront pas. Le premier jour, ils parleront de leur voiture, le deuxième jour de leur boulot et le troisième des filles qui travaillent avec eux.
Karine : Et Liza, elle vient avec Alex ?
Anne-Sophie : Comment, tu n'es pas au courant ?
Karine : Ne me dis pas qu'ils se sont séparés.
Anne-Sophie : Ben si, ça fait six mois. Tu ne le savais pas ?

Une rue de Lille

Karine : Tu sais, Liza et moi, on ne se voit pas beaucoup. C'est comme Odile, je n'ai pas de nouvelles. Elle est avec quelqu'un ?
Anne-Sophie : Oui, avec un type qui s'appelle Louis.
Karine : Et qui fait quoi ?
Anne-Sophie : Il est dans l'informatique. Mais il cherche du boulot.
Karine : Ils viennent ?
Anne-Sophie : Je n'en sais rien. Odile n'a pas répondu à mon mél.

2

Lille, le soir.

Karine : Mais non, Harry, tu ne seras pas seul !

Harry : Alors il y aura qui, à cet anniversaire ?

Karine : Bon, il y aura mes trois copines...

 Transcription

Harry : Mais j'y pense. Comme Liza est seule, on peut peut-être inviter mon copain Jean-Philippe ?

Karine : Tu penses à qui, à toi ou à Liza ?

3

Le 30 mars, dans une galerie marchande d'Évry, près de Paris.

Louis : Tu viens ?

Odile : Attends, je regarde les robes.

Louis : Les robes ! Pourquoi ?

Odile : Pour le week-end avec les copines. Je n'ai plus rien à me mettre.

Louis : Mais en vacances, tu es toujours en tee-shirt et en pantacourt !

Odile : Tu me vois quatre jours dans la même tenue ! Avec Anne-Sophie qui va se changer trois fois par jour !

Louis : Il commence à coûter cher, cet anniversaire. Après tout, on n'est pas obligés d'y aller.

Odile : On ira. Les copines ne s'amuseront pas sans moi. Et puis pour toi, ce sera l'occasion de rencontrer Patrick.

Louis : Patrick ?

Odile : Le copain d'Anne-Sophie. Il a une entreprise d'informatique. Il pourra peut-être te trouver du travail. On ne sait jamais.

Compréhension et simulations

1. En lisant le document et en écoutant les dialogues des pages 10 et 11, notez tout ce que vous apprenez sur les personnages suivants : (nom, lieu de résidence, relations avec les autres, profession, etc.)

Anne-Sophie : ...   Patrick : ...
Karine : ...   Harry : ...
Odile : ...   Louis : ...
Liza : ...   Jean-Philippe : ...

2. *Documents et scène 1.*
a. Qui a écrit le courriel ? À qui ? Pourquoi ?
b. Faites la liste des sujets abordés dans la conversation. Qu'apprend-on sur chaque sujet ?

3. *Scènes 2 et 3.*
a. Transcrivez la partie non transcrite de la scène 2.
b. Caractérisez les deux couples.

4. Jouez la scène.
Vous êtes invité(e) dans votre famille avec votre ami(e). Mais votre ami(e) hésite à venir parce qu'il/elle ne connaît personne dans votre famille.

Savoir – Connaître – Se souvenir

• Je connais Marie ... l'Italie ...
  Je sais où elle habite.
• Pierre est en vacances ? – Je le sais –
  Je suis au courant – Je l'ai appris hier –
  Moi, je n'en sais rien.
• Vous vous souvenez de Pierre (se souvenir de) – Vous vous rappelez sa voiture (se rappeler quelque chose) ?
• Je ne me souviens pas de Pierre – Je ne me rappelle pas sa voiture – J'ai oublié (oublier) – Je ne sais plus.
  Je n'ai pas retenu son nom (retenir) –
  Ça ne me revient pas (revenir).

Prononciation

[ə], [e], [ɛ] pour différencier les temps des verbes (présent, passé composé, futur).
On ne les changera pas !
L'amoureux : J'aime ... J'ai aimé ... J'aimerai
Le chanceux : Je gagne ... J'ai gagné ... Je gagnerai ...
Le curieux : J'observe ... J'ai observé ... J'observerai
Le paresseux : Je me repose ... Je me suis reposé ... Je me reposerai
Le bavard : Je bavarde ... J'ai bavardé ... Je bavarderai

PREMIERS CONTACTS

Madame,

Je suis étudiante en histoire à l'université de Buenos Aires et je fais une thèse de doctorat sur l'immigration des Français en Argentine à la fin du XIXᵉ siècle. C'est le professeur Antonio Morales qui dirige cette thèse.

J'ai lu avec beaucoup d'intérêt vos articles et votre livre mais je souhaiterais approfondir certaines questions avec vous. Vous serait-il possible de m'accorder un entretien ?

Je serai à Paris du 1ᵉʳ février au 15 mars 2008. Je vous remercie par avance et vous prie d'agréer, Madame, l'expression de mes salutations distinguées.

Madame, Monsieur,

Je suis une amie de Kristina Lezanska, qui a logé chez vous l'an dernier pendant deux mois. C'est elle qui m'a donné votre adresse.

Je dois faire un stage à Paris d'octobre à décembre prochain. Je souhaiterais savoir si vous accepteriez de me louer la chambre qu'occupait Kristina.

Je suis quelqu'un de calme. Je ne fume pas. J'aurai beaucoup de travail et je n'ai pas l'intention de recevoir souvent des amis.

En espérant une réponse positive, je vous prie de recevoir mes sincères salutations.

♥ Accueil   ♥ Forum   ♥ Annonces

Bonjour

Je m'appelle Damien. J'ai 35 ans et je viens de m'installer dans le 12ᵉ, rue de Picpus. Je ne connais personne à Paris en dehors des gens que je rencontre dans mon travail.

Le week-end, je fais du jogging au bois de Vincennes, je découvre Paris ; j'aime aussi aller au théâtre et voir des expos.

Si quelqu'un fait la même chose tout seul de son côté, il peut me contacter. J'ajoute que tous les quinze jours, mon fils de huit ans vient passer le week-end avec moi. Il n'a plus l'âge de se faire des copains au square.

▶ Compréhension des lettres

1. Pour chaque lettre ou message, recherchez :
– Qui écrit ? – À qui ? – Pourquoi ?

2. Observez :
– comment la personne qui écrit se présente
– les formules de politesse

3. Dans le tableau ci-contre, classez les expressions (de la plus formelle à la plus familière).

▶ Rédigez une lettre ou un message pour prendre contact

Choisissez une situation.
• Vous avez envie de faire un stage dans une entreprise française (lettre ou message au DRH : directeur des ressources humaines)
• Vous avez envie de faire une thèse avec un professeur d'une université française (lettre au professeur)
• Vous avez besoin de documentation ou d'information pour un travail que vous faites (lettre ou message au service ou à la personne concernée)

Formules pour un premier contact par écrit

• Pour commencer
Madame… Monsieur… Madame, Monsieur
Cher/Chère collègue…
Monsieur le directeur (Madame le directeur)
Monsieur le ministre (Madame la ministre)

• Pour finir
Je vous prie d'agréer, Madame, Monsieur, …
… l'expression de
… mes salutations distinguées (respectueuses, dévouées), mes sincères salutations
… mes meilleurs sentiments
… ma considération distinguée

• Prise de contact messages Internet
Madame… Monsieur… etc. pour un supérieur ou une personne importante « Bonjour Monsieur » ou « Bonjour » dans les autres cas
La formule de la fin est plus simple :
« Salutations distinguées » ou « Cordialement » selon le cas

À LA RENCONTRE DES AUTRES

Sondage : faire des rencontres aujourd'hui

Entre parenthèses, les réponses des célibataires de plus de trente ans.

• Est-il plus facile ou plus difficile aujourd'hui qu'hier de faire les rencontres suivantes ?

	Plus facile	Plus difficile	Sans opinion
Se faire de nouveaux amis	29 (16)	47 (62)	24 (22)
Rencontrer des gens pour discuter, parler des problèmes de la vie	39 (21)	42 (63)	19 (16)
Rencontrer quelqu'un pour construire un projet à deux	24 (15)	48 (58)	28 (27)

Sondage Tns – Sofres, avril 2004

La solution Internet
La vie de quartier renaît sur Internet

À Paris, les nouveaux résidents ou les personnes isolées peuvent rencontrer des gens de leur quartier sur le site www.peuplade.fr Des sites semblables existent dans beaucoup de villes.

Même si Muriel, 36 ans, habite son quartier depuis six ans, le site Peuplade a changé sa vie. « À part mes voisins d'immeuble, je ne connaissais pas grand monde. Difficile quand on est une maman divorcée d'organiser des sorties avec des gens occupés dans leur vie de couple... Et puis, avec mon métier, je n'ai pas le temps d'aller chercher mes enfants à la sortie de l'école et de discuter avec les mamans sur les profs ou d'échanger des numéros de baby-sitters... »

Le site Peuplade lui a permis de gagner du temps. « Grâce au site, j'ai vu se former un vrai village numérique : j'ai dix fois plus d'amis qu'avant ! J'ai lancé des discussions sur le forum du genre : que faire avec son enfant un après-midi de pluie ? Les réponses ont fusé : visiter le parc de la Villette, le palais de la Découverte... Tous ces lieux, je les connaissais déjà mais c'est plus sympa de se les voir conseiller par des internautes plutôt que de le lire sur *Pariscope* ! »

Géraldine Doutriaux, *Aujourd'hui en France*, 19/09/2006

 Dans le film *Je vous trouve très beau*, un agriculteur se retrouve veuf et part à la recherche d'une compagne qui pourrait l'aider dans son travail. Pas facile dans sa région où les jeunes filles préfèrent travailler ailleurs qu'aux champs. Il utilise alors les services d'une agence matrimoniale...

Lecture des documents et discussion

1. Qu'apprenez-vous sur les relations entre les gens en France ?
Comment expliquez-vous cette situation ?

2. Comparez avec la situation dans votre pays.

3. Quel est pour vous le meilleur moyen de se faire des amis ?

 Micro-trottoir.
Comment les avez-vous rencontrés ?

Ils racontent comment ils ont rencontré leur compagne ou leur compagnon.

a. Notez dans le tableau les circonstances de rencontre.

Rencontre	1
Lieu	Paris
Activité	Chorale
Autres circonstances	Raccompagnée en voiture

b. Imaginez les premiers mots qu'ils se sont dits.

Fêtes sans frontières

Fêtes importées

La Saint-Patrick à la française

Pour faire la fête, les Français ne ratent pas une occasion. Après le Nouvel An chinois et Halloween, importé des États-Unis, voici la Saint-Patrick qui nous arrive d'Irlande.

Il faut dire que les pubs irlandais sont nombreux à Paris et que chaque ville de province en a un.

« Nos clients aiment les jeux de fléchettes, les discussions sur le rugby et l'accent irlandais », explique le patron du Murphy's House.

L'intérêt pour la fête nationale irlandaise (17 mars) s'inscrit dans le renouveau des traditions celtiques[1]. Le 20 mars, le stade de France accueillera un fest-noz[2] géant [...]

D'après *L'Express*, 15/03/2004

---

1. En Bretagne française comme en Irlande, au Pays de Galles (Grande-Bretagne) ou en Galice (Espagne), l'ancienne civilisation celte (vɪᵉ siècle avant J.-C.) est toujours présente.
2. Fête bretonne traditionnelle.

Fêtes d'ici...

La FÊTE de la TOMATE

Saint-Denis-de-Jouhet, Indre (Centre), à 45 kilomètres de Châteauroux, 3ᵉ ou 4ᵉ dimanche d'août.

🍅 **Concours de tomates** (la plus belle, la plus grosse, la plus petite, etc.).

🍅 **Dégustation**.

🍅 L'après-midi, **bataille de tomates** dans les rues du village.

(La fête de la tomate la plus célèbre du monde a lieu à Buñol, près de Valence, en Espagne.)

Source : *Guide des fêtes folles de France*, Autrement, 2005

... et d'ailleurs

Nyon accueille la fête fédérale de lutte suisse et des jeux alpestres

Événement majeur de la vie sportive et sociale du pays, la fête fédérale aura lieu à Nyon du 24 au 26 août. La lutte est un sport très populaire en Suisse. Elle propose un spectacle haut en couleurs et attire toujours un très nombreux public. [...]

Profondément ancrée dans la tradition des vallées alpestres et des régions montagneuses, la lutte suisse est sans doute le plus ancien des jeux nationaux et le plus spectaculaire [...]. Le vainqueur recevra comme prix un taureau ainsi qu'une couronne de chêne.

Mais la fête fédérale de lutte, c'est aussi et avant tout une grande manifestation au cours de laquelle le folklore alpestre sera à l'honneur : jet de la pierre d'Unspunnen (83,5 kilos), lanceurs de drapeaux, joueurs de cor des Alpes, yodleurs[1], claqueurs de fouets contribueront à l'animation. 30 000 personnes par jour sont attendues à Nyon à cette occasion.

Source : Région du Léman, Office du tourisme du canton de Vaud, n° 1, 2001

(1) Chanteurs traditionnels de la région du Tyrol.

Fêtes exportées

La Nuit blanche

Créée en 2002, la Nuit blanche a lieu tous les ans à Paris, début octobre.
Du coucher au lever du soleil, des activités artistiques, culturelles et musicales sont proposées au promeneur pour redécouvrir certains lieux de la ville.
À la suite du succès de cette manifestation parisienne, d'autres villes ont organisé leur Nuit blanche : Bruxelles, Madrid, Montréal, Riga, Rome, Toronto.

▶ Lecture du dossier

Pour chacune des fêtes présentées dans ce dossier, indiquez :
– le lieu
– la date
– l'origine
– ce qu'on peut voir
– ce qu'on peut faire

▶ Projet : importer une nouvelle fête en France

Ce travail peut être fait en petits groupes.

Vous êtes chargé(e) par la ville de Paris ou par une région de France d'organiser une fête originale importée d'un pays étranger (une fête de votre pays ou d'un pays que vous connaissez).
1. Préparez une présentation de cette fête.
2. Choisissez un lieu (ou plusieurs lieux) et une date.
3. Réalisez un projet d'affiche pour cette fête.
4. Présentez votre projet à la classe.

Parler d'une fête

- Une fête – une foire – aller à la fête – faire la fête (s'amuser, rire, danser) – assister à un spectacle
- Se déguiser – mettre un costume, un masque – se maquiller
- Les attractions – un feu d'artifice – un défilé – un défilé de chars (fleuris) – le défilé du Carnaval – la grande roue – les montagnes russes – un manège
- Les jeux – participer à un jeu – une course (courir) – une bataille (de fleurs) – lancer un drapeau
- La musique – un orchestre – un groupe de musiciens – un concert – un bal – danser

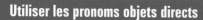

▶ **Utiliser les pronoms objets directs**

1 **Observez les phrases ci-dessus.**
Que représentent les mots en gras ?
Dans quels cas utilise-t-on :

me – te : ...   en : ...
le – la – les : ...   en ... une : ...

2 **Répondez en utilisant un pronom.**

Préparatifs de voyage au Vietnam
• Tu visiteras le Nord ? – Oui, ...
• Tu verras la baie d'Along ? – Oui, ...
• Fabien t'accompagne ? – Oui, ...
• Vous avez acheté vos billets ? – Oui, ...
• Tu as réservé un hôtel ? – Oui, ...
• Tu as de l'argent vietnamien ? – Non, ...
• Tu as des amis au Vietnam ? – Oui, ... Il s'appelle Lan.

3 **Remplacez les mots soulignés par un pronom**
pour éviter des répétitions.

Voyage en Alsace
Je ne connaissais pas la ville de Colmar. Nous avons visité
<u>Colmar</u> hier.
J'ai beaucoup aimé les vieux quartiers. J'ai pris en photo
<u>les vieux quartiers</u>.
J'adore les fleurs. Il y avait <u>des fleurs</u> partout.
Au menu du restaurant, il y avait de la choucroute. Nous
avons commandé <u>une choucroute</u>. Antoine a repris deux
fois <u>de la choucroute</u>.
Le vin d'Alsace est excellent. Antoine a pris un verre <u>de ce
vin</u>. J'ai goûté <u>ce vin</u>.

4 **Recherchez des phrases courantes construites**
avec un pronom objet direct.

L'explication, je ne l'ai pas comprise.
Le match à la télé, tu l'as vu ?
Etc.

Les pronoms objets directs

Pour reprendre un nom de personne ou de chose
complément du verbe :

1. Cas général
Marie connaît Pierre ?   – Elle **le** connaît.

Elle **me** connaît	Elle **m'**a vu(e)[1]
Elle **te** connaît	Elle **t'**a vu(e)
Elle **le/la** connaît	Elle **l'**a vu(e)
Elle **nous** connaît	Elle **nous** a vu(e)s
Elle **vous** connaît	Elle **vous** a vu(e)(s)
Elle **les** connaît	Elle **les** a vu(e)s

1. Le participe passé s'accorde avec le pronom complément quand
le pronom est avant le verbe.
Je connais **Noémie et Estelle**. Je **les** ai vu**es** hier.

2. Quand le complément est précédé de « du »,
« de la », « des »
Je fais du thé. Vous en voulez ?
– Non, merci. J'en ai déjà bu.

3. Quand le complément est précédé par un mot
de quantité (un, une, deux, trois..., beaucoup de,
assez de, etc.)
Vous connaissez un bon médecin ? – J'en connais un.
Et un bon dentiste ? – Je n'en connais pas.
Il a beaucoup de travail ? Il en a beaucoup.

• **À la forme interrogative**

– **Forme la plus fréquente à l'oral :**
Vous le connaissez ? – Vous en voulez ?

– **Forme avec inversion :**
Le connaissez-vous ? – En voulez-vous ?
Pierre nous connaît-il ?

• **À la forme négative**
Elle ne le connaît pas. – Je n'en veux pas.

▶ **Comprendre et utiliser les pronoms objets indirects**

1 Observez les pronoms en gras. Retrouvez la construction du verbe.

Complétez le tableau avec les pronoms qui conviennent. Recherchez des exemples.

	personnes	choses
Verbes construits avec « à »		
Verbes construits avec « de »		
Verbes construits avec une autre préposition (avec, sous, pour, etc.)		

2 Répondez en utilisant un pronom.

Un professeur cherche du travail
• Tu cherches toujours du travail ? – Oui, ...
• Tu es allé à l'entretien pour le poste de professeur ?
– Oui, ...
• Tu as parlé de ton expérience au cours du soir ?
– Oui, ...
• Tu as pensé à dire que tu avais une licence ?
– Oui, ...
• Ils t'ont écrit ? – Non, ...
• Tu as téléphoné au directeur ? – Oui, ... Il doit me donner une réponse la semaine prochaine.

3 Dans quelle(s) situation(s) peut-on prononcer les phrases suivantes :

a. J'y ai réfléchi
b. Je les ai oubliées
c. J'en ai mis
d. Je n'y joue pas
e. Elle me manque
f. Il en a eu

Les pronoms compléments indirects

1. Pour reprendre un nom de personne
a. Le complément indirect est introduit par « à »
• **Cas général**

Marc parle **à Clara** ?	– Il **lui** parle ?
Il **me** parle	Il **m'**a écrit
Il **te** parle	Il **t'**a écrit
Il **lui** parle	Il **lui** a écrit
Il **nous** parle	Il **nous** a écrit
Il **vous** parle	Il **vous** a écrit
Il **leur** parle	Il **leur** a écrit

• **Cas des verbes « penser à », « s'habituer à », « s'intéresser à », etc.**
Il pense **à Sylvie** ? Il pense **à elle**. Il s'intéresse **à elle**.

b. Le complément est introduit par une autre préposition (préposition + moi, toi, lui/elle, nous, vous, eux/elles)
Tu as besoin **de Pierre** ? – J'ai besoin **de lui**.
Il part **avec son fils** ? – Il part **avec lui**.
N.B. Quand le complément est précédé d'un mot de quantité ou d'un article indéfini, on utilise le pronom « en ». Il a besoin d'un ami. Il **en** a besoin.

2. Pour reprendre un nom de chose
a. Le complément indirect est introduit par « à »
Tu vas **à Paris** ? – J'**y** vais.
Tu penses **à acheter ton billet** ? – J'**y** pense.

b. Le complément est introduit par « de »
Il vient **de Lyon** ? – Il **en** vient.
Il rêve **d'aller en Chine** ? – Il **en** rêve.

▶ 🎧 **La grammaire sans réfléchir**

1 Les pronoms « le », « la », « les » au passé composé. Répondez pour eux.

a. L'étudiant sérieux
• Tu as lu le texte ? – Je l'ai lu.
b. L'étudiant paresseux
• Tu as fait les exercices ? – Je ne les ai pas faits.

2 Le pronom « en ». Attention à la reprise du mot de quantité.

Elle est allée à la fête de la musique. Répondez pour elle.
• Il y avait beaucoup de monde ? – Il y en avait beaucoup.
• Il y avait des jeunes ? – Il y en avait.
• Tu as écouté de la musique classique ? – ...

L'anniversaire

2 - Retrouvailles

1

Samedi 28 avril, au gîte de la Roque dans le Périgord.

Anne-Sophie : Ah, les voilà ! Bonjour, Dilou.
Odile : Vous êtes déjà arrivés ?
Anne-Sophie : Comme tu vois, et on a pris la meilleure chambre.
Odile : Je vois que tu n'as pas changé. Toujours le mot gentil.
Anne-Sophie : Toi, par contre, tu as changé. Qu'est-ce que tu as fait à tes cheveux ?
Odile : Tu les trouves moches, c'est ça ?
Anne-Sophie : Est-ce que j'ai dit ça ?
Odile : Non, mais tu l'as pensé.
Anne-Sophie : C'est faux. Je les trouve très bien, tes cheveux, et ça me fait plaisir de te revoir, ma petite Dilou.
Odile : Ne m'appelle pas Dilou. Louis ne le supporte pas.

Une rue de Sarlat.

2

Deux heures plus tard.

Jean-Philippe : Je vous dérange ?
Liza : Un peu, oui.
Jean-Philippe : Je cherche des amis : Karine Chabrier et Harry Boli.
Liza : Ils sont allés au marché de Sarlat.
Jean-Philippe : Vous n'êtes pas Liza, par hasard ?
Liza : Si. On se connaît ?
Jean-Philippe : Non, mais on va avoir l'occasion de faire connaissance. Je suis Jean-Philippe, un copain d'Harry.
Liza : Ah... Je ne savais pas que les copains des copains étaient invités.
Jean-Philippe : Bon, je vais essayer de les retrouver au marché. Je suis désolé. Je vous ai déconcentrée.
Liza : Ce n'est pas grave.

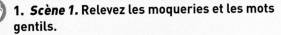

En fin de journée, les hommes préparent le repas d'anniversaire.

Odile : Tu nous prépares quoi ? Un plat irlandais ?
Patrick : On a dit : pas de filles dans la cuisine.
Odile : Ça va. Je m'en vais.
Louis : Moi, je peux peut-être t'aider ?
Patrick : Si tu veux. Tiens, tu me coupes les truffes ?
Louis : Je les coupe comment ?
Patrick : En tranches fines.

......

Louis : Alors, tu es dans l'informatique ?
Patrick : Aujourd'hui, je suis dans le rôti de bœuf sauce Périgueux. Tiens, tu peux ajouter un peu de vin blanc dans la sauce.
Louis : J'en mets combien ?
Patrick : Un demi-verre, ça suffira.

......

Louis : Moi aussi, je suis dans l'informatique. Je travaille sur un jeu vidéo : le Secret des pyramides.
Patrick : Et moi, Louis, je travaille sur la sauce Périgueux, et le secret de la sauce Périgueux, tu veux le savoir ? C'est une petite cuillerée de cognac.

4

À table.

Jean-Philippe : Et voilà le travail : gâteau aux trois chocolats.

Jean-Philippe : Allez, je vous sers.
Liza : Pas pour moi, merci.
Jean-Philippe : Tu n'en veux pas ?
......
Jean-Philippe : Alors, ça vous plaît ?
Anne-Sophie : Eh bien, c'est particulier.

Compréhension et simulations

1. *Scène 1.* Relevez les moqueries et les mots gentils.

2. Jouez la scène avec votre voisin(e).
Vous retrouvez un(e) ami(e) que vous n'avez pas vu(e) depuis longtemps.

3. *Scène 2.* Écoutez la scène. Les phrases suivantes sont-elles vraies ou fausses ?
a. Jean-Philippe a déjà vu Liza.
b. Liza a entendu parler de Jean-Philippe.
c. Jean-Philippe dérange Liza.
d. Entre Liza et Jean-Philippe, c'est le coup de foudre.

4. *Scène 3.* Imaginez une mise en scène de cette scène (mouvements, gestes, expressions des personnages).

5. Écoutez la scène 4 et transcrivez-la en entier.

6. Jouez la scène. Utilisez le vocabulaire du tableau (à faire par petits groupes de 4 ou 5).
Vous êtes avec des amis dans un restaurant où on vous sert des plats originaux.
Vous lisez et commentez la carte. Vous choisissez vos plats.

Exprimer des goûts et des préférences

- J'aime… J'aime bien… J'aime beaucoup
  Je trouve ça excellent
  Plaire : la région du Périgord me plaît
  Liza plaît à Jean-Philippe (Elle lui plaît) –
  Le film lui a plu
  Je ne résiste pas à un plat de choucroute
- Je n'aime pas. J'ai horreur du vin blanc
  Je ne supporte pas le bruit. Je trouve ce bruit désagréable
  Le film ne m'a pas plu
- Je préfère… J'aime mieux le thé glacé –
  Il fait froid. On va annuler la soirée. Il vaut mieux rester à la maison.

Prononciation

Prononciation de « le », « la », « les » compléments du verbe
L'indifférente
On la présente … Elle ne le connaît pas
Il la rencontre … Elle ne le voit pas
Il la regarde … Elle ne le sait pas
Il la cherche … Il ne la trouve pas
Il les fait rire … Elle ne s'amuse pas
Il les invite … Elle ne le remercie pas.

PLATS DE FÊTES

Foie gras poêlé aux pommes

Préparation : 10 min
Cuisson : 15 min

∽

Ingrédients (pour une personne) :
♦ 2 tranches de foie gras frais ♦ 1 pomme
♦ quelques gouttes de vinaigre de framboise ou de Xérès
♦ sel, poivre, noix muscade

Préparation :
• Trancher le foie gras frais de canard ou d'oie, en tranches de 1 gros centimètre.
• Faire chauffer la poêle assez fort à sec. Y placer la ou les tranches de foie gras.
• Laisser cuire 4 à 5 minutes.
• Essuyer la poêle et retourner le foie.
• Cuire selon son goût.
• Retirer, saler, poivrer, arroser de vinaigre.

Accompagnement :
• Trancher les pommes, les faire revenir dans la poêle dans un peu de beurre, saupoudrer d'un peu de noix muscade.

Servir chaud.

Le foie gras, plat traditionnel du réveillon de Noël avec les huîtres.

Galette des rois

Préparation : 15 min
Cuisson : 40 min

∽

Ingrédients (pour 4 à 6 personnes) :
♦ 2 pâtes feuilletées ♦ 100 g de poudre d'amandes
♦ 75 g de sucre ♦ 1 œuf ♦ 50 g de beurre
♦ quelques gouttes d'extrait d'amande amère
♦ une fève

Préparation :
• Disposer une pâte dans un moule à tarte, la piquer avec une fourchette.
• Mélanger dans un saladier tous les ingrédients sauf la fève.
• Étaler le contenu sur la pâte, y mettre la fève.
• Refermer la galette avec la deuxième pâte et bien coller les bords.
• Percer le dessus de petits trous pour que la galette ne gonfle pas trop.
• Mettre au four à 210 °C (th. 7) pendant 30 minutes environ.

La galette des rois. La personne qui a la fève dans sa part de galette devient le roi ou la reine.

▶ Lecture et présentation des recettes

Travail en deux groupes.
Vous devez présenter cette recette à une émission de télévision sur la cuisine.
a. Choisissez une des recettes. Lisez-la.
b. Préparez vos ingrédients et vos ustensiles (sous forme de dessins ou avec des objets divers).
c. Présentez votre recette.

▶ Rédigez des fiches cuisine de survie

(À l'intention des personnes qui ne savent pas cuisiner)
Travail par groupes de deux.
Comment faire cuire un œuf, un steak, etc.
Comment faire une omelette, des crêpes, une vinaigrette, etc.

La cuisine
• **Les ustensiles**
un plat – un bol – un saladier – un moule (à tarte) – une poêle – une casserole – une cocotte-minute
• **Les ingrédients**
le sel – le poivre – les épices (f.) – l'huile (f.) – le vinaigre – la moutarde – l'ail (m.) – le persil – l'oignon (m.) – le thym – le laurier
• **Les actions**
faire chauffer – faire cuire – faire griller – faire bouillir – faire frire
Le cuisinier fait cuire le poulet.
couper – découper – verser – ajouter
• **Sur la table**
une assiette – un verre – une coupe (à champagne) – une cuillère – une fourchette – un couteau – une carafe – une bouteille – une tasse – une nappe – une serviette – une corbeille (à pain) – un seau (à champagne)

Temps forts et jours fériés
Calendrier

BOURGES

Amadou et Marianne au Printemps de Bourges.

Le Couvent des Augustins pendant les Nuits lumière.

Printemps

→ **Mars** : le printemps des poètes. Café-poésie, lectures et bien d'autres découvertes.

→ **8 et 9 avril** : dimanche et lundi de Pâques. Tradition des œufs et des poules en chocolat pour les enfants.

→ **17 au 22 avril** : le Printemps de Bourges. Festival de musique et de chansons. Pour découvrir les nouveaux talents.

→ **1er mai** : fête du Travail. Tradition du muguet porte-bonheur.

→ **8 mai** : Commémoration de la victoire de 1945.

→ **13 mai** : fête des Mères

→ **27 et 28 mai** : dimanche et lundi de Pentecôte.

→ **16 juin** : repas de quartiers.

→ **17 juin** : fête des Pères.

Été

→ **21 juin** : Fête de la musique.

→ **du 21 juin au 21 septembre** : les Nuits lumière de Bourges. Parcours spectacle dans la vieille ville. Des images et de l'émotion.

→ **14 juillet** : Fête nationale. Feu d'artifice. Animations musicales et bals populaires.

→ **15 août** : Assomption.

→ **16 et 17 septembre** : Journées du patrimoine. Monuments, musées, demeures historiques et jardins ouvrent au public.

Automne

→ **21 octobre** : les Foulées de Bourges. Grande course à pied avec 10 000 participants.

→ **31 octobre** : Nuit de Halloween.

→ **1er novembre** : jour de la Toussaint.

→ **11 novembre** : commémoration de l'armistice de 1918.

Hiver

→ **Fêtes de fin d'année** : pendant les fêtes, animation dans les rues et marché de Noël.

→ **25 décembre** : Noël.

→ **31 décembre** : nuit de la Saint-Sylvestre. Feu d'artifice et animation. Réveillon du jour de l'An.

→ **1 janvier** : jour de l'An.

→ **6 janvier** : Épiphanie. Tradition de la galette des rois et de sa fève.

→ **14 février** : soirée de la Saint-Valentin.

→ **28 février** : défilé de Carnaval. Soirée crêpes.

Les fêtes en France

1. Lisez le calendrier des temps forts de l'année à Bourges. Complétez le tableau.

Fêtes	Printemps des poètes	
Ce qu'on peut voir ou faire		
Ce qu'on offre Ce qu'on envoie		
Ce qu'on mange		
Ce qu'on dit		

2. 🌐 Écoutez. Ils parlent de certains temps forts de l'année. Complétez le tableau avec les informations qu'ils donnent.

3. 🌐 Écoutez ces phrases. À quelles occasions sont-elles prononcées ? Notez-les dans le tableau.

4. Faites des comparaisons avec les temps forts de l'année dans votre pays.

BIZARRE... BIZARRE
LE FORUM DES NOUVELLES INSOLITES

Les nouvelles | Vos photos | Forum | Rechercher

Les nouvelles

Un chômeur gagne en France la somme record de 75 888 514 € à l'Euro Millions.

Un chômeur de 55 ans, originaire du Val-d'Oise, qui a joué avec l'un de ses sept enfants, a pulvérisé vendredi soir le record des gains à un jeu de hasard en France, en gagnant à l'Euro Millions la somme de 75 888 514 euros, l'équivalent de près de 62 siècles de Smic.

Interrogé par la presse, il a expliqué qu'il avait l'intention de « se faire plaisir, un petit peu, c'est normal ». Mais il a surtout assuré qu'il allait « faire du bien aux gens qui en ont besoin ». « La famille, les amis », les « bons amis », a-t-il précisé, « je ne les oublie pas ».

actu-wanadoo.fr.17/09/2005

Stockholm – **Une Suédoise de 38 ans vient de recevoir une lettre d'amour** écrite il y a vingt ans par le grand amour de ses 18 ans, un Français rencontré en vacances. La jeune femme vit aujourd'hui seule avec son fils.

Tokyo – **Un Japonais de 60 ans** a pu mémoriser les cent mille décimales du nombre pi (3,14116...). Il les a récitées pendant 16 heures devant un jury.

Washington – **La cape d'Harry Potter**, le personnage créé par la romancière J. K. Rowling, pourrait devenir une réalité d'après des chercheurs américains et anglais. Rappelons que cette cape permet d'être invisible.

Paris – **Dans son livre *Les Clés du destin*** (Odile Jacob), le sociologue J.-F. Amadieu montre que le prénom du candidat à un poste influence la décision du recruteur. Clara et Estelle ont plus de chance de trouver un emploi que Ginette.

BIZARRE... BIZARRE
LE FORUM DES NOUVELLES INSOLITES

Les nouvelles | **Vos photos** | Forum | Rechercher

**Envoyez vos informations ou vos photos.
Donnez votre avis.**

FRANÇAISE DES JEUX

EURO MiLLiONS

26.215.627 €

GAGNÉ LE : Vendredi 17 décembre 2004   À : Bègles

Les nouvelles | Vos photos | **Forum**

Forum – Que feriez-vous à leur place ?

Que feriez-vous si vous gagniez une grosse somme d'argent ?

« Je pense que je m'achèterais dans un premier temps une superbe voiture. Ensuite il me faudrait une belle maison et je pense que je referais ma garde-robe... »

Laetitia C., *étudiante, 17 ans*

« Je pourrais réaliser mon rêve : partir au Maroc, acheter des chevaux et monter un haras avec table d'hôtes. J'adore ce pays et j'aime beaucoup recevoir, accueillir les gens. »

Claude-Marie V., *fonctionnaire, 51 ans*

« Je pense que je commencerais par un tour du monde pour prendre le large, m'aérer et savoir ce que je vais faire d'une telle somme. Je m'achèterais peut-être une maison dans la région ou ailleurs, je ne sais pas... »

Régis T., *vigile, 35 ans*

« Je garderais quand même une certaine somme pour mon jardin et la maison. J'améliorerais mon quotidien. Ensuite, je me tournerais vers mes amis qui en ont besoin et les associations. Je n'oublierais pas d'aider la recherche. »

Marie-Claire C., *retraitée, 60 ans*

Midi Libre, 22/04/2004

Lecture et commentaire des nouvelles

1. Lisez le premier article.

a. À l'aide des définitions suivantes, trouvez le sens des mots difficiles.

qui n'a pas de travail : ...
la plus importante : ...
qui vient de : ....
exploser : ...
la somme qu'on a gagnée : ...
le salaire minimum : ...

b. Complétez les informations suivantes.

• De qui parle-t-on ?
• Que s'est-il passé ?
• À quelle occasion ?
• Quelles sont les conséquences ?

2. Lisez le forum.

a. Notez ce que ferait chaque personne si elle gagnait une grosse somme d'argent.

Laetitia → acheter une voiture, une maison...

b. Observez l'emploi des temps verbaux.

3. Répondez à la question du forum.

Participez au forum nouvelles insolites

(Travail en petits groupes)

1. Faites vos commentaires sur les autres nouvelles brèves et sur les photos insolites.

2. Trouvez d'autres informations intéressantes ou bizarres. Rédigez-les en haut d'une page et posez la question :

« Que feriez-vous à leur àplace ? »

3. Faites circuler la page. Les étudiants répondent à la question.

▶ Faire des hypothèses

Si j'étais un peu plus riche...
Si je trouvais un sponsor...
j'achèterais une voiture de sport, nous ferions le rallye Paris-Dakar, tu serais mon copilote, l'expérience serait extraordinaire, les copains seraient impressionnés, vous nous verriez au journal télévisé.

S'il fait le rallye Paris-Dakar, tu resteras ici.

1 **Observez les constructions ci-dessus et l'emploi des temps verbaux.**

• Hypothèses avec si (à l'imparfait) → conséquences
....
• Hypothèses avec si (au présent) → conséquences
....

Comparez la conjugaison du conditionnel présent avec celle du présent de l'indicatif.

2 **Mettez les verbes entre parenthèses à la forme qui convient.**

Un Allemand, étudiant en français
Si je réussissais à mon examen, j'(*aller*) passer une année en France.
Je (*s'inscrire*) à l'université de Besançon parce que j'(*avoir*) des amis dans cette ville. Ces amis me (*loger*).
Toi et moi, on (*rester*) en contact par mél.
Tu (*venir*) pour les vacances. Nous (*visiter*) la région.
Si tes parents (*accepter*) de te prêter de l'argent, tu (*pouvoir*) passer l'année suivante avec moi.

Le conditionnel présent

• **La supposition**
Si + présent → verbe au présent ou au futur
Si tu vas à Londres, je pars avec toi.

• **L'hypothèse**
Si + imparfait → verbe au conditionnel présent
S'il allait à Londres, je partirais avec lui.

• **Formation du conditionnel présent**
radical du futur + -*ais*, -*ais*, -*ait*, -*ions*, -*iez*, -*aient*

acheter	faire
j'achèterais	je ferais
tu achèterais	tu ferais
il/elle achèterait	il/elle ferait
nous achèterions	nous ferions
vous achèteriez	vous feriez
ils/elles achèteraient	ils/elles feraient

3 **Imaginez la suite.**
a. Si j'étais maire de la ville ...
b. Si mon oncle me prêtait son bateau ...

▶ Exprimer une demande polie

J'aimerais que tu pousses.

On devrait appeler les secours.

1 **Observez ci-dessus l'emploi du conditionnel.**

2 **Formulez les phrases suivantes de façon polie.**
a. le patron à l'employé
Soyez à l'heure le matin !
Vous devez travailler sur le dossier Soditel.
b. L'employé au patron
Je veux un jour de congé.
Il faut augmenter mon salaire

Demandes polies et conseils

1. Exprimer une demande de façon polie
je voudrais sortir
tu devrais sortir
j'aimerais
je souhaiterais } que vous sortiez (subjonctif
il faudrait voir p. 48)

2. Exprimer une suggestion, un conseil
Nous pourrions aller au concert de Diam's.
Je préférerais qu'on aille au théâtre.
Il vaudrait mieux aller écouter Vincent Delerm.
Vous devriez aller voir le spectacle de Bartabas.

3 **Faites des suggestions. Répondez-leur.**
« Tu pourrais... Tu devrais... Il faudrait que... »
a. Une femme de 30 ans : «Le matin, quand je me lève, je suis fatiguée. »
b. Un fonctionnaire de la préfecture : « Mon travail m'ennuie. »

c. Un jeune homme : « On dit que je suis un beau mec intelligent mais toutes mes petites amies me quittent au bout de 15 jours. »

▶ **Décrire des déplacements**

1 **Lisez le paragraphe 1 du tableau ci-contre. Utilisez ces verbes pour raconter une journée passée à visiter une grande ville.**

« Nous sommes partis de l'hôtel à 9 heures ... »

2 **Lisez les paragraphes 2 et 3. Utilisez les verbes dans les circonstances suivantes :**

a. Un de vos amis va voir l'exposition Monet. Vous aussi, vous avez envie de voir cette exposition.
« Je peux ... Tu peux ...   dans ta voiture »

b. C'est la grève du métro. Comment rentrer chez vous ? Heureusement, un de vos collègues a une voiture.
« Je ne peux pas ... Tu peux ... »

c. Vous commandez une pizza dans une pizzeria. Vous avez envie de la manger chez vous.
« C'est pour ... »

d. Vous préparez une sortie pique-nique avec les amis.
« Dans ma voiture, je peux ... Qu'est-ce que ... Qu'est-ce que vous ... »

Décrire des mouvements

1. Le mouvement en général
• **partir – arriver – repartir – revenir – rentrer**
Le 8 mai, à 9 heures, il part **à** Marseille. Il part **de** Paris.
À midi, il arrive **à** Marseille. Il arrive **de** Paris.
Le 9 mai, il repart **de** Marseille **vers** Nice.
Le 10 mai, il revient **à** Marseille.
Le soir, il rentre **chez** lui, **à** Paris.
• **monter – descendre**
Elle est montée au Lac bleu en télésiège. Elle est redescendue à pied.
Il est descendu du métro à la station Pasteur.
• **entrer – sortir – traverser**
Le voleur a traversé le jardin. Il est entré par la fenêtre.
Il est sorti par la porte.
• **avancer – reculer**
Les courageux avancent. Les peureux reculent !

2. Avec les personnes
• **accompagner – amener**
Pierre accompagne (amène) sa fille au collège à 7h45.
• **raccompagner – ramener**
Pierre raccompagne (ramène) sa fille à la maison à 16 h.
• **emmener**
Nous allons en promenade. On vous emmène ?

3. Avec les choses
• **apporter**
J'accepte ton invitation à dîner. J'apporte le dessert.
• **rapporter**
Je t'ai prêté un livre. Tu peux me le rapporter ?
• **emporter**
Quand il voyage, il emporte toujours un livre.

▶ 🎧 **La grammaire sans réfléchir**

1 **Différenciez futur et conditionnel : ai [e] et iez [je]**
Vous êtes courageux. Confirmez.
• Vous les appelleriez ? – Je les appellerai.
• Vous iriez ? – ......

2 **Vous avez un doute. Demandez-lui confirmation.**
• Moi, si un jour je gagne au Loto, j'arrête de travailler.
– Si tu gagnais au Loto, tu t'arrêterais de travailler ?
• Oui et si je m'arrête de travailler, je pars en voyage.
– ......

L'anniversaire

3 - Journée de détente

1

Anne-Sophie a programmé un tour en montgolfière au-dessus du Périgord.

Anne-Sophie : Allez ! On y va tous !

Liza : Moi, je ne monte pas là-dedans.

Jean-Philippe : Pourquoi ? Tu as peur ?

Liza : À dix ans déjà, sur la grande roue j'avais le vertige.

Jean-Philippe : Tu fermeras les yeux. Je te tiendrai la main.

Liza : Et si ça se dégonflait !

Jean-Philippe : J'arriverais à terre avant toi et je te recevrais dans mes bras.

Liza : Je préfère ne pas essayer.

Anne-Sophie : Pour le moment, c'est toi qui te dégonfles.

Harry : Elle n'est pas la seule. Moi aussi, je préférerais rester en bas. (à *Liza*) Et si on allait voir les antiquaires de Sarlat ?

Liza : Ça, ça me plairait mieux.

Jean-Philippe : Je vous accompagne.

Anne-Sophie : Ah non, Jean-Philippe, tu restes avec nous !

Harry : Ne vous inquiétez pas. Je la ramène pour le dîner !

Karine (à Odile) : Il me laisse tomber. Il ne manque pas d'air !

Odile : Je dirais même qu'il est gonflé !

2

Dans les airs.

Louis : Patrick, tu vois ce château. Il me donne une idée de jeu vidéo.

Patrick : Mais tu ne penses qu'à ça !

Louis : Tu choisirais ton époque, par exemple le XIIe siècle... Tu te connecterais avec des gens qui ont choisi la même époque... dans le monde entier... Ce serait sympa, non ?

Patrick : Eh bien, développe-le, ton jeu.

Louis : Il me faudrait un partenaire financier. Ça ne t'intéresserait pas ?

Patrick : Il faut voir.

3

Le soir.

Karine : Mais qu'est-ce qu'ils font ?
S'ils avaient un problème,
ils nous appelleraient !
Anne-Sophie : Moi, à ta place,
je m'inquiéterais.
Karine : Harry et moi, on est
ensemble depuis cinq ans.
Il n'a jamais eu d'aventure.
Anne-Sophie : Oui, mais cinq ans,
c'est long. *(Le portable de Karine
sonne)*
Karine : Oui... Ah, j'aime mieux
ça... D'accord. *(à Anne-Sophie)*
Ils seront là dans dix minutes.
Harry a rencontré un copain à Sarlat.

4

Après le dîner.

Odile : Si on faisait un jeu ensemble ?
Anne-Sophie : C'est une idée. Jouons au portrait.
Karine : Pourquoi pas au scrabble ?

Plus tard, les huit amis jouent au jeu du portrait.

Karine : Anne-Sophie, ça y est, tu peux revenir.
Anne-Sophie : Alors, c'est un homme ou une femme ?

 Transcription

Anne-Sophie : Bon, si c'est comme ça, je préfère
aller me coucher. Continuez sans moi.
Harry : Qu'est-ce qu'il lui arrive ?
Louis : Elle l'a mal pris.

Compréhension et simulations

1. *Scène 1*. Écoutez la scène.
Après la sortie en montgolfière, Odile téléphone à une amie.
« Je vais te raconter. Ce matin, Anne-Sophie a organisé... »

2. *Jouez la scène (à quatre).*
Vous devez faire une activité originale (promenade à cheval, tour sur les montagnes russes d'une foire, etc.). Mais deux d'entre vous ne sont pas d'accord.

Proposer – Réagir

• Proposer
Et si on allait au cinéma ?
On pourrait...
Tu n'aimerais pas... } aller au cinéma
Pourquoi ne pas...

• Hésiter
Je ne sais pas. Il faut voir.
Je vais y réfléchir.

• Refuser
Ça ne me dit rien. Je n'ai pas envie.

• Proposer autre chose
J'aimerais mieux
Je préférerais } aller au théâtre
Il vaudrait mieux
On ne pourrait pas aller au théâtre ?

3. *Scène 2*. Continuez l'explication de Louis.
Tu serais... Tu rencontrerais... Tu verrais...

4. *Scène 3*. Écoutez puis imaginez et jouez la scène suivante.
Vous passez des vacances en famille ou avec des amis dans une grande maison.
Deux d'entre vous sont sortis pour faire une activité.
Le soir, ils ne sont toujours pas rentrés.

5. *Scènes 4 et 5*. Transcrivez ces scènes.

6. Jouez au jeu du portrait.

Prononciation

Sons [u] et [y].
Tu sais tout
La ville de Katmandou ... Tu l'as vue.
Le chant du coucou ... Tu l'as entendu.
« Ensemble, c'est tout » ... Tu l'as lu.
« Chou, hibou, caillou » ... Tu l'as retenu.
Cet air de Sardou ... Tu l'as reconnu.

Naissance d'un chef-d'œuvre

Le début du XXᵉ siècle est en France une grande période de création artistique. Tous les ans, une nouvelle école se crée. Après le Fauvisme de Matisse et de Derain vient le Cubisme de Picasso et de Braque, puis l'Art abstrait, le Futurisme...

Beaucoup d'artistes se sont installés sur la butte Montmartre, qui ressemble encore à un village et qui est devenue le centre artistique et littéraire de Paris.

Mais tous ces peintres et ces sculpteurs n'ont pas le talent d'un Van Gogh ou d'un Toulouse-Lautrec. Certains cherchent à exploiter l'ignorance du public qui achète les styles à la mode mais ne sait pas toujours reconnaître les œuvres de qualité.

Pour se moquer d'eux, l'écrivain Roland Dorgelès et ses amis décident de frapper un grand coup.

Le patron du Lapin agile, le café où se réunissent Dorgelès et ses amis, possède un âne qui s'appelle Lolo. Dorgelès place Lolo devant une table couverte de carottes, de choux et de salades. Il attache un pinceau à la queue de l'âne, pose sous la queue un tableau blanc et trempe le pinceau dans de la peinture. Les mouvements de la queue commencent à dessiner des formes abstraites sur la toile...

Un huissier* et un photographe, invités par Dorgelès, observent la scène. De temps en temps, Dorgelès déplace la toile et trempe le pinceau dans une couleur différente.

Bientôt l'œuvre est terminée. Il ne reste plus qu'à lui donner un nom. Ce sera *Coucher de soleil sur l'Adriatique.* On imagine aussi le nom du peintre, *Joaquim Raphaël Boronali,* qu'on présente comme le chef de l'école « *Excessiviste* ».

L'œuvre est exposée au Salon des Indépendants. Les critiques d'art l'apprécient et trouvent au peintre inconnu Boronali « beaucoup de personnalité » et un « grand talent de coloriste ».

Quelques jours plus tard, Dorgelès révèle toute l'affaire dans le journal *Le Matin.* Cette révélation ne fait qu'augmenter le succès du tableau. Tout le monde va le voir. Il se vendra 400 francs, soit 1 500 euros. L'œuvre existe toujours. Elle a été exposée en 1983 au Salon des Indépendants.

* Huissier : homme de loi.

D'après Claude Gagnières, *Au bonheur des mots*, Robert Laffont, Paris, 1989.

▶ Le script de l'histoire

Travail en petits groupes

Vous devez préparer un film d'après cette histoire.

Faites la liste des scènes que vous allez tourner.

Pour chaque scène indiquez le lieu, les personnages, les actions. Écrivez les dialogues.

Scène 1 : Montmartre en 1900. Un peintre s'est installé sur la place du Tertre. Des passants s'arrêtent...

Plaisanter – rire

• **L'humour**
faire de l'humour sur... – être drôle, amusant – un humoriste – un film comique – une histoire drôle – une blague – raconter une blague

• **Le rire**
rire (de) – Nous avons beaucoup ri de son aventure – plaisanter – une plaisanterie – sourire – un sourire – attraper un fou rire

• **L'ironie**
se moquer de quelqu'un (quelque chose). Ils se sont moqués de moi – une moquerie – taquiner quelqu'un – une caricature

QU'EST-CE QUI LES FAIT RIRE ?

Un regard amusé sur soi et sur les autres

Les Français sont les descendants de Molière et de Beaumarchais. Dans les pièces de boulevard, dans les films comiques, mais aussi avec les amis, les voisins ou des inconnus rencontrés au café ou dans le train, ils aiment plaisanter de leurs défauts et des défauts des autres. Ici, l'humoriste Gad Elmaleh parle de voyages en avion.

« Moi j'ai peur en avion et j'ai peur de dire que j'ai peur.
Même si on a tous dans notre entourage quelqu'un qui dit :
"Tu sais, il n'y a pas plus d'accidents d'avions
que d'accidents de voitures." C'est cela, oui.
Et alors, pourquoi un aéroport, on appelle ça un terminal ?
Ils ont une question très bien les douaniers,
c'est quand ils disent : "Monsieur, est-ce que quelqu'un
que vous ne connaissez pas vous a donné quelque chose ?"
Moi je leur dis : "Monsieur, même les gens que je connais
très bien ne me donnent rien." [...]
Moi, j'arrêterai d'avoir peur en avion le jour où on arrêtera
d'applaudir les pilotes parce qu'ils ont réussi l'atterrissage. »

Extrait du spectacle « L'autre, c'est moi ».

Le plaisir des jeux de mots

Avec ses mots qui se prononcent pareil ou presque pareil, la langue française permet de faire des jeux de mots. En voici quelques-uns.

En sortant de chez le dentiste :
« C'était une tragédie de Racine. »

En sortant de chez son psychanalyste :
« Ça va comme psy comme ça. »

En sortant du restaurant :
« C'était un néfaste food. »

Le poulet avait un goût bizarre :
« C'était un poulet aux Curie. »

D'un écrivain qui pensait avoir un prix littéraire :
« Il croyait au père Nobel. »

Il y a du vent sur la grande avenue parisienne :
« C'est les Champs Alizées. »

Jeux de mots choisis dans
Demandez nos calembours, Patrice Delbourg,
Le Cherche Midi, 1997.

Vous la connaissez ?

Un Belge, un Canadien, un Français et un Suisse racontent des blagues.
« Savez-vous pourquoi les Français n'allument pas les phares de leur voiture dans la journée ?
– Parce qu'ils se prennent pour des lumières. »

L'humour du quotidien

1. Dans l'extrait du spectacle de Gad Elmaleh, recherchez les particularités de la langue orale familière.

2. Notez les observations amusantes.

3. Recherchez des moments ou des phrases amusantes dans les situations suivantes :
– un repas dans un restaurant
– les parents et les enfants dans la voiture

▶ Les jeux de mots

Dans chaque phrase, cherchez où se trouve le jeu de mots. Dans quelle situation peut-on le faire ?
Exemple : une tragédie de Racine (Racine, auteur de tragédies / la racine d'une dent) : quand le dentiste a arraché une dent.

▶ 🎧 Écoutez et racontez des blagues

De qui se moque-t-on ? Qu'est-ce qu'on critique ?
Racontez chaque blague.
Racontez des histoires drôles que vous connaissez.

Le langage des couleurs

Les couleurs que nous aimons ou que nous rejetons nous renseignent sur notre personnalité.
Elles peuvent aussi influencer nos comportements.
Découvrez pourquoi vous êtes attiré(e) par certaines couleurs, pourquoi vous avez choisi une robe ou une cravate bleue, pourquoi vous avez fait peindre votre salon en jaune...

Le blanc

■ **Si vous aimez :**
gaieté – spontanéité – goût de l'ordre – esprit pratique

■ **Si vous détestez :** intolérance

■ **Les objets et les mots :**
la robe blanche de la mariée – la blouse blanche des médecins

« Je vous donne carte blanche » :
Je vous laisse libre.

Le vert

■ **Si vous aimez :**
optimisme – enthousiasme – jeunesse – énergie

■ **Si vous détestez :** caractère changeant

■ **Les objets et les mots :**
le billet vert (le dollar) – le tapis vert (des jeux) – le parti politique « les Verts »

« Il m'a donné son feu vert » :
Il m'a donné son autorisation.

Le bleu

■ **Si vous aimez :**
curiosité – goût du voyage – goût pour la réflexion et les idées – compréhension des autres

■ **Si vous détestez :** peu sociable

■ **Les objets et les mots :**
le drapeau de l'Europe – les Casques bleus de l'ONU – un cordon-bleu (une bonne cuisinière)

« Je n'y ai vu que du bleu » :
Je n'ai rien compris.

Le noir et le gris

■ **Si vous aimez :**
élégance – simplicité – goût de la connaissance – honnêteté

■ **Si vous détestez :** pessimisme

■ **Les objets et les mots :**
le tableau noir (de l'école) – les romans de série noire (les romans policiers) – le travail au noir (clandestin) – les idées noires (tristes)

« Vous me mettez cela noir sur blanc » :
Vous l'écrivez.

Le rouge (et le rouge orangé)

■ **Si vous aimez :**
courage – passion – ambition – action

■ **Si vous détestez :** autoritarisme

■ **Les objets et les mots :**
le feu rouge ou orange – le tapis rouge (des stars) – le drapeau rouge (des révolutionnaires)

« Il a vu rouge » : Il s'est mis en colère.

Le jaune (et le jaune orange)

■ **Si vous aimez :**
sens des contacts – générosité – créativité et originalité – goût des mots et de la parole

■ **Si vous détestez :** orgueil

■ **Les objets et les mots :**
le carton jaune (au football) – la ligne jaune (dans les aéroports) – les pages jaunes (de l'annuaire du téléphone) – le maillot jaune (du Tour de France)

« **Il a ri jaune** » : Il a ri pour cacher sa déception.

Le violet ou le rose

■ **Si vous aimez :**
calme – équilibre – goût du beau – sociabilité

■ **Si vous détestez :** timidité – passéisme

■ **Les objets et les mots :**
les jouets et les vêtements roses des petites filles – les rayons ultraviolets

« **Il voit la vie en rose** » :
C'est un optimiste. Il est heureux.

Faites passer le test

Travail par deux

1. Préparez dix questions pour connaître la couleur que votre partenaire préfère et la couleur qu'il déteste.

Exemple : Si tu achetais une voiture, quelle serait sa couleur ? Quelle couleur ne choisirais-tu pas ?

2. Posez les questions à votre partenaire. Trouvez sa couleur préférée et la couleur qu'il n'aime pas.

3. Lisez ensemble la description correspondant aux deux couleurs.

Cherchez les mots inconnus dans le dictionnaire ou demandez au professeur.

4. Présentez le résultat du test à la classe et donnez votre avis.

Le langage des couleurs

La classe se partage les sept couleurs.

1. Pour chaque mot du vocabulaire de la psychologie, trouvez :

– l'adjectif correspondant : la curiosité → curieux
– un exemple de comportement : « À dix ans, il lisait le journal et des magazines scientifiques. »
– une expression indiquant le contraire : « Il ne s'intéresse à rien. »

2. Lisez la liste des objets. Comparez avec les réalités de votre pays.

Le caractère et la personnalité

Recherchez les qualités qu'ils doivent avoir et les défauts qu'ils ne doivent pas avoir.

a. le chef d'entreprise
b. l'actrice de théâtre
c. le vendeur de voitures
d. la journaliste
e. l'avocat
f. la styliste

▶ Rapporter des paroles ou des pensées

Rapporter des paroles

Paroles prononcées		Les paroles sont prononcées maintenant	Les paroles ont été prononcées dans le passé
Affirmation	**Au présent** Il pleut.	Il dit qu'il pleut. **(présent)**	Il a dit qu'il pleuvait. **(imparfait)**
	Au futur Je ne sortirai pas.	Il dit qu'il ne sortira pas. **(futur)**	Il a dit qu'il ne sortirait pas. **(conditionnel présent)**
	Au futur proche Je vais rester chez moi.	Il dit qu'il va rester chez lui. **(futur proche)**	Il a dit qu'il allait rester chez lui. **(*aller* à l'imparfait + infinitif)**
	Au passé J'ai fini mon travail.	Il dit qu'il a fini son travail. **(passé composé)**	Il a dit qu'il avait fini son travail. **(plus-que-parfait)** (voir p. 104)
Question	Vous voulez regarder un film ? Que voulez-vous voir ? Qui... quand... quel acteur ?	Il nous demande si nous voulons regarder un film. Il nous demande ce que nous voulons voir. Il nous demande qui... quand... quel acteur...	Il a demandé si nous voulions regarder un film. Il nous a demandé ce que nous voulions voir.
Ordre	Pierre, allume la télé !	Il demande à Pierre d'allumer la télé.	Il a demandé à Pierre d'allumer la télé.

1 **Observez comment les phrases de Kevin sont rapportées par Hélène.**

Je quitte tout. → Il m'a dit qu'il quittait tout.

2 **La responsable d'une agence immobilière parle à un collaborateur.**

« Alexandre, je sors.
J'ai plusieurs rendez-vous à l'extérieur.
Je vais faire visiter l'appartement de M. Coste.
Je rentrerai vers 18 h.
Est-ce que vous pouvez m'attendre ?
N'oubliez pas : téléphonez à Mme Fontaine et faites la lettre pour Alma Assurances...
Au revoir. Avertissez Charlotte. »

Alexandre rapporte à Charlotte les paroles de la responsable de l'agence.

« Elle a dit qu'elle... »

3 **Une styliste raconte à une amie son entretien d'embauche dans une maison de couture.**

« Ils m'ont demandé si j'avais une expérience professionnelle.
Je leur ai répondu que j'avais travaillé chez Dior.
L'homme m'a demandé ce que j'aimerais faire.
La femme m'a demandé de lui parler de mon travail chez Dior.
Après, la femme m'a parlé du poste. Elle m'a dit qu'il y avait beaucoup de travail, que j'allais beaucoup voyager et que, pour préparer les collections, il faudrait rester tard le soir.
Je leur ai demandé de me donner une réponse rapidement. »

Retrouvez le dialogue entre les trois personnes :

L'homme : ...
La jeune styliste : ...
La femme : ...

▶ **« Faire + verbe » et « laisser + verbe »**

> J'ai fait le plan du bateau.
> Puis j'ai fait construire le bateau.
> Puis je l'ai peint moi-même.

> Où partez-vous ?

> Je laisse Hélène décider.

> Moi aussi, j'ai peint.
> Il m'a fait travailler !

> On se laissera pousser par le vent.

1 **Observez les phrases ci-dessus. Complétez le tableau.**

Kevin est ...	actif	J'ai fait le plan.
	passif	
Hélène est ...	active	
	passive	

2 **Continuez en employant le verbe « faire » et le verbe entre parenthèses.**

a. Ma voiture est en panne. Je dois ... (*réparer*)
b. Grégoire n'a pas de bonnes notes à l'école. Ses parents ... (*travailler*)
c. Le petit chien a soif. Je ... (*boire*)
d. Il a reçu une lettre en allemand. Il ne comprend pas l'allemand. Il va ... (*traduire*)

3 **Complétez en utilisant « se faire » + verbe entre parenthèses.**

a. J'ai un problème d'ordinateur que je ne sais pas résoudre. Je vais ... (*aider*)
b. Pour son mariage, Caroline a voulu une robe originale. Elle ... (*faire*)
c. Dans les hôtels, je n'ai pas confiance dans le réveil automatique. Je préfère ... (*réveiller*)
d. Victoria était perdue dans Paris. Elle ... (*indiquer*) l'itinéraire.

4 **Dans quelle(s) situation(s) peut-on entendre les phrases suivantes ?**

a. Laissez-moi entrer.
b. Laissez-le dormir encore.
c. Laisse-la réfléchir.
d. Laisse-toi aller.

« Faire » ou « laisser » + verbe

1. « Faire » + verbe
Quand le sujet commande une action mais ne la fait pas lui-même.

Marie peint (elle-même) sa maison.

N.B. La forme « moi-même, toi-même, lui-même, elle-même, etc. » est utilisée pour montrer que c'est bien le sujet qui fait l'action.

Pierre fait peindre sa maison (par un peintre).
Il fait manger sa fille de 2 ans.
L'humoriste Gad Elmaleh me fait rire.

2. « Se faire » + verbe
Quand l'objet de l'action appartient au sujet.

Elle se fait couper les cheveux.
Il s'est fait construire une maison.

N.B. La forme « se faire » + verbe peut aussi avoir un sens passif (voir p. 88).

Elle s'est fait voler ses bijoux.

3. « Laisser » + verbe
Je ne veux pas vous déranger. Je vous laisse travailler.

4. « Se laisser » + verbe
Pierre ne voulait pas aller à l'anniversaire de Marie. Finalement, il s'est laissé inviter.

▶ 🎧 **La grammaire sans réfléchir**

1 **Confirmez que vous avez informé votre amie.**

Avant un voyage au Canada
• Il fait froid au Canada. Tu l'as dit à Marie ?
– Je lui ai dit qu'il faisait froid.
• Elle doit prendre des vêtements chauds.
– Je lui ai demandé de prendre des vêtements chauds.
• Est-ce qu'elle a un bonnet ?
– Je lui ai demandé si ...

2 **Utilisez la forme « faire + infinitif ».**

Médecin et très occupé
• Vous faites les comptes de votre cabinet médical ?
– Non, je les fais faire.
• Vous réparez vous-même votre ordinateur ?
– Non, ...
...

L'anniversaire

4 – Dispute et réconciliation

Le matin.

Karine : Et Anne-Sophie ?
Patrick : Elle m'a dit qu'elle ne viendrait pas.
Odile : Mais l'exploration de la grotte, c'est son idée !
Patrick : Je crois qu'elle est toujours fâchée.
Liza : Et si on allait lui parler.
Patrick : Ce serait une bonne chose.

Une **expérience exceptionnelle**

SPELEO CLUB
de Laroque

Explorer
une grotte avec un guide
du spéléo-club

☎ Jean-Pierre 06 90 45 .....

2

Devant la chambre d'Anne-Sophie.

Karine : Anne-Sophie, tu peux nous ouvrir ?

 Transcription

3

Dans la grotte.

Harry : Dites donc, on ne tournerait pas en rond ?
Jean-Pierre : Si. Je crois qu'on est perdu.
Harry : Mais vous avez déjà fait visiter cette grotte ?
Jean-Pierre : Oui, mais je n'ai jamais vu ces chevaux sur les murs !
Liza : Et qu'est-ce qu'on fait quand on est perdu ?
Jean-Pierre : On attend. Les portables ne passent pas.
Karine : Quelqu'un sait qu'on est ici ?
Jean-Pierre : La dame qui est restée au gîte : Anne-Sophie. Ne vous inquiétez pas. Elle appellera les secours.
Karine : Pas sûr !
Odile : Elle nous a fait descendre dans ce trou. Elle nous a fait salir nos vêtements. Elle va nous faire mourir de faim !
Louis : Tu vois, Patrick, ça me donne une idée pour le jeu vidéo...
Odile : Louis, ce n'est pas le moment !

Plus tard.

 **Transcription**

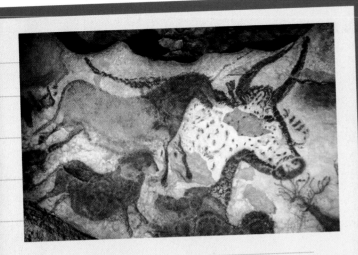

C'est l'heure de se séparer.

Odile : Au revoir, Anne-Sophie. Alors, je me fais couper les cheveux ?
Anne-Sophie : Surtout pas. Tu es trop jolie comme ça !

....

Louis : Alors, à une autre fois.
Patrick : Non, à lundi. Tu m'appelles pour me parler de ton jeu vidéo.

....

Liza : Tiens, c'est mon numéro de portable. Quand tu viens à Paris, appelle-moi !
Jean-Philippe : On ira manger un gâteau au chocolat !

....

Karine : C'est quoi, ce paquet ?
Harry : Une surprise pour ton anniversaire. Je l'ai trouvée chez un antiquaire de Sarlat.

Compréhension et simulations

1. Scènes 1 et 2.
a. Racontez pourquoi Anne-Sophie est fâchée.
b. Dans le jeu du portrait, Anne-Sophie et ses amis ont pensé à des choses différentes. Complétez le tableau.

Quand ils parlaient de...	Une reine autoritaire	Un amoureux étranger	...
Les amis d'Anne-Sophie pensaient...	Cléopâtre	...	...
Anne-Sophie pensait...	...		

2. Jouez la scène (à deux). Utilisez le vocabulaire du tableau « Incompréhension et malentendu ». Au cours d'un repas, un ami français vous dit une des phrases suivantes. Réagissez.

« Ne bois pas trop ! »
« Tu n'es pas français(e). Tu ne peux pas comprendre. »
« Tu es sûr(e) de ce que tu dis ? »

3. Scène 3. Caractérisez chaque personnage. Imaginez et jouez la suite de la scène.

4. Scène 4. Pour chaque personnage, imaginez la suite de l'histoire.

Incompréhension et malentendu

• **Exprimer l'incompréhension**
Pardon ? Qu'est-ce que vous dites ? Vous pouvez répéter ? – Qu'est-ce que vous voulez dire par « bizarre » ? –Qu'est-ce que vous entendez par là ?

• **S'expliquer**
Je n'ai pas voulu dire ça – J'ai voulu dire que... – Je me suis mal exprimé(e). – C'est un malentendu.

• **Accords et désaccords**
Ils s'entendent bien – Ils sont d'accord
Ils se sont disputés – Ils se sont fâchés
Ils se sont réconciliés – Ils ont fait la paix

Prononciation

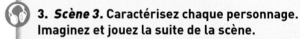

Différenciez [ɑ̃], [a], [ɔ̃], [ɔ].
Incompréhension
Je demande à Madame
Que fait-on de Léo ? Que fait-on de Léon ?
Dimanche matin
J'amène Léo à l'Odéon
Tu emmènes Léon au concert de cors.
Mais tu dis Léo et j'entends Léon
Et j'attends Léon tard l'après-midi.

MANIÈRES D'ÊTRE...

LE REGARD D'UN AMÉRICAIN

Ted Stanger est un journaliste américain qui a longtemps vécu en France. Dans Sacrés Français, il raconte avec humour sa découverte des modes de vie des Français.

Invité dans une famille parisienne, je bavarde avec la petite fille de six ans. Elle n'a jamais vu d'Américain et se met à me poser des tas de questions. Je réponds volontiers avant que la mère n'intervienne fermement.

« Arrête, tu es indiscrète », dit-elle à sa fille qui se tait instantanément. C'est sans doute ainsi que cette tradition du silence se transmet de génération en génération : un Français apprend très tôt à ne pas poser de questions. Ici, on ne demandera pas à quelqu'un dont on vient de faire la connaissance ce qu'il fait dans la vie, s'il est marié, s'il a des enfants ou encore moins ses opinions politiques.

Par contre, on peut parler de la pluie et du beau temps, des vacances et naturellement de la bonne chère[1].

En revanche, quand un Américain est présenté à un autre, des deux côtés l'enthousiasme est manifeste ; chacun veut tout savoir de l'autre comme si le nouveau venu pouvait se révéler un ami pour la vie. [...]

Dans le métro ou dans le train, bien des voyageurs prennent soin de cacher la couverture de leur livre aux yeux des curieux. [...] Le soir tombé, dans les villes et les villages de province, on ferme soigneusement stores[2] et volets. [...]

_____

1. la bonne chère : les bons repas – 2. un store : rideau qui s'enroule.

Ted Stanger, *Sacrés Français*, Édition Michalon, 2003.

SUJETS DE CONVERSATION

▸ **Avec tout le monde et en toutes circonstances**
son pays, sa ville, son quartier, son logement, les voyages, les vacances, les loisirs, la nourriture (les restaurants, les produits, les magasins)

▸ **Si on s'entend bien**
le travail
la politique en général

▸ **Ce qu'il faut éviter**
l'argent (ce qu'on gagne, la valeur de ses biens)
ses problèmes de santé
ses succès, ses diplômes
(ne pas se donner trop d'importance)

En fait, tous les sujets peuvent être abordés mais il faut laisser à l'interlocuteur la liberté de ne pas répondre. Au lieu de « Où travaillez-vous ? », dites « Vous êtes dans quelle branche ? » Au lieu de « Combien avez-vous payé votre BMW ? », dites « Ça vaut combien en ce moment une BMW comme ça ? »

Pétillon, *L'Enquête corse*, © éd. Albin Michel, 2000.

▸ **L'extrait du livre « Sacrés Français »**

1. Lisez le texte. Trouvez le sens des mots inconnus à l'aide des définitions suivantes :

lignes 1 à 5 : beaucoup de... – avec plaisir – de façon autoritaire
lignes 6 à 16 : curieux – qui ne parle plus – tout de suite – se communiquer
lignes 17 à 26 : au contraire – visible – devenir, apparaître

2. Faites la liste de ce qui étonne Ted Stanger. Ces comportements vous étonnent-ils ?

▸ **Rédigez une liste de conseils**

1. Lisez le document « Sujets de conversation ». Faites des comparaisons avec les habitudes de votre pays.

2. Rédigez un document semblable à l'intention des Français qui viennent dans votre pays.

... ET SUJETS D'ÉTONNEMENT

Témoignages

La France change mais certaines habitudes restent. Voici des observations d'étrangers qui vivent en France.

« Je logeais dans une famille française. Ils prenaient le petit déjeuner de manière totalement désorganisée. Chacun choisissait son heure et son menu. La mère prenait juste un café avec une pomme. Le père se préparait un café au lait avec des tartines. La fille prenait des céréales et du jus d'orange et le fils buvait un verre d'eau avant de partir à l'université. »

David (Allemagne)

« En France il y a un repas type. C'est entrée de crudités ou de charcuteries, plat de poisson ou de viande accompagné de légumes, fromage et dessert. C'est le menu des repas d'entreprises, des repas du soir où toute la famille se retrouve autour d'une table et discute et, bien sûr, des repas où on invite du monde. Là, on peut rester trois heures à table. »

Sonja (Danemark)

« Dans les restaurants, on vous apporte gratuitement du pain et une carafe d'eau. J'ai trouvé ça bien. »

Karol (Pologne)

« Mes amis français ont des voisins qu'ils connaissent depuis vingt ans. Ils se voient plusieurs fois par jour mais ils se disent toujours « Monsieur » et « Madame » et, bien sûr, ils se disent « vous ». »

Amparo (Espagne)

« Je faisais un stage dans une entreprise. Tous les matins, il y avait deux collègues qui se serraient la main comme s'ils se rencontraient pour la première fois. Presque tout le monde se serrait la main le lundi ou après quelques jours de vacances. »

William (Angleterre)

Les témoignages

1. Après la lecture de chaque témoignage, écoutez le commentaire des Français. Notez :

a. les habitudes traditionnelles
b. l'évolution de ces habitudes

2. Comparez avec les habitudes dans votre pays.

Une belle table

Observez la photo et écoutez. Un apprenti serveur pose des questions sur la façon de mettre le couvert. Répondez « oui » ou « non ».

À chacun ses habitudes

1. Retrouvez le(s) pays correspondant à chaque habitude.

Dans quel(s) pays ?
a. On sert le fromage après le gâteau.
b. On dîne à 22 heures.
c. On ne finit jamais complètement son assiette.
d. On n'offre jamais un bouquet de fleurs avec le papier.
e. On dîne assis devant une table tournante.
f. On porte souvent des toasts même quand il n'y a pas d'occasions particulières.
g. On dîne vers 18 heures.
h. Le petit déjeuner est un véritable repas qu'on prend en famille.
i. On ne prononce jamais le mot « non ». Ce serait impoli.
j. Les hors-d'œuvre sont plus importants que le reste du repas.
(Allemagne, Canada, Chine, États-Unis, Espagne, Grande-Bretagne, Italie, Japon, Jordanie, Pays-Bas)

2. Si vous avez visité des pays étrangers, parlez des habitudes qui vous ont frappé(e).

Évaluez-vous

1 **Vous pouvez entretenir des relations quotidiennes avec des francophones** .../10

Répondez « oui » ou « non ».

a. Vous pouvez aborder quelqu'un pour lui demander un service. ...

b. Vous êtes à l'aise dans une conversation même si vous ne comprenez pas tout. ...

c. Vous savez demander des nouvelles de quelqu'un. ...

d. Vous pouvez inviter quelqu'un oralement ou par écrit. ...

e. Vous pouvez répondre à une proposition ou à une invitation. ...

f. Vous pouvez raconter un événement de votre vie. ...

g. Vous pouvez parler des traditions et des fêtes de votre pays. ...

h. Vous pouvez parler de la cuisine de votre pays et de quelques plats typiques. ...

i. Vous pouvez décrire une personne : son physique, sa personnalité, ses habitudes. ...

j. Vous pouvez gérer un désaccord ou une dispute. ...

Comptez les « oui » et notez-vous.

2 **Vous pouvez réagir dans des situations inattendues.** .../10

Jouez le début des scènes suivantes avec votre voisin(e). Décidez ensemble d'une note.

a. Vous êtes invité(e) chez des amis. Quand vous arrivez, vos amis sont absents. Une personne que vous ne connaissez pas vous ouvre.

b. Votre chef a organisé un dîner pour vous. Mais le jour du dîner, vous avez la grippe.

c. Dans la rue, quelqu'un vous aborde et vous parle comme s'il vous connaissait. Vous ne le reconnaissez pas.

d. Dans une discussion politique avec des francophones, quelqu'un dit en vous regardant : « Les étrangers devraient rester chez eux. »

e. Vous partagez le même appartement avec un(e) ami(e). Vous vous êtes fâché(e)s parce que vous n'avez pas la même façon de vivre. Il (elle) est parti(e).
Deux mois après, vous le (la) rencontrez dans la rue. Il (elle) vous sourit.

Comptez un point par réponse juste.

3 **Vous comprenez les détails d'un rendez-vous ou d'une activité.** .../10

Au fur et à mesure de l'écoute du document, complétez ou cochez la bonne information.

a. Amandine appelle Jérémy pour _____

b. Quelles précisions donne-t-elle ?

date : _____   horaire : _____

lieu : _____

c. Quelles activités va-t-on faire ?

d. Qui vient ? Si la personne ne vient pas, notez pourquoi.

	oui	non			oui	non
Maeva	☐	☐		Jade	☐	☐
Lucas	☐	☐		Romain	☐	☐

e. Notez l'itinéraire sur un papier. Voici les noms de lieux qui sont cités.

Sarlat   Vézac   Castelnaud   La Dordogne   La Roque-Gageac

Comptez vos points et notez-vous.

Vous comprenez des informations sur un lieu de loisirs. …/10

LE PARC DU FUTUROSCOPE

• En voiture
– accès direct par l'autoroute A10
– Poitiers est à 325 km de Paris et à 250 km de Bordeaux

• En train
– Poitiers-Paris : 1h30 par TGV direct
– Lyon-Poitiers : 4h15 par Massy
– Gare TGV-Futuroscope : accès direct au cœur du Parc

• En avion
– Vols Poitiers-Lyon par la compagnie Airlinair Poitiers
– Londres-Poitiers en 1h30 avec Ryanair (ligne directe)
Le Futuroscope est ouvert tous les jours jusqu'au 11 novembre, puis uniquement les samedis et dimanches du 17 novembre au 16 décembre (+ les 6 et 7 décembre).
Ouvert tous les jours pendant les vacances de Noël du 22 décembre au 6 janvier 2008.

D'après le site officiel du tourisme de la Vienne www.tourisme-vienne.com/futuroscope

Faites-vous plaisir, osez de nouvelles expériences !

Se prendre pour une star, tester sa performance physique, stimuler son imaginaire, partager les jeux de ses enfants…
Retrouvez la part d'audace qui est en vous !

Le village lapon
■ Participez en famille aux animations ludiques et artistiques de l'Atelier Lapon et rencontrez le Père Noël dans un village lapon typique.
Tous les jours du 22/12 au 06/01

Star du futur !
■ Passez le casting et vivez votre premier tournage de cinéma.

La Vienne dynamique
■ Découvrez le département de la Vienne dans une course folle. Avec de nouveaux effets spéciaux pour encore plus de sensations !

À ne pas manquer : Danse avec les robots
■ 10 robots vous entraînent dans un ballet vertigineux conçu par Kamel Ouali.

La forêt des rêves
■ Tous les soirs, un tourbillon de lumières, de musiques et de feux d'artifice pour en prendre plein les yeux. Spectacle nocturne inclus dans le prix du billet d'entrée.

Expédition Nil bleu
■ Entraînez vos amis dans la descente du plus grand fleuve du monde.

Sous les mers du monde
■ Prenez une grande inspiration et plongez en 3D pour nager avec les créatures les plus exotiques de la planète.

Mission Éclabousse !
■ Embarquez à bord d'un vaisseau équipé de canons à eau et naviguez autour d'une île fantastique. Cascades de fous rires garanties (ouverture en avril 2007).

Répondez.

a. Le Futuroscope, c'est quoi ?
Un musée, un centre scientifique, un parc de loisirs, un parc d'attractions, etc. ?

b. Près de quelle ville est-il situé ?

c. Quelles attractions conseillez-vous dans les circonstances suivantes ?
(1) la nuit (2) pour Noël (3) en été (4) pour faire un peu de sport (5) pour connaître la région

d. Les affirmations suivantes sont-elles vraies ou fausses ?

• De Paris, on peut facilement aller au Futuroscope en train.

• Le Futuroscope est à 2 heures de voiture de Paris.
• C'est aussi intéressant pour les adultes que pour les enfants.
• Il est ouvert le mardi 18 décembre.
• Il est ouvert le jour de Noël.

e. Dans la liste des activités proposées par le Futuroscope, trouvez les mots qui signifient :
(1) à base de jeux (2) qui est en mouvement, qui tourne (3) sauter dans l'eau (4) qui donne le vertige (5) qui a lieu la nuit.

Comptez vos réponses justes. Notez-vous.

5 Vous connaissez quelques usages relatifs aux fêtes et aux événements de l'année. .../10

Écoutez. Reliez ce que vous entendez à la fête ou à l'événement.

a. Noël _____

b. Le 1er janvier _____

c. Le mois de février _____

d. Pâques _____

e. Le 1er mai _____

f. Le mois de mai _____

g. Le 14 juillet _____

h. La rentrée des classes _____

i. Les Journées du patrimoine _____

j. La Toussaint _____

Comptez 1 point par réponse juste.

6 Vous pouvez donner des conseils par écrit. .../20

Vous écrivez à un ami français qui a un grand appartement. Vous lui demandez s'il peut loger pendant 15 jours un(e) ami(e) de votre pays qui vient faire un stage en France.

Vous lui décrivez cet (cette) ami(e). Vous rassurez votre ami français et vous lui donnez quelques conseils pour que tout se passe bien.

Lisez votre lettre à la classe. Décidez ensemble d'une note.

7 Vous comprenez une brève information de presse. .../10

Le 27 novembre 2007

Emma, je t'aime : on sait qui est derrière

Depuis le 12 novembre, une étonnante affiche s'étale sur les panneaux publicitaires de Paris :

« Emma, je t'aime. Reviens ». Signé « Paul ».

Impossible de ne pas la voir. Elle est partout : sur les murs, dans les quotidiens, les magazines, la télé, la radio, Internet...

Au début, beaucoup ont cru à une déclaration d'amour originale : un certain M. Paul dépensait toutes ses économies pour séduire une belle Emma. Mais les jours passaient et l'affiche devenait de plus en plus envahissante. M. Paul ne pouvait être que milliardaire. Mais quel milliardaire agirait ainsi ?

On s'est alors aperçu que les lettres de la pub ressemblaient à celles de la marque du styliste Jean-Paul Gaultier, que M. Paul, selon son blog, avait 32 ans et que le célèbre styliste fête ses 32 ans de carrière. Fausse piste...

On sait tout aujourd'hui : l'auteur de la campagne est le publicitaire lui-même qui fait sa propre publicité. Il veut montrer aux annonceurs que son agence peut faire de gros coups. C'est ce que vient de révéler Constance Benqué, la présidente de Lagardère Publicité.

a. Trouvez les paragraphes qui correspondent aux titres suivants. Résumez chaque paragraphe en une phrase.

• Première supposition _____

• Révélation _____

• Étrange publicité _____

• Deuxième supposition _____

b. Comparez les suppositions. Laquelle paraît la plus vraie ?

c. Connaît-on la vérité aujourd'hui ?

d. Trouvez le sens des mots suivants :

– une affiche s'étale sur les panneaux (ligne 1)

– L'affiche devenait de plus en plus envahissante (ligne 8)

– Fausse piste (ligne 12)

– son agence peut faire de gros coups (ligne 14)

Corrigez ensemble et notez-vous.

8 Vous utilisez correctement le français.

a. Présent, passé composé, imparfait, futur. Mettez le verbe à la forme qui convient.

Premiers jours de travail dans une agence immobilière

« J' (*commencer*) à travailler avant-hier à l'agence IMMO. Le premier jour, le patron m' (*recevoir*). J'(*être*) un peu inquiet mais il (*être*) très gentil avec moi. Il m' (*expliquer*) l'organisation du travail.

Ce matin, avec un collègue, nous (*aller*) visiter une grande maison. C'était des Italiens qui la (*louer*) mais ils sont rentrés dans leur pays.

Demain, je (*passer*) la journée avec une cliente qui travaille dans une ambassade et qui (*vouloir*) trouver un appartement rapidement. Nous (*visiter*) plusieurs appartements. »

b. Les pronoms qui représentent les choses. Remplacez les mots soulignés par un pronom.

Retour de vacances

• Alors, tu es allée au Kenya ?
– Oui, je suis allée <u>au Kenya</u>.
• Tu as vu le parc du Serengeti ?
– J'ai vu <u>le parc du Serengeti</u>.
• Tu as emmené tes enfants ?
– J'ai emmené <u>mes enfants</u>. Ils ont beaucoup aimé.
• Tu as pris des photos ?
– J'ai pris plus de 300 <u>photos</u>. J'ai téléchargé <u>ces photos</u> sur mon ordinateur. J'ai fait un CD <u>avec ces photos</u>. Je te prêterai <u>ce CD</u>.
• Tu as pensé à rapporter un cadeau pour Jules ?
– Oui, j'ai pensé <u>à rapporter un cadeau pour Jules</u>.
• Marie a rapporté un souvenir ?
– Oui, elle a rapporté <u>un souvenir</u>. C'est une sculpture. Nous avons mis <u>cette sculpture</u> sur la table du salon.

c. Les pronoms qui représentent les personnes. Complétez avec le pronom qui convient.

Chère Eugénie,
J'espère que tu as passé de bonnes vacances de Noël et je ...... souhaite une excellente nouvelle année en attendant de ...... revoir.
Il y a du nouveau. À une fête chez Julie (je crois que tu ...... connais), j'ai rencontré un garçon très sympa. Il s'appelle Guillaume. Depuis cette soirée, nous avons eu l'occasion de ...... revoir parce qu'il habite tout près de chez .... Il ......'envoie des SMS à tout moment de la journée. Je ...... téléphone. Je ...... ai présenté mes parents. Il ...... a trouvés sympas. Il ...... a raconté son voyage au Pakistan.

d. Le conditionnel. Mettez chaque verbe à la forme qui convient (conditionnel, imparfait).

Le rêve de Louis

Si j'avais du courage, je (*développer*) ce jeu vidéo, je le (*montrer*) à des éditeurs. Ils me (*remarquer*). Peut-être que mon jeu (*avoir*) du succès. Je (*gagner*) beaucoup d'argent.
Tu serais heureuse, Odile, si nous (*aller*) vivre à Paris, si nous (*acheter*) un appartement dans l'île Saint-Louis et si nous (*pouvoir*) voyager... Peut-être qu'alors tu m'(*apprécier*) et que tu ne (*dire*) plus que je suis un incapable.

e. Utilisez *(se) faire* + infinitif.

• L'ordinateur de Delphine est en panne.
→ Elle le _____ réparer.
• Je trouve que mes cheveux sont trop longs.
→ (*couper*) _____
• Il ne comprend rien à la notice de cet appareil.
→ (*expliquer*) _____
• Elle m'a raconté une histoire drôle.
→ (*rire*) _____
• Le petit garçon a faim.
→ (*manger*) _____

f. Rapporter des paroles. Léa rapporte à un ami sa conversation avec Marie.

« *J'ai demandé à Marie si elle venait déjeuner...* »
Léa : Tu viens déjeuner ?
Marie : D'accord.
Léa : J'avertis Valentin ?
Marie : Non, ne lui dis rien. Je ne le supporte pas.
Léa : Pourquoi ?

Évaluez vos compétences

	Test	Total
• Votre compréhension de l'oral	3 + 5	... / 20
• Votre expression orale	1 + 2	... / 20
• Votre compréhension de l'écrit	4 + 7	... / 20
• Votre expression écrite	6	... / 20
• La correction de votre français	8	... / 20
	Total	**... / 100**

... au cinéma

Projet : Cérémonie des Césars

Au cours de la Cérémonie des Césars qui a lieu chaque année à Paris et qui est retransmise à la télévision, on attribue le prix du meilleur film francophone. On récompense aussi les meilleurs acteurs, le meilleur scénariste, la meilleure musique, etc.

Vous allez attribuer :
le prix de la meilleure scène de comédie de cinéma.

Le metteur en scène Roman Polanski recevant le prix du meilleur film pour *Le Pianiste*, lors de la Cérémonie des Césars de 2004. La récompense est une statuette créée par le sculpteur César, célèbre pour ses compressions d'objets.

Lisez les scènes ci-dessous. Vous y trouverez différentes façons de produire des effets comiques. Inspirez-vous de ces scènes pour écrire (seul ou par deux) votre propre scène de comédie.

Organisez une lecture de ces scènes et sélectionnez les meilleures.

▶ Le mot répété   *Drôle de drame*

M. et Mme Molyneux reçoivent à dîner l'évêque de Bedford, un de leurs cousins. L'évêque s'étonne que les domestiques soient absents. M. Molyneux, qui ne veut pas avouer que les domestiques sont partis à cause d'une remarque désagréable de sa femme, répond qu'ils sont allés voir des amis qui ont la rougeole (maladie qui touche surtout les enfants).

Louis Jouvet (l'évêque) et Michel Simon (Molyneux), deux grands acteurs français des années 1930.

L'évêque : Et où demeurent-ils exactement, ces amis qui ont la... rougeole ?

Molyneux : Ah, oui... Où demeurent-ils exactement... Vous me demandez, cher cousin, où ils... où ils demeurent exactement... Euh, eh bien... C'est bien simple, ils... Ils demeurent exactement dans... Dans les environs de Brighton, je crois...

L'évêque : Vous croyez, cher cousin... Bizarre, bizarre...

Molyneux : Qu'est-ce qu'il y a ?

L'évêque : Qui ?

Molyneux : Votre couteau.

L'évêque : Comment ?

Molyneux : Vous... Vous regardez votre couteau et vous dites « bizarre, bizarre... ». Alors je croyais que...

L'évêque : Moi, j'ai dit « bizarre, bizarre » ? Comme c'est étrange... Pourquoi aurais-je dit « bizarre, bizarre » ?

Molyneux : Je vous assure, cher cousin, que vous avez dit « bizarre, bizarre »...

L'évêque : Moi, j'ai dit « bizarre » ? Comme c'est bizarre !

Drôle de drame, film de Marcel Carné, dialogue de Jacques Prévert (1937)
© Ciné Horizon

1. Relevez ce qui est bizarre dans la situation et dans le dialogue.
2. Trouvez l'intonation des phrases et l'attitude des personnages.
3. Connaissez-vous des scènes ou des films comiques où le même mot est souvent répété ?

▶ La situation exagérée   *Le Corniaud*

Antoine Maréchal, un petit commerçant, part en vacances en Italie dans sa petite « Deux chevaux Citroën ». Alors qu'il n'a pas fait un kilomètre, sa voiture est heurtée par celle de Léopold Saroyan.

Maréchal : Ah non ! Ah non ! C'est une catastrophe !
Saroyan : Ben quoi ? Qu'est-ce qu' y a ?
Maréchal : Ben regardez-moi ça !
Saroyan : Qu'est-ce qu'y a ?
Maréchal : Qu'est-ce qu'y a ! Qu'est-ce qu'y a ! Qu'est-ce qu'y a ! Je vois bien qu'est-ce qu'y a !
Saroyan : Quoi ! La voiture...
Maréchal : Ah ben ça ! Elle va marcher beaucoup moins bien, forcément ! Je vous en prie... Ne vous gênez pas ! Marchez dessus !
Saroyan : C'est pas grave !
Maréchal : Ah ! Ben vous en avez de bonnes ! C'est pas grave... Qu'est-ce que je vais devenir, moi ?
Saroyan : Eh ben, un piéton, monsieur !
Maréchal : Hein ! Mes vacances sont foutues[1] ! Je partais pour l'Italie !

Louis de Funès (M. Saroyan) et Bourvil (Antoine Maréchal)

Saroyan : Mais écoutez... Prenez l'avion, ça va plus vite !
Maréchal : Mais je ne suis pas pressé, moi !

---

(1) *foutu (fam.)* : fini, perdu.

Le Corniaud, film de Gérard Oury (1964) © Film office.

1. Recherchez les effets comiques de cette scène.
2. Cette scène est la première du film. Imaginez ce qui va se passer.
3. Recherchez d'autres situations exagérées dans un film comique que vous connaissez.

▶ La parodie   *Kaamelott*

Le terrible Attila vient d'envahir la Bretagne. Il demande au roi Arthur de lui donner tout ce qu'il possède. Mais Arthur et les chevaliers de la Table Ronde trouvent des excuses pour ne rien donner.

Attila : Je veux l'or, tout l'or, sinon c'est la guerre !
Arthur : Quoi, tout notre or ! *(Il discute avec ses compagnons)*
Attila : Alors ?
Arthur : Alors, désolé. On ne peut pas payer...
Attila : La moitié de l'or tout de suite ou tout va brûler...
Arthur : Comprenez, on a des frais... Ou alors il faudrait demander un soutien à Rome.
Léodagan : Mais Rome en ce moment, c'est pas Byzance...
Attila : Alors les femmes !
Arthur : Faut voir. Ça dépend lesquelles.
Attila : Toutes les femmes !
Arthur : Ah ça non !...
Attila : La nourriture [...] Les couverts [...] Le linge de maison [...] Les draps, les serviettes... *(Chaque demande d'Attila rencontre un refus)* Quelque chose de typique. N'importe quoi qui est typique. Sinon on casse tout...

1. Faites la liste des demandes d'Attila. Que répond Arthur à la première demande ? Imaginez des réponses pour les autres demandes.
2. Relevez tous les détails amusants.
3. Connaissez-vous d'autres films qui sont des imitations comiques de l'Histoire ?

Kaamelott,
série télévisée d'Alexandre Astier (depuis 2005)
© Calt-Dies Irae-Shortcom.

La critique sociale *Le Dîner de cons*

Trois cadres qui se croient très intelligents se réunissent pour dîner chaque mercredi. À tour de rôle, ils invitent un « con » (personne naïve et peu intelligente) à partager leur repas pour se moquer de lui sans qu'il s'en aperçoive. Ce mercredi, Pierre Brochant a invité François Pignon, un comptable du ministère des Finances. Mais le dîner n'aura pas lieu comme prévu. Les amis de Pierre sont absents et sa femme Laurence vient de le quitter. Est-elle allée chez Juste Leblanc, un de ses anciens amis ? Pour le savoir, il demande à Pignon de téléphoner à Leblanc. Pignon doit se faire passer pour un producteur de cinéma qui recherche Laurence pour acheter les droits d'un livre qu'elle a écrit, Le Petit Cheval de manège.

Brochant : C'est tout simple ! Vous êtes producteur, OK ? Vous avez une maison de production à Paris... pas à Paris : il connaît tout le monde. Vous êtes un producteur étranger.

Pignon : OK. Américain ? Allemand ?

Brochant : Belge. C'est parfait, ça : belge.

Pignon : Pourquoi belge ?

Brochant : Parce que c'est très bien, belge. Vous êtes un gros producteur belge. Vous avez lu *Le Petit Cheval de manège*, c'est le titre du roman, et vous voulez lui acheter les droits pour le cinéma. OK ?

Pignon : C'est un bon livre ?

Brochant : Très mauvais. Quelle importance ?

Pignon : Ça m'embête un peu, ça.

Brochant : Pourquoi ?

Pignon : Si le bouquin est mauvais, pourquoi j'irais acheter les droits ? Ah, ah, ah !

Brochant : Monsieur Pignon, vous n'êtes pas producteur ?

Pignon : Non.

Brochant : Vous n'êtes pas belge non plus ?

Pignon : Non.

Brochant : Ça n'est donc pas pour lui acheter les droits du livre que vous lui téléphonez, mais pour essayer de savoir où est ma femme.

Pignon : Ouh... Alors ça c'est très tordu[1] mais bougrement[2] intelligent. C'est quoi le numéro ?

Brochant : 01 47 48... Je vais le faire moi-même. Il s'appelle Juste Leblanc.

Pignon : Ah bon, il n'a pas de prénom ?

Brochant : Je viens de vous le dire, Juste Leblanc. Leblanc, c'est son nom, et c'est « Juste », son prénom.

Pignon : Euh...

Brochant : Monsieur Pignon ? Votre prénom à vous, c'est François, c'est juste ?

Pignon : Oui.

Brochant : Et bien lui, c'est pareil. C'est Juste... Bon, on a assez perdu de temps comme ça [...].

---

1. *Tordu* : compliqué – 2. *Bougrement* : très.

Le Dîner de cons, film de Francis Weber (1998)
© Larousse-Bordas / HER, 1999

---

1. **Quel est le personnage le plus sympathique, Brochant ou Pignon ?**
2. **Qu'est-ce qui est amusant dans la personnalité de Pignon et dans celle de Brochant ?**
3. **Connaissez-vous des films qui se moquent de certains comportements ?**

Se débrouiller au quotidien

Le film *Viens chez moi, j'habite chez une copine.*

▶ *POUR **FAIRE FACE AUX SITUATIONS PRATIQUES** QUE VOUS POURREZ RENCONTRER LORS D'UNE INSTALLATION DANS UN PAYS FRANCOPHONE, VOUS ALLEZ APPRENDRE À...*

RUBRIQUES	BASE	TAUX	A DEDUIRE	A PAYER	CHARGES PATRONALES Taux	Montant
Salaire de base	169,00	11,720		1 980,68		
Majorations heures 10%	17,33	1,172		20,31		
Total brut				2 000,99		
Assurance maladie	2 000,99	0,750 %		-15,01	12,800 %	-256,13
Assurance vieillesse plafonnée	2 000,99	6,650 %		-133,07	8,300 %	-166,08
Assurance vieillesse déplafonnée	2 000,99				1,600 %	-32,02
Assurance vieillesse déplafonnée	2 000,99	0,100 %		-2,00		
Accident du travail	2 000,99				1,300 %	-26,01
Allocations familiales	2 000,99				5,400 %	-108,05
FNAL plafonné	2 000,99				0,100 %	-2,00
Contribution solidarité autonome	2 000,99				0,300 %	-6,00
Réduction Fillon						132,07
Assurance chomage AC	2 000,99	2,400 %		-48,02	4,000 %	-80,04
A.G.S.	2 000,99				0,150 %	-3,00
AGFF TA	2 636,97	0,800 %		-21,11	1,200 %	-31,67
AGFF TB	-637,98	0,800 %		5,74	1,300 %	8,29
Retraite complémentaire TA	2 636,97	3,000 %		-79,17	4,500 %	-118,75
Retraite complémentaire TB	-637,98	7,700 %		49,12	12,600 %	80,39
Garantie minimum de points	870,51	7,700 %		-67,03	12,600 %	-109,66
Cotisation CET	2 000,99	0,130 %		-2,60	0,220 %	-4,40
APEC TB	-637,98	0,024 %		0,15	0,036 %	0,23
Prévoyance Cadre TA	2 636,97				1,430 %	-37,74
Prévoyance Cadre TB	-637,98				3,140 %	20,00
Mutuelle Cadre fdf Forfataire	97,83	0,500 %		-48,92	0,500 %	-48,92
Mutuelle Cadre (régul juillet-août)	195,66	0,500 %		-97,83	0,500 %	-97,83
Taxe apprentissage	2 000,99				0,690 %	-13,61
Participation formation	2 000,99				0,400 %	-8,00
Participation formation alternance	2 000,99				0,150 %	-3,00
CSG déductible	2 100,49	5,100 %		-107,12		
Total des charges				-566,87		-911,92
Net imposable				1 434,12		
CSG-CRDS non déductible	2 100,49	2,900 %		-60,91		
Total général des charges				-627,78		-911,92
Tickets restaurants	20,00	2,300		-46,00		

REGLEMENT :	CHEQUE		NET A PAYER	CUMUL CHARGES PAT.
LE :	30/09/2007		1 327,21	8 042,27

CUMUL BRUT	CUM.BASE S.Sociale	CUMUL IMPOSABLE	PLAFOND S.Sociale	CUMUL HEURES	COUT GLOBAL
20 008,91	20 008,91	15 729,86	20 008,91	1521,000	2 912,91

▶ **VOUS DÉBROUILLER AVEC L'ARGENT**, *LES BANQUES, LES RECETTES ET LES DÉPENSES*

▶ **PARLER DES ACTES DE LA VIE QUOTIDIENNE :** *LES COURSES, LE MÉNAGE, ETC.*

▶ **GÉRER LES RISQUES** *ET LES ACCIDENTS*

Aventuriers au XXIᵉ siècle

Explorer

À 16 ans, Nicolas Vanier rejoint la gare du Nord, monte dans un train... et ne s'arrêtera que bien plus loin. « Au-delà du cercle polaire, j'ai découvert le Grand Nord qui m'appelait depuis longtemps. » Depuis, que ce soit à pied, en traîneau à chiens ou en canoë, Nicolas Vanier a traversé tout le Grand Nord québécois, la péninsule du Labrador, les montagnes Rocheuses, l'Alaska et la Sibérie, et a passé un an avec femme et enfant dans une cabane du Yukon.

Après avoir raconté ses aventures dans plusieurs ouvrages et

documentaires à succès, Nicolas Vanier signe la réalisation d'un documentaire-fiction, *Le Dernier Trappeur*. « J'ai pris le parti de filmer la réalité du Grand Nord avec sa faune et sa flore, en suivant les traces de Norman Winther, un vrai trappeur. »

Fémina, 19/12/2004

Se dépasser

Saint-Denis de la Réunion, 14 mars 2007
Après avoir été en 2005 la première femme à réussir la traversée de l'Atlantique Nord à la rame, Maud Fontenoy vient de réussir le tour du monde à la voile et en solitaire à contre-courant.

Partie de Saint-Denis de la Réunion le 15 octobre 2006, elle est arrivée hier après une traversée de 39 500 km. L'expédition a failli échouer quand le 10 février elle a perdu son mât. Mais grâce à son courage et à sa volonté, elle est arrivée à diriger son bateau.

D'après Reuters, 14/03/2007

Témoigner

Journaliste au quotidien *Libération*, Florence Aubenas est une habituée des régions à risque. Pour témoigner de la réalité des événements, elle est allée sur place au Rwanda, au Kosovo, en Afghanistan et en Irak.

C'est dans ce dernier pays qu'elle est enlevée en 2005. Elle ne sera libérée que cinq mois plus tard. Mais cette expérience dramatique ne l'a pas découragée. « Je suis allée en Irak en connaissant les risques. J'ai pris ma décision en tant qu'adulte après y avoir réfléchi [...]. Ce sont les risques du métier et je ne regrette pas de les avoir encourus... Je ne cherche pas à être célèbre. Je continuerai à faire des reportages comme je l'ai toujours fait[1]. »

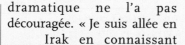

1. Propos recueillis par Ariane et Simon, *Gobeurs d'actu*, journal du lycée Montaury, Nîmes, décembre 2005.

Travailler pour la planète

L'homme du jour : Jean-Louis Étienne

Le très médiatique médecin-aventurier, connu du grand public pour ses expéditions polaires, est de retour en France.

Avec femme, enfants et bagages. Il vient de passer quatre mois avec une quarantaine de collaborateurs scientifiques à Clipperton, un îlot français du bout du monde perdu à 1 200 km du Mexique, peuplé uniquement de crabes et d'oiseaux.

L'objectif de cette mission était de dresser un inventaire de la faune et de la flore. « Nous avons probablement découvert de nouvelles espèces de crustacés », indique Jean-Louis Étienne. [...]

Il souhaite maintenant transformer Clipperton en un « centre d'observation de l'océan ».

L'Humanité, 21/04/2005

Lecture des articles

La classe se partage les quatre articles.

1. Lisez l'article que vous avez choisi et complétez les informations suivantes :

- Nom : ...
- Profession ou activité : ...
- Exploit qui vient d'être réussi :
  – lieu et date : ...
  – type d'exploit : ...
- Autres exploits accomplis dans le passé : ...
- Autres activités : ...

2. Présentez les informations à la classe.

Élection de la personnalité la plus aventurière

1. En petits groupes, choisissez une ou plusieurs personnes qui ont fait des choses extraordinaires (explorateur (exploratrice), spationaute, sportif, etc.)
2. Présentez ces personnalités à l'ensemble de la classe.
3. Votez.

Vos exploits

Quel est votre plus grand exploit ou votre plus grande réussite (sport, études, travail, relations, etc.) ? Racontez.

Réussites et échecs

- **Essayer (un essai) – tenter (une tentative)**
Ils ont essayé de traverser la rivière.
Le sportif a tenté de sauter 2,10 m.
Pierre a passé son examen hier. Il ne sait pas s'il a réussi.

- **Réussir (un essai) – arriver à...**
Elle a réussi à traverser la rivière.
Il est arrivé à réparer sa voiture.
Ils ont réussi à l'examen.

- **Échouer (un échec) – rater – faillir**
Il a échoué. Il n'est pas arrivé à traverser.
Il a raté l'examen. Elle a échoué à l'examen.
Il a eu 9,75 sur 20 à l'examen. Il a failli réussir.

- **Du courage à la folie**
Il a du courage, de la volonté, de l'énergie.
Il est courageux, volontaire, énergique, fou, inconscient.

▶ Exprimer la volonté, l'obligation, les sentiments

J'ai envie de faire une pause.

Moi aussi, j'aimerais qu'on aille prendre un café.

Je propose qu'on fasse une deuxième répétition.

J'ai peur d'oublier mon texte.

Il faut que tu l'apprennes !

Je ne veux pas avoir le trac.

Il faut que tu sois détendu et que tu saches bien ton texte.

1 **Observez la construction des phrases et le mode des verbes.**

Trouvez d'autres exemples de situations où on utilise ces constructions : – en classe : « Je propose qu'on… »

– dans une famille : « Il faut que… »

Verbe + verbe à l'infinitif	Verbe + verbe au subjonctif
J'ai peur d'oublier…	

Le subjonctif présent

Le subjonctif est utilisé quand on exprime une volonté, une obligation, un sentiment, etc.

J'aimerais…
Il faut…
Nous souhaitons…

… à propos d'une action

qu'il fasse beau.
que nous sortions.
que tu viennes.

1. Formes du subjonctif

• verbes en -er
Il faut…
… que je parle
… que tu parles
… qu'il/elle parle
… que nous parlions
… que vous parliez
… qu'ils/elles parlent

• autres verbes : la forme du verbe peut changer mais la terminaison est celle des verbes en -er.
finir : … que je finisse, que tu finisses, qu'il/elle finisse
aller : … que j'aille
partir : … que je parte
prendre : … que je prenne
faire : … que je fasse
venir : … que je vienne
sortir : … que je sorte
savoir : … que je sache
pouvoir : … que je puisse

• cas de « être » et « avoir »
être : … que je sois, que nous soyons, qu'ils/elles soient
avoir : … que j'aie, que nous ayons, qu'ils/elles aient

2. Emplois et constructions

• Expression de la volonté

a. Verbes *vouloir, désirer, aimer (j'aimerais), accepter, refuser*
→ quand les verbes ont le même sujet
Je voudrais partir. (infinitif)

→ quand les verbes ont des sujets différents
Je voudrais que tu partes. (subjonctif)

b. Verbes *demander, prier, proposer, suggérer, conseiller, interdire, défendre, permettre, autoriser*
→ quand on s'adresse à l'interlocuteur
Je vous demande de sortir. (infinitif)

→ quand on exprime une volonté en général
Je demande qu'il sorte. (subjonctif)

• Expression de l'obligation

a. Verbes *devoir, être obligé de*
Tu dois partir.

b. Verbes *il faut…, il est nécessaire de…* et autres constructions impersonnelles (voir p. 96)
Il faut que j'aille faire des courses et que tu ailles chercher Nathan à l'école. (subjonctif)

• Expression des sentiments
souhaiter – regretter (de) – avoir peur (de) – être content (de) – être satisfait (de) – être heureux(de)
→ quand les verbes ont le même sujet
Je regrette de partir. (infinitif)

→ quand les verbes ont des sujets différents
Je regrette qu'il parte. (subjonctif)

Autres emplois du subjonctif : voir p. 67, 104, 129, 131.

2 **Expression de la volonté. Mettez les verbes entre parenthèses à la forme qui convient.**

Deux caractères différents
Elle : Moi, j'aimerais bien (*sortir*) plus souvent le soir. Je voudrais que nous (*aller*) au cinéma ou au théâtre. Mais Paul veut toujours (*rester*) à la maison. Il ne veut pas que les enfants (*être*) seuls le soir. Il faudrait qu'on (*prendre*) une baby-sitter mais Paul a peur qu'elle ne (*être*) pas gentille avec les enfants.
Lui : Moi, je voudrais que des copains (*venir*) à la maison et qu'on (*faire*) de bons petits repas. J'aimerais que nos enfants (*pouvoir*) jouer avec leurs enfants. Mais Lise refuse de (*recevoir*) des gens. Elle ne m'interdit pas d'(*inviter*) des amis mais elle veut toujours qu'on (*aller*) au restaurant.

3 **Expression de la volonté et du souhait. Le directeur d'un grand garage donne des directives. Reformulez ses phrases en commençant par l'expression entre parenthèses.**

Exemple : a. Il faut que j'aille...
a. Je dois aller au salon de l'auto. (Il faut ...)
b. Pierre, vous m'accompagnerez. (Je voudrais ...)
c. Mme Dupont doit appeler la gare. (J'aimerais ...)
d. Les nouvelles voitures doivent être ici demain. (Il faudrait ...)
e. Les vendeurs doivent faire une opération de promotion. (Je souhaiterais ...)

4 **Expression des sentiments. Combinez les deux phrases comme dans l'exemple.**

Exemple : **a.** Je regrette que tu ne viennes pas.
Marie envoie un courriel à une amie qu'elle a invitée mais qui est malade.
a. Tu ne peux pas venir. Je le regrette.
b. Sans toi la soirée sera triste. J'en ai peur.
c. Jean-Philippe et Liza mettront de l'ambiance. Je l'espère.
d. Tu guériras vite et tu pourras venir le week-end prochain. Je le souhaite.
e. Nous allons faire une balade en forêt. Paul en a envie.

5 **Imaginez ce qu'ils disent. Utilisez les verbes et les constructions du tableau.**

Pendant les vacances les parents sont partis. Le fils est resté à la maison pour travailler.

Je suis content que ...
Je regrette que ...
Il faut que ...

Il faudrait que tu ...
Je voudrais que ...
J'aimerais que ...
Je souhaiterais que ...

▶ **Donner un ordre, un conseil**

Formulez les ordres comme dans l'exemple.

Elle souhaite faire un voyage en Afrique. Un ami lui donne des conseils.
• J'ai envie de traverser le Sahara.
– **Traverse-le.** C'est magnifique.
• J'ai envie d'aller au Sahara à Noël.
– ...... à Noël, c'est une bonne saison.
• Est-ce qu'il faut prendre des vêtements chauds ?
– Oui, ... Les nuits sont froides.
• Est-ce qu'on peut boire l'eau des puits ?
– Non, ... Tu n'as pas l'habitude.
• Est-ce qu'on peut quitter la piste ?
– Non, ... C'est dangereux !
• Est-ce qu'on peut parler aux Bédouins ?
– Oui, ... Ils sont très accueillants.

Verbe à l'impératif + pronom

1. À la forme affirmative
Tu dois appeler Lara → Appelle-la !
Tu dois lui parler → Parle-lui !
Tu dois discuter avec elle → Discute avec elle !

2. À la forme négative
Ne l'appelle pas !
Ne lui parle pas !
Ne discute pas avec elle !

• Est-ce qu'on peut les prendre en photo ?
– Non, ... Ils n'aiment pas trop.

▶ 🎧 **La grammaire sans réfléchir**

1 **Différenciez les terminaisons de l'indicatif et du subjonctif.**

Méthode Coué
Nous arrêtons de fumer. Il faut que nous arrêtions.
Nous faisons du sport. ...

2 **Pronoms avec un verbe à l'impératif.**

Des jeunes préparent une fête dans l'appartement des parents.
• On pourra décorer le salon ? – Décorez-le.
• On pourra mettre la musique très fort ? – Non, ...

Les escaliers de la butte

1 - Entrée en scène

1

Fin juin. À la Maison des jeunes de Montreynaud, dans la banlieue de Saint-Étienne. Des jeunes répètent *Marius*, une pièce de Marcel Pagnol.

Kamel (jouant le rôle de Marius) : « J'ai envie d'ailleurs, voilà ce qu'il faut dire. C'est une chose bête, une idée qui ne s'explique pas. J'ai envie d'ailleurs. »

Nadia (jouant le rôle de Fanny) : « Et c'est pour cette envie que tu veux me quitter ? »

Frédéric : Très bien, mais Kamel, en parlant, éloigne-toi de Nadia. Ne la regarde pas. Va vers la fenêtre. Ouvre-la. Regarde le port... Toi, Nadia, il faut que tu saches ton texte. Apprends-le pour la prochaine fois... Bon, on refait cette scène encore une fois !

Kamel : Désolé. On reprendra la prochaine fois parce que là, il faut que j'y aille.

Frédéric : Déjà ! Tu as un rendez-vous ?

Kamel : Oui, à 7 heures sur Internet, avec le résultat de mon concours à l'Essec.

Frédéric : Tu es optimiste ?

Kamel : Pas vraiment. J'ai raté deux épreuves.

Frédéric : Oh, ça va être chaud, ce soir, chez les Benkaïd !

2

Plus tard, chez les Benkaïd.

Le père : Alors ?

Kamel : Ben, je n'y suis pas.

La mère : Ils t'ont peut-être oublié. Ça arrive.

Kamel : Non, maman. J'ai été mauvais. C'est normal que j'aie échoué.

Le père : Qu'est-ce qu'on peut faire ? Tu réussiras la prochaine fois...

Kamel : Il n'y aura pas de prochaine fois. J'arrête mes études d'économie.

La mère : Qu'est-ce que tu veux dire par là ?

Kamel : C'est le théâtre qui m'intéresse. Je veux aller à Paris pour suivre des cours et être comédien.

Le père : Mais Kamel, on voudrait que tu aies un métier, que tu gagnes ta vie.

Kamel : Il y a des comédiens qui réussissent !

Le père : Et d'autres qui sont obligés de faire des petits boulots.

Kamel : Eh bien je ferai des petits boulots. Après tout, dans ton garage, j'ai appris la mécanique, l'électricité. Je sais me débrouiller. J'ai 21 ans. Alors, pas de panique, tout ira bien !

Transcription

3

Le dimanche, dans le parc du Pilat, près de Saint-Étienne.

Kamel : Nadia, il faut que tu comprennes. Je n'ai pas envie de faire de la gestion toute ma vie.

Nadia : Tu ne penses qu'à toi.

Kamel : Écoute, je vais à Paris, je trouve un logement et tu viens me rejoindre.

Nadia : Il faudrait que mes parents soient d'accord.

Kamel : Nadia, tu as 20 ans. Tu n'as pas besoin de l'autorisation de tes parents.

Nadia : Si je pars, mes parents ne m'aident plus et moi je ne peux pas faire mes études de médecine tout en travaillant.

Kamel : Là, je te rassure. Moi, dans trois mois, je gagne assez d'argent pour nous deux.

Nadia : J'aimerais bien mais tu vois, ce départ, ça me fait un peu peur.

Kamel : Ne t'en fais pas. On va s'envoyer des méls et des SMS, et pour les fêtes, tu viendras me voir.

Compréhension et simulations

1. *Scène 1*

a. Qui sont Kamel, Nadia, Marius, Fanny et Frédéric ?

b. À 7 h, Nadia rencontre une amie qui lui dit : « Tu n'es pas à ta répétition de théâtre ? ». Répondez pour Nadia.

**2. Transcrivez la fin de la scène. Notez tout ce que vous apprenez sur Kamel et sa famille. (âge, profession, études, etc.)
Comment Kamel voit-il son avenir ?**

3. *Scène 3.* Discutez les affirmations suivantes :
Nadia et Kamel s'aiment.
Nadia ferait n'importe quoi pour vivre avec Kamel.
Nadia est plus réaliste que Kamel.
Kamel est un optimiste. Nadia est pessimiste.

4. Jouez la scène (à deux). Utilisez le vocabulaire du tableau.

Un(e) ami(e) est parti(e) seul(e) en vacances dans un pays étranger. Elle devait rentrer il y a trois jours. Vous n'arrivez pas à avoir de ses nouvelles.

Exprimer la peur – rassurer

• Exprimer la peur et l'inquiétude
Il a peur des serpents – Les serpents lui font peur
Je suis inquiet (inquiète) pour sa santé – La santé de Paul m'inquiète – Je ne suis pas tranquille – Je ne suis pas rassuré
Cet acteur a souvent le trac.
Pierre est au chômage. Il est angoissé.

• Rassurer
Je te rassure... Rassure-toi...
N'aie pas peur ! Ne t'inquiète pas ! Ne t'en fais pas !
Pas de panique. Tout ira bien.

Prononciation

Formes impératives avec pronom.
Conseils
Ne les écoutez pas. Ne les regardez pas.
Ne les imitez pas...
Suivez-le. Accompagnez-le. Écoutez-le...
Emmenez-la. Invitez-la. Amusez-la...
Allez-y. Logez-y. Restez-y...
Goûtez-en. Achetez-en. Mangez-en...
N'en prenez pas. N'en buvez pas.
N'en cherchez pas...
N'y allez pas. N'y restez pas. Ne vous y installez pas...

Environ 35 000 concurrents au départ du Marathon de Paris

35 000 concurrents s'élanceront par une matinée annoncée ensoleillée dimanche dès 8h15 de la place Charles-de-Gaulle pour descendre les Champs-Élysées, départ de la 31e édition du Marathon de Paris.

L'Éthiopien Gashaw Melese, vainqueur des 42,195 km en 2006, le Français Driss El Himer, meilleur temps du plateau, avec un 02h 06min et 48s sur son CV, l'Espagnol Julio Rey, auteur d'un 02h 06mn 52s lors de sa victoire à Hambourg en 2006, le jeune Kényan de 27 ans Barus Benson, 2e à Milan en 2006, et le Qatari Shami Mubarak, premier à Venise en 2005, figurent parmi les favoris.

Le record à battre à Paris date de 2003, lorsque le Kényan Mike Rotich, en 02h 06mn et 33s, l'avait emporté de trois secondes sur le Français Benoît « Z » Zwierschiewski.

Du côté des femmes, 16,4 % des inscrits cette année, la favorite, l'Éthiopienne Asha Gigi, 2e à Paris en 2004, aura comme principales concurrentes l'Espagnole Maria Abel, vainqueur à Francfort en 2002, ou une autre Éthiopienne, Tafa Magarsa, vainqueur à Dubaï cette année.

Après les 36 680 inscrits de 2006, pour la 30e édition, les organisateurs ont arrêté les dossards au numéro 35 000 cette année, et les Français sont largement en tête parmi les 87 pays participants, avec 72 % des inscrits. Le contingent étranger sera mené par quelque 3 000 Britanniques et un peu plus de 1 000 Italiens, la surprise venant de la présence de 459 Brésiliens.

Le parcours, entièrement tracé sur la rive droite de la Seine, passe par la rue de Rivoli, la Bastille, le Bois de Vincennes, les quais rive droite, l'hippodrome d'Auteuil avant de remonter sur l'Arc de Triomphe par l'avenue Foch.

Les organisateurs ont prévu de distribuer pas moins de 17 tonnes de bananes, autant d'oranges, 2 tonnes de fruits secs, 6 tonnes de pommes et 436 800 bouteilles d'eau.

AFP (Agence France Presse),
18/04/2007

▶ Lecture et compréhension de l'article

Lisez l'article et dites si les phrases suivantes sont vraies ou fausses.

a. L'article parle d'une course à pied. ...

b. C'est la première fois que cette course a lieu. ...

c. C'est l'Éthiopien Gashaw Melese qui a gagné la course. ...

d. 35 000 personnes vont participer. ...

e. D'autres personnes voulaient participer mais n'ont pas pu s'inscrire. ...

f. C'est une course de 3 kilomètres. ...

g. Le parcours est un circuit (une boucle). ...

h. Beaucoup d'étrangers sont inscrits. ...

i. Les Français sont en minorité. ...

j. Les premiers arrivés gagneront des fruits et des bouteilles d'eau. ...

▶ Rédigez un bref article

Le Téléthon est une manifestation organisée pour aider la recherche contre une maladie : la myopathie. Votre université (ou votre entreprise) décide de participer au Téléthon et organise des événements.

a. 🌐 **Écoutez la fin de la réunion et prenez des notes. Pour chaque activité proposée, notez l'heure, le lieu et les caractéristiques.**

b. **Rédigez un bref article pour annoncer ce programme dans le journal local.**

PLAISIR DES SPORTS

Les sports les plus regardés

Depuis que l'équipe de France de football a gagné la Coupe du Monde en 1998 (et a failli la gagner en 2006), la plupart des Français s'intéressent au football. On suit les grandes compétitions internationales (le Mondial, le championnat d'Europe, la Ligue des Champions, etc.) mais aussi les grandes équipes nationales : l'OM (Olympique de Marseille), le PSG (Paris Saint-Germain), Lyon, Bordeaux, etc.

Les soirs de grands matchs, la France ressemble un peu au Brésil ou à l'Italie et la violence n'est pas absente des stades.

On suit aussi avec intérêt le Tour de France cycliste qui, chaque année en juillet, permet de redécouvrir à la télévision les régions touristiques du pays.

Le rugby, pratiqué depuis longtemps dans le Sud-Ouest, est devenu aujourd'hui un sport médiatisé. Des millions de téléspectateurs regardent le tournoi de Six-Nations et la Coupe du Monde.

Les célébrités du cinéma, de la politique et des médias aiment se montrer au tournoi de tennis de Roland-Garros et les championnats de patinage artistique intéressent beaucoup de téléspectateurs.

Les grands sportifs sont des stars qui marquent leur époque. On se souvient de Michel Platini (football), Yannick Noah (tennis), Jeannie Longo (vélo), Philippe Candeloro (patinage artistique). On se souviendra sans doute longtemps de Zinedine Zidane (football), Laure Manaudou (natation), Amélie Mauresmo (tennis) et Brian Joubert (patinage artistique).

Les sports les plus pratiqués en France
(en pourcentage de la population)

	Jeunes (jusqu'à 30 ans)	Ensemble de la population
Le vélo et le VTT	50	38
La natation et la plongée	44	30
Le footing, la course à pied	31	17
Le ski et le surf	24	15
Le football	25	9
La randonnée	18	22
Le basket-ball, le volley-ball, le handball	21	6
Le tennis de table, le badminton, le squash	22	10
Le tennis	16	8
La gymnastique	14	13
Le roller, le skate	6	3
Le rugby	4	1
La voile et la planche à voile	4	3
La danse	9	5
Le patinage	8	3
L'équitation	6	3
Le golf	3	2

Services INSEE et SOFRES

43 % des Français déclarent pratiquer un sport au moins une fois par semaine.

Les valeurs du sport

Enquête

Quand on parle de sports et de sportifs, quels sont les mots qui vous viennent à l'esprit ?

☐ argent
☐ beauté (minceur)
☐ bien-être
☐ commerce
☐ compréhension des autres
☐ courage
☐ détente
☐ dopage
☐ équilibre

☐ esprit d'équipe
☐ exploit
☐ forme (santé)
☐ malhonnêteté
☐ nature (plein air)
☐ plaisir
☐ publicité
☐ violence
☐ volonté

▶ Les sports en France

Lisez le texte et le sondage.

1. Classez les différents sports.

(1) à la montagne
(2) à la mer
(3) en salle
(4) en plein air
(5) individuel
(6) par deux
(7) par équipe
(8) les moins chers
(9) les plus chers

Complétez avec d'autres sports que vous connaissez.

2. Faites des comparaisons avec votre pays.

Quels sont les sports les plus pratiqués, les plus regardés ?

▶ Les valeurs du sport

1. Lisez l'enquête. Expliquez chaque réponse.

a. l'argent : « parce que certains champions gagnent beaucoup d'argent », ...

2. Quels sportifs admirez-vous le plus ? Pourquoi ?

6 La vie est dure

Sondage
Les tâches ménagères et vous

Faites-vous les tâches suivantes *souvent*, *quelquefois*, *jamais* ? Cochez la case qui correspond.

	Souvent	Quelquefois	Rarement	Jamais
Le ménage et l'entretien de la maison				
1. faire le lit	☐	☐	☐	☐
2. faire la lessive (mettre le linge sale dans la machine à laver ou le sèche-linge)	☐	☐	☐	☐
3. étendre le linge	☐	☐	☐	☐
4. repasser	☐	☐	☐	☐
5. passer l'aspirateur	☐	☐	☐	☐
6. essuyer la poussière sur les meubles	☐	☐	☐	☐
7. laver le sol	☐	☐	☐	☐
8. nettoyer la cuisine (l'évier, le réfrigérateur) ou la salle de bains (le lavabo, la baignoire, la douche)	☐	☐	☐	☐
9. ranger	☐	☐	☐	☐
10. sortir ou vider la poubelle	☐	☐	☐	☐
La cuisine				
11. faire le marché	☐	☐	☐	☐
12. préparer une salade	☐	☐	☐	☐
13. faire cuire un œuf ou un steak	☐	☐	☐	☐
14. préparer un bon plat	☐	☐	☐	☐
15. mettre au four un plat surgelé	☐	☐	☐	☐
16. éplucher et laver les légumes	☐	☐	☐	☐
17. mettre le couvert	☐	☐	☐	☐
18. débarrasser la table	☐	☐	☐	☐
19. mettre la vaisselle dans le lave-vaisselle	☐	☐	☐	☐
20. sortir la vaisselle du lave-vaisselle	☐	☐		
Les petits travaux				
21. changer une ampoule	☐	☐	☐	☐
22. accrocher un tableau ou un miroir	☐	☐	☐	☐
23. coudre ou recoudre un bouton	☐	☐	☐	☐
24. s'occuper de l'entretien de la voiture	☐	☐	☐	☐
25. s'occuper des plantes	☐	☐	☐	☐
26. peindre (un meuble, une porte, un mur)	☐	☐	☐	☐
27. résoudre un petit problème d'ordinateur	☐	☐	☐	☐
28. installer un appareil hi-fi	☐	☐	☐	☐
29. monter un petit meuble acheté en kit	☐	☐	☐	☐
30. tirer vous-même vos photos	☐	☐	☐	☐

Souvent : 3	Quelquefois : 2	Rarement : 1	Jamais : 0

Comptez vos points : ... / 90

> La peinture, c'est mon affaire.
> La couture, c'est la sienne.

Vos résultats

- **de 70 à 90** — Vous savez tout faire. Vous êtes l'homme ou la femme d'intérieur idéal(e).

- **de 45 à 70** — Vous êtes prêt pour le partage des tâches à égalité. Espérons que vous trouverez quelqu'un de complémentaire.

- **de 20 à 45** — Vous avez beaucoup à apprendre. Si vous vivez avec quelqu'un, une discussion s'impose.

- **en dessous de 20** — On espère que vous pouvez vous offrir une femme de ménage et que vous avez des amis bricoleurs.

Comparez-vous avec les Français

Aujourd'hui, une majorité d'hommes (55 %) affirment qu'ils participent aux tâches ménagères mais peu de femmes (24 %) confirment ce qu'ils disent.

La plupart des femmes passent 16 heures par semaine aux travaux de la maison. Les hommes n'en passent que 6.

Ils sont très peu à s'occuper de la lessive et du repassage (10 %).

En revanche, la vaisselle est mieux partagée surtout quand elle se fait en machine (à 40 % par les hommes).

Les tâches « intéressantes » ne sont plus réservées à un membre du couple. Beaucoup d'hommes font la cuisine et il n'est pas rare de voir les femmes s'occuper des travaux de peinture et de bricolage.

Faites le sondage

Par deux, à tour de rôle.

1. **Posez les questions à votre partenaire.**

2. **Comptez les points. Lisez les commentaires.**

3. **Donnez votre avis. Êtes-vous satisfait(e) de cette situation ? Aimeriez-vous faire mieux ?**

4. **Présentez les résultats à la classe.**

Les Français et les tâches ménagères

Donnez votre avis sur le partage des tâches ménagères en France. Comparez avec les comportements dans votre pays.

Les actions (verbes ou noms)

Relevez les verbes d'action employés dans le sondage (sauf « faire » et « s'occuper de »).

Trouvez le nom correspondant à chaque verbe en utilisant les suffixes du tableau.

-age	repassage
-tion	
-ure	
-(e)ment	
participe passé	

Débat : comment partager les tâches de la maison ?

Travail en petits groupes.

Choisissez une des opinions suivantes et défendez-la.

a. Les membres du couple doivent se partager les tâches de la maison et chacun doit savoir tout faire.

b. Les membres du couple doivent se partager les tâches de la maison mais chacun peut avoir des tâches particulières (précisez la répartition).

c. Les membres du couple ne doivent pas se partager les tâches de la maison.

▶ Exprimer l'appartenance

> Elle est belle cette voiture. C'est **la vôtre** ?

> Il est **à Roger**. C'est **le sien**.

> Ce banc n'est pas qu'**à moi**, monsieur. Il est aussi **à Roger**. C'est **le nôtre**. Mais asseyez-vous. Et à votre santé !

> Oui, c'est **la mienne**. Et ces maisons aussi. Ce sont **les miennes**. Je **possède** tout le quartier. Ce chien vous **appartient** ?

> Je peux m'asseoir sur **votre** banc ?

1 Classez les différentes formes qui expriment la possession.

a. adjectif possessif
b. forme « à + nom ou pronom (moi, toi, etc.) »
c. pronom possessif
d. verbe

2 Trouvez le pronom qui correspond à chaque adjectif possessif.

mon livre → le mien   ma voiture → la mienne
ton livre → le tien

L'expression de l'appartenance

• **les adjectifs possessifs** (voir p. 167)
mon, ma, mes...

• **la forme « être + nom ou pronom »**
Elle permet de désigner la personne qui possède.
Cette voiture est à Paul. Elle est à lui.

• **les verbes et les noms**
posséder – appartenir (à)
Je possède un appartement dans le 18e.
Je suis propriétaire.
Ce livre m'appartient. Merci de me le rendre.

• **faire partie de**
Marie fait partie d'une association sportive.
Nous faisons tous partie de cette association sauf (excepté, à l'exception de) Paul.

• **les pronoms possessifs**

	masculin singulier	féminin singulier	masculin pluriel	féminin pluriel
à moi	le mien	la mienne	les miens	les miennes
à toi	le tien	la tienne	les tiens	les tiennes
à lui/elle	le sien	la sienne	les siens	les siennes
à nous	le nôtre	la nôtre	les nôtres	
à vous	le vôtre	la vôtre	les vôtres	
à eux/elles	le leur	la leur	les leurs	

▶ Nommer sans préciser

> Ici, je rencontre **beaucoup de** gens. Je les connais **tous**. Je salue **chacun d'eux**. **Quelques-uns** me donnent une pièce. J'appelle **plusieurs** d'entre eux par leur nom. **Certains** me font des petits cadeaux. J'ai **peu d'**ennemis.

> **La plupart des** gens me détestent. Je **n'**ai **aucun** ami. Pour être heureux je ferais **n'importe quoi**. J'irais **n'importe où**, avec **n'importe qui**.

1 Classez les mots en gras dans le tableau.

Trouvez les pronoms correspondant aux adjectifs et vice versa.

adjectifs	pronoms	autres
beaucoup de gens		

Les adjectifs et les pronoms indéfinis

Adjectifs	Pronoms
J'ai invité **tous** mes amis (**toutes** mes amies).	Je les ai **tous** invités. **Toutes** ne sont pas venues.
Chaque personne a reçu une invitation.	**Chacune** a été invitée. J'ai envoyé un mél à **chacun** (d'eux).
La plupart de mes amis sont venus.	**La plupart** (d'entre eux) se sont amusés.
Il y avait **beaucoup de** jeunes.	Il y en avait **beaucoup**. **Beaucoup** ont dansé.
Plusieurs copains ont raconté des blagues.	J'ai beaucoup parlé avec **plusieurs d'entre eux**.
Quelques amis étaient absents.	**Quelques-uns** (**quelques-unes**) ne sont pas venu(e)s.
Certains jeunes (**certaines** filles) ont chanté.	J'ai apprécié **certains** d'entre eux, **certaines** d'entre elles.
Il y avait **peu de** Français.	**Peu** sont partis tôt.
Je n'ai vu **aucun** collègue (**aucune** collègue). Je n'ai **pas vu un** collègue (**un de mes** collègues).	**Aucun** n'est parti avant une heure. **Pas un** n'est parti sans me féliciter.

• **Avec une quantité indifférenciée ou non comptable**
Marie a bu **tout** le jus de fruits.
Elle a bu **peu d'**alcool : juste **un peu de** rhum avec **beaucoup de** jus d'orange.

• **Pour présenter deux ensembles**
l'un (**les uns**) ... **l'autre** (**les autres**) ...
Certains ont dansé, **les autres** ont parlé.

• **Pour exprimer l'indifférence**
Pierre n'est pas prudent.
Il est ami avec **n'importe qui**.
Il prête de l'argent à **n'importe quelle** personne.
Il va **n'importe où**.
Il fait **n'importe quoi**.
Il rentre **n'importe quand**.

---

2 Commentez le sondage suivant en remplaçant les pourcentages par des adjectifs ou pronoms indéfinis.

Exemple : Aucune personne n'écoute de la musique en dormant. (Pas une n'écoute...)

Sondage :	
Quand écoutez-vous de la musique ?	
Au réveil	100 %
En prenant une douche	90 %
En prenant le petit déjeuner	60 %
Dans la rue	20 %
Dans le métro	5 %
Au bureau	0 %
En travaillant chez vous	8 %
Pour vous endormir	2 %
En dormant	0 %

3 Complétez les réponses en utilisant le mot indéfini entre parenthèses.

Noémie qui habite Bordeaux va faire un stage d'un an à Paris. Elle prépare ce qu'elle va emporter dans sa voiture. Sa mère lui pose des questions

• Tu connais les autres stagiaires ?
– Oui, ... (*certains*)
• Ils sont français ?
– Oui, ... (*la plupart*)
• Il y a des étrangers ?
– Oui mais ...... (*peu*)
• Tu as pris tes livres d'économie ?
– Oui, ... (*tous*)
• Tu emportes des romans ?
– Oui, ... (*quelques-uns*)
• Et tes jeux vidéo ?
– Non, ... (*aucun*)

▶ 🎧 **La grammaire sans réfléchir**

1 **Prononciation des pronoms possessifs. Distinguez [jɛ̃] et [jɛn].**

Partage
Ces livres sont les miens, Julien,
Ça me revient.
Ces étagères sont les miennes, Fabienne,
Elles m'appartiennent.
Mais alors, mes biens sans les tiens
Ce n'est plus rien.
Alors reviens !

2 **Au commissariat de police, on interroge le suspect. Répondez pour lui.**

• Cette veste est à vous ?
– Non, ce n'est pas la mienne.
• Alors, elle est à Roger ?
– Oui, c'est la sienne.

3 **La mère a été absente quelques jours. Elle rentre à la maison. Répondez pour le père et les enfants.**

• Vous avez lavé les assiettes ?
– Oui, on les a lavées
• Tu as passé l'aspirateur ? – ...

Les escaliers de la butte

2 – Scènes de ménage

À LOUER – PARIS 18ᵉ
Une chambre
Dans grand appartement
En colocation
400 € charges comprises
06 75 28 …

1

Début septembre. Au bas d'un immeuble de Montmartre.

Kamel *(il téléphone)* : Bonjour, je suis Kamel Benkaïd. C'est pour la chambre à louer. Je ne sais pas si c'est vous que j'ai eu au téléphone tout à l'heure ?
Loïc : Non, mais je suis au courant.
Kamel : Je suis devant la porte.
Loïc : OK, je descends.

....

Loïc : Salut, je suis Loïc, le deuxième colocataire. C'est mon père qui est propriétaire de l'appart. On y va ? C'est au troisième...
Kamel : Allons-y !
Loïc : Donc, tu as bien vu le prix ? 400 €, tu vas pouvoir payer ?
Kamel : Tu peux compter sur moi.
Loïc : Tu travailles ?
Kamel : Je vais bientôt travailler. Et puis mes parents m'aident. Ils ont un grand garage à Saint-Étienne.
Tu peux avoir confiance en moi.
Loïc : On est arrivé... Entre ...

 Transcription

2

Dans une agence d'intérim.

L'employée : La plupart des entreprises demandent une formation professionnelle. Vous en avez une ?
Kamel : Non, aucune. J'ai juste fait des études d'économie. C'est tout.
L'employée : Ça ne va pas être facile.
Kamel : Mais je peux faire n'importe quoi, moi !
L'employée : C'est-à-dire ?
Kamel : Réparations mécaniques, peinture, électricité... Mon père a un garage et j'ai beaucoup travaillé avec lui.
L'employée : J'ai bien une offre chez « OK Services ».
Kamel : Qu'est-ce qu'ils font ?
L'employée : Des petits travaux à domicile. Vous seriez capable de faire ça ?
Kamel : Tout à fait. Vous pouvez me faire confiance.
L'employée : Je vous avertis. Ils sont ouverts 7 jours sur 7 et 24 heures sur 24. Vous pouvez avoir n'importe quel horaire.
Kamel : Je peux travailler n'importe quand.
L'employée : Et ils peuvent vous envoyer à l'autre bout de Paris.
Kamel : Pas de problème. Je vais n'importe où, moi.

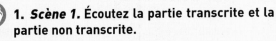

3

Un soir d'octobre. Kamel rentre du travail.

Kamel : Qu'est-ce que ça sent mauvais dans ce frigo !
Arthur, ce fromage, c'est le tien ?

Arthur : C'est le camembert de Loïc.

Kamel : Et ces bières, ce sont les siennes ou les tiennes ?

Arthur : Les miennes.

Kamel : On a dit : chacun son étagère.

Arthur : Il n'y avait plus de place sur la mienne.

Kamel : Et où je mets mes courses, moi ?

Arthur : Tu n'as qu'à sortir quelques-unes de mes bières.
Mais tu m'en laisses une ou deux.

Kamel : Et pourquoi ce serait à moi de le faire ?

Arthur : OK, j'y vais.

4

Un matin, Kamel rentre du travail.

Kamel : C'est quoi, cette panique ?

Compréhension et simulations

1. *Scène 1*. Écoutez la partie transcrite et la partie non transcrite.

a. Racontez l'histoire depuis la scène 1 de la page 58.

b. Que vérifient :
– les deux colocataires
– Kamel
Quelles réponses reçoivent-ils ?

c. Kamel dit-il toute la vérité ?

2. *Scène 2*

Que recherche Kamel ? Pourquoi est-ce difficile ?
Qu'est-ce qu'on lui propose ?

3. *Scène 3*

Par deux, imaginez une mise en scène de ce dialogue.

4. *Scène 4*

Par deux, imaginez le dialogue. Utilisez les expressions des pages « Ressources ».

5. Jouez la scène.

Vous partez en vacances pour deux mois. Une amie vous demande si vous accepteriez de prêter votre appartement à un de ses cousins. Mais peut-on avoir confiance en lui ?

Confiance et méfiance

• J'ai confiance en lui – Je peux lui faire confiance – On peut compter sur lui – On peut se fier à lui
Faites-moi confiance ! Comptez sur moi !
Je vous promets que... C'est promis...

• Je me méfie de lui – Je n'ai pas confiance en lui
Je ne peux pas compter sur lui – Il ne faut pas se fier à lui
Méfiez-vous de lui ! Ne comptez pas sur lui !

Prononciation

Les sons [v] et [f]
Méfiance
À qui faites-vous confiance ?
À vos amis d'enfance ?
À votre professeur ?
À vos frères et à vos sœurs ?
Vous méfiez-vous du facteur ?
Du voisin d'en face ?
Et des vendeurs de voitures ?
Et peut-on se fier à vous quand vous passez la frontière, avec votre valise ?

La France insatisfaite

Vue de l'étranger, on pourrait penser que la société française a tout pour être heureuse.

Les gens travaillent moins qu'il y a trente ou quarante ans (11 ans de moins dans une vie, plus de jours de congé dans l'année et moins d'heures de travail dans la semaine). Ils gagnent plus et le système de protection sociale (maladie, chômage, vieillesse, etc.) est très développé (voir p. 77).

Mais tous les sondages montrent qu'une partie de cette société est insatisfaite.

Une entrée difficile dans la vie professionnelle

Parce qu'ils manquent de formation ou parce qu'ils ne trouvent pas d'emploi correspondant à leur souhait, beaucoup de jeunes sont sans travail, doivent se contenter de stages ou passent d'un CDD (contrat à durée déterminée) à l'autre. 16 % d'entre eux sont au chômage.

La difficulté est encore plus grande pour les enfants d'immigrés qui connaissent mal le français et qui doivent faire cohabiter deux cultures.

Un sentiment de précarité

On peut avoir un métier intéressant et bien payé et en même temps avoir peur de l'avenir.

C'est le cas de beaucoup de salariés des entreprises privées (employés ou cadres) qui craignent les fusions et les délocalisations.

Certains regardent avec envie les 6 millions de fonctionnaires qui ont la sécurité de l'emploi et les professions sans risques (médecins, pharmaciens, banquiers, etc.).

Des revenus trop bas pour certains

En 2006, 14 % des actifs ne gagnent que le Smic (salaire minimum d'environ 1 000 €). Les différences entre les hauts et les bas salaires sont très importantes.

Quand ils voient dans les médias les revenus extraordinaires des élites (chefs de grandes entreprises, vedettes de cinéma, du sport ou de la télévision, etc.), les Français ont un sentiment d'injustice.

10 % des Français ne peuvent vivre que parce qu'ils ont des aides sociales.

Fille des banlieues

Arrivée très jeune en France, la chanteuse Diam's (de son vrai nom Mélanie Georgiades) a grandi dans la banlieue d'Orsay. Voici un extrait de sa chanson « Ma France à moi ».

Ma France à moi elle parle fort, elle vit à bout de rêves,
Elle vit en groupe, parle de bled[1] et déteste les règles,
Elle sèche les cours[2], le plus souvent pour ne rien foutre[3],
Elle joue au foot sous le soleil souvent
    du Coca dans la gourde[4] [...]
Ma France à moi elle parle en SMS, travaille par MSN,
Se réconcilie en mail et se rencontre en MMS,
Elle se déplace en skate, en scoot
    ou en bolide,
Basile Boli est un mythe et
    Zinedine est son synonyme.
Elle, y faut pas croire qu'on
    la déteste mais elle
    nous ment,
Car nos parents travaillent
    depuis 20 ans pour le même
    montant, [...]
Ma France à moi se mélange, ouais,
    c'est un arc-en-ciel,
Elle te dérange, je le sais, car elle ne
    te veut pas pour modèle.

© Extrait de l'album « Dans ma bulle »,
Diam's 2006.

1. le bled : village (en arabe d'Afrique du Nord) – 2. sécher les cours (fam.) : manquer les cours – 3. foutre (verbe, vulgaire) : faire – 4. gourde : bouteille de métal ou de plastique utilisée par les randonneurs.

▶ La France insatisfaite

1. Lisez l'article ci-dessus. Quelles sont les catégories sociales qui sont...

a. insatisfaites
b. satisfaites

2. Recherchez les causes des insatisfactions. Proposez des solutions.

3. Relisez l'article. Soulignez les phrases qui ne correspondent pas à la situation dans votre pays. Réécrivez-les pour qu'elles correspondent.

▶ Images de la France dans la chanson de Diam's

(Travail en petits groupes)

1. Relevez et expliquez les images de la France évoquée par Diam's.

• Elle parle fort : par provocation.
• Elle vit au bout de ses rêves...

2. Classez ces différentes images (images positives, négatives, image du rêve, etc.).

Bruno Davert est cadre supérieur dans une usine de papier. Mais l'usine est délocalisée et Bruno est licencié. Il se met à chercher du travail et passe un entretien avec la directrice des ressources humaines (DRH) d'une entreprise.

Sans travail

La DRH : Prenez place... Votre CV est impressionnant.

Bruno : Oui, je suis spécialiste en CV.

La DRH : Votre diplôme, votre carrière... Que pensez-vous des étiquettes alimentaires ?

Bruno : Tout produit est perfectible.

La DRH : Vous avez travaillé quinze ans dans la même société à un poste de haute responsabilité. Qu'est-ce qui vous en a séparé ?

Bruno : Restructuration avant délocalisation.

[...]

La DRH : Les innovations techniques ici sont limitées. Estimez-vous être surqualifié ?

Bruno : Pas du tout. Qui peut le plus peut le moins.

La DRH : Pensez-vous qu'une femme puisse réussir à ce poste ?

Bruno : Pardon ? À votre poste ?

La DRH : Au poste à pourvoir.

Bruno : Ce poste requiert certaines qualités. Je ne pense pas qu'une femme en soit totalement dépourvue. Mais je ne suis pas qualifié en femmes.

La DRH : Êtes-vous aussi original dans votre travail que dans vos réponses, monsieur Davert ?

Bruno : Je m'efforce de l'être. Vous savez, avant de venir, j'ai lu deux manuels sur « Comment réussir son entretien d'embauche » qui m'ont dégoûté par leur conformisme. Êtes-vous conformiste, mademoiselle Thompson ?

La DRH : Madame Thompson, Iris Thompson. Merci d'être venu, monsieur Davert. Nous examinerons votre candidature avec toute l'attention nécessaire.

Bruno : C'est tout ? Vous ne me demandez pas ce que je suis prêt à faire et à quel prix ?

La DRH : Ce sera l'objet d'un second entretien, le cas échéant. Merci d'être venu jusqu'à nous.

Extrait du film *Le Couperet*, réalisé par Costa-Gavras, avec José Garcia, 2004.

L'entretien d'embauche

1. Où se trouve Bruno Davert ? Pourquoi ? À quel poste est-il candidat ?

2. Quelles sont les qualités et les défauts de Bruno Davert ?

3. Pourquoi la DRH arrête-t-elle l'entretien ?

 « Le Couperet »

Écoutez. Quelqu'un raconte le film *Le Couperet*. Prenez des notes.
Rédigez un bref résumé du film.

Tout pour tous

Pour celles et ceux qui veulent gagner du temps et de l'argent

Site de vente aux enchères
Trouvez ce que vous cherchez
Vendez ce qui vous embarrasse

Catégories

- [ ] la maison et le jardin
- [ ] les sports
- [ ] auto, moto, vélo, bateau
- [ ] les vêtements

- [ ] livres, CD, DVD
- [ ] photo et vidéo
- [ ] les jeux

- [ ] l'informatique
- [ ] les loisirs créatifs
- [ ] arts et antiquités

Recherchez sur **Tout pour tous** [   ] **Rechercher**

Pour la cuisine

À partir de ....

Table de cuisine : 60 €
Chaises (les 4) : 50 €
Placard : 100 €
Réfrigérateur : 200 €
Congélateur : 200 €
Cuisinière à gaz : 150 €
Cuisinière électrique : 160 €
Four électrique : 25 €
Four à micro-ondes : 40 €
Lave-vaisselle : 250 €
Lave-linge : 200 €
Robot multifonction : 30 €
Cafetière : 15 €

Grille-pain : 25 €
Plateau : 5 €
Fer à repasser : 10 €
Aspirateur : 50 €
Balai : 5 €
Pelle : 2 €

Pour le bureau

À partir de ....

Bureau (2 tiroirs) :
120 €
Bibliothèque : 100 €
Étagères : 60 €
Table d'ordinateur :
30 €
Lampe de bureau :
15 €
Corbeille à papier :
5 €
Tableau (pour
marqueurs) : 15 €

Pour le salon et la salle à manger

À partir de ....

Table de salle à manger : 100 €
Table basse : 25 €
Canapé : 150 €
Fauteuil : 50 €
Chaise : 15 €
Buffet : 90 €
Lampe halogène : 25 €
Télévision : 80 €
Chaîne hi-fi : 50 €
Coussin : 10 €
Rideaux : 30 €

Pour la chambre

À partir de ....

Armoire : 60 €
Commode : 80 €
Lit (en 140) : 60 €
Lit (en 90) : 50 €
Table de chevet : 25 €
Lampe de chevet : 10 €
Matelas : 150 €
Drap : 10 €
Oreiller : 15 €
Traversin : 15 €
Couverture : 20 €
Couette : 20 €
Réveil : 15 €

Pour la salle de bains

À partir de ....

Miroir : 15 €
Placard de salle de bains : 45 €
Porte-serviette : 25 €
Porte-savon : 5 €
Porte-brosse à dents : 10 €
Serviette de bain : 10 €
Gant de toilette : 2 €

Les introuvables

Comme à la cour

Cette chaise à porteur en bois des îles est celle qu'utilisait la marquise de Sévigné pour ses déplacements dans Paris. Son intérieur est recouvert de velours rouge et elle est en parfait état.

Dans la peau d'un champion

Un maillot de légende : celui que le célèbre joueur Pelé a porté le jour de la finale de la Coupe du Monde de football Brésil/Italie, en 1970, à Mexico. Ce jour-là, le Brésil a battu l'Italie par 4 à 1. En coton, jaune et vert.

Osez l'art moderne !

Avec cette installation, Chantal Mansion redonne vie à la matière abandonnée (fer, pierre, bois). Hauteur : 2 mètres.

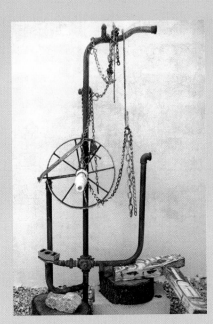

Le passé et le futur

Lisez le célèbre roman de Jules Verne *De la Terre à la Lune* dans une édition d'époque : Hetzel (1883), illustrations de Montaut et Pannemaker. Très bon état.

Installez-vous (simulation)

À faire à deux

Avec un(e) ami(e) ou un(e) colocataire, vous emménagez dans un appartement vide.

1. Imaginez ce logement. Faites son plan et indiquez le nom des pièces.

2. Vous devez maintenant meubler et équiper ce logement. Fixez-vous un budget. Achetez sur le site « Tout pour tous » dans la limite de ce budget.

Rédigez des annonces de vente sur « Tout pour tous »

1. Lisez les annonces « Les introuvables ».

2. Rédigez une ou plusieurs annonces pour des objets que vous souhaitez vendre.

3. Affichez ces annonces.

4. Lisez les annonces affichées par les autres étudiants.

Si une annonce vous intéresse, négociez avec le vendeur.

Pour décrire un objet

• **la forme**
L'objet a la forme d'un ballon de rugby.

• **la matière**
le métal – le fer – le cuivre – le plomb – l'aluminium – l'argent – l'or
le bois – le carton – le papier – le cuir – la porcelaine – la pierre – la brique – le marbre – le béton
une pierre précieuse (un diamant)
les textiles – un tissu – la laine – le coton – le velours
une matière synthétique – le plastique

• **les dimensions**
long, allongé / court – large / étroit – profond – épais / mince
La table mesure (fait) 1,50 mètre de longueur, 80 centimètres de largeur, 90 centimètres de hauteur.
Le jardin mesure 200 mètres carrés.
un mètre – un centimètre – un millimètre

• **l'origine**
Ce meuble vient de Chine – Il a été fabriqué en 1820 – Il date du XIXᵉ siècle

• **l'état**
Le meuble est en bon état / en mauvais état – dans un état acceptable, neuf.

► **Montrer – choisir**

Laquelle tu préfères : celle-ci ou celle-là ?

Fais **ce que** tu veux !

Où sont **celles que** je t'ai offertes ?

Comme collier, **lequel** je mets ?
Celui-ci ou **celui-là** ?
Ce sont **ceux qui** me vont le mieux !

1 **Observez les phrases ci-dessus.**

a. Quels mots remplacent...

quelle cravate – quel collier ?

b. Recherchez et classez les mots qui sont utilisés pour montrer ou désigner.

2 **Complétez avec quel (quelle, quels, quelles) ou lequel (laquelle, lesquels...).**

Curiosités
• Hier j'ai vu une de tes copines.
– ...... ?
• Ludivine. Elle était au café.
– ...... café ?
• Celui de la place de la Cathédrale.
– ...... ? Il y en a deux.
• Le plus grand. Elle était avec deux copains.
– ...... ? Ceux de la chorale.
• ...... chorale ? Ludivine chante dans une chorale ?
– Oui, je ne sais plus ....

3 **Complétez avec *celui (celle, etc.) de... / qui... / que... / où...***

Trou de mémoire
• Tu te souviens de ce dimanche ...... nous avons fait une randonnée ?
– Quelle randonnée ?
• ...... nous avons faite dans la forêt de Fontainebleau avec les copains de Bruno, ... habitent Montreuil. Il y avait Estelle, ... est née au Maroc, et Sylvain, ... raconte des blagues. Il nous a raconté ...... joueur de foot qui va chez son psy. Tu ne te souviens pas de cette randonnée ?
– Ah oui, ... nous avons trouvé des champignons. ...... nous avons mangés et qui nous ont rendus malades !

4 **Reformulez ces phrases comme dans l'exemple. Commencez par « ce ... qui » ou « ce ... que » et les mots soulignés.**

a. Je propose de faire une excursion de trois jours.
→ Ce que je propose, c'est de faire une excursion de trois jours.
b. J'aimerais visiter La Rochelle.
c. La vieille ville de La Rochelle est très intéressante.
d. Une promenade en bateau dans le Marais poitevin me plairait beaucoup.
e. On pourrait aussi aller sur l'île de Ré.

Pour montrer – pour choisir

• **Quel (adjectif) – lequel (pronom)**
Quelle cravate tu préfères ? Laquelle me va bien ?

	masculin	féminin
singulier	lequel	laquelle
pluriel	lesquels	lesquelles

• **Pour montrer : les pronoms démonstratifs**

	masculin	féminin	neutre
singulier	celui-ci celui-là celui de.../ qui.../que...	celle-ci celle-là celle de.../ qui.../que...	ceci cela, ça ce qui.../que...
pluriel	ceux-ci ceux-là ceux de.../ qui.../que...	celles-ci celles-là celles de.../ qui.../que...	

→ **celui-ci** (celui qui est plus près ou qui est désigné en premier) ; **celui-là** (celui qui est le plus loin ou qui est désigné en second)

→ **celui (celle, etc.) de + nom**
Ma voiture est en panne. Je vais prendre celle de Marie.

→ **celui (celle, etc.) qui ... / que ... / où ...**
J'aime tous les romans de Simenon mais je préfère ceux qui se passent à Paris.

→ **ce qui ... / que ...**
Pierre peint des tableaux. J'aime beaucoup ce qu'il fait. Ce que je préfère, ce sont ses paysages !

5 **Complétez avec « ce qui ... » ou « ce que ... ».**

Visite chez une copine étudiante
• Qu'est-ce que tu veux boire ?
– ...... tu veux. Alors, tu es contente d'avoir ton studio ? Plus de parents. Tu fais ...... te plaît.
• C'est vrai mais ...... m'ennuie, c'est que ça coûte très cher. Tu ne peux pas imaginer tout ...... je dois payer : le loyer, les charges, l'électricité, le téléphone. Je n'y arrive pas.
– Même avec ...... tes parents te donnent ?
• Oui.
– Alors il faut trouver un petit boulot.
• C'est ...... je cherche.

▶ **Comparer**

C'est elle qui gagne **le plus** d'argent. Elle en gagne **de plus en plus.**

C'est elle **la mieux** habillée. C'est lui **le plus** drôle.

Au moins, il a de l'humour.

Tu les apprécies ?

Plus ou moins. Plutôt **moins** que **plus** !

Moi, **de moins en moins** !

1 **Lisez les phrases ci-dessus et celles du tableau. Notez les constructions qui sont nouvelles pour vous.**

Utilisez les constructions et le vocabulaire ci-dessous pour comparer trois sportifs ou sportives.

S'entraîner – courir vite – sauter haut
Être performant, courageux, fort
Avoir de la volonté – avoir de bons résultats, réussir
Gagner des coupes, des médailles

2 **Complétez en utilisant les expressions de la fin du tableau (progression et approximation).**

Pedro est colombien. Il est en France depuis ...... six mois. Au début, il ne comprenait pas le français. Mais il travaille beaucoup et il comprend ....
Il hésite ...... à prendre la parole. ...... il fréquente des Français, ... il prend de l'assurance et ...... il a peur de faire des fautes.

3 **Comparez les conditions de travail de ces trois commerciaux.**

	Sabine	Cédric	Mélanie
Nombre de jours de voyage dans l'année	70	90	90
Salaire	3 700	3 700	3 500
Jours de congés supplémentaires	14	15	20

• Sabine voyage ...... Cédric.
• Mélanie a ...... jours de voyage que Cédric.
• Sabine gagne ...... Cédric. Mélanie gagne ...... que lui.
• Des trois, c'est Mélanie qui a ...... bon salaire.
• C'est Mélanie qui a ...... de congés supplémentaires.
• C'est Sabine qui en a ....

Les constructions comparatives

• La supériorité
Pierre est **plus** riche **que** François. Il est **meilleur** que lui.
Il a **plus** d'argent. Il en a **beaucoup plus** (**bien plus**).
Il travaille **plus**. Il gagne **davantage**. Il gère **mieux** son argent.
De nous tous, Pierre est **le plus** riche.
C'est lui qui a **le plus d'**argent.
C'est lui qui travaille **le plus**.

• L'infériorité
François est **moins** riche **que** Pierre.
Il a **moins** d'argent. Il en a **beaucoup moins** (**bien moins**).
Il travaille **moins** (**que** Pierre).
De nous tous, c'est François **le moins** riche.
C'est lui qui a **le moins d'**argent.
C'est lui qui travaille **le moins**.

• L'égalité
Marie est **aussi** travailleuse **que** Noémie.
Elle a **autant** d'activités **que** Noémie.
Elle travaille **autant qu'**elle.

• La progression
Pierre travaille **de plus en plus**. Il a **de moins en moins de** loisirs.
Plus il travaille, **plus** il est heureux.
Plus il travaille, **moins** il s'ennuie.
Dans son travail, il réussit **de mieux en mieux**.

• L'approximation
Combien coûte ce dictionnaire ?
Au moins 20 €. Oui, **plus ou moins** 20 €. **Au plus** 30 €.

▶ 🎧 **La grammaire sans réfléchir**

1 **Elle n'a pas de préférence. Répondez pour elle.**

• Quel est le spectacle que tu voudrais voir ?
– N'importe lequel. Celui que tu veux voir.
• Quels sont les acteurs qui te plaisent ?
– ......

2 **C'est le meilleur téléphone mobile du marché. Confirmez-le.**

• Il a beaucoup de mémoire.
– C'est celui qui en a le plus.
• Il est léger.

Les escaliers de la butte

À la société Publimage, on prépare un film publicitaire.

Agnès : Cédric, tu peux venir une seconde...
Je prépare le casting de la pub Klinor.
J'ai fait une sélection de photos.
Cédric : La pub Klinor, c'est le jeune couple
qui doit nettoyer les taches dans l'appartement,
celle du bébé, du chien...
Agnès : Exactement. Tiens, voilà plusieurs garçons.
Lequel tu préfères ?
Cédric : Celui-ci n'est pas mal... Celui-là, non, il est
trop jeune... Lui non plus. C'est celui qui a fait la
pub pour la boisson Punchy... Ce blond serait bien.
Qu'est-ce que tu en penses ?
Agnès : Moi, celui que je préfère, c'est ce brun,
Kamel, c'est lui qui a le plus de personnalité.

Cédric : Tu trouves ?
Agnès : Oui. Je le sélectionne ?
Cédric : Fais ce que tu veux. On verra bien ce qu'il
est capable de faire au casting. Tu me montres
aussi les filles ?

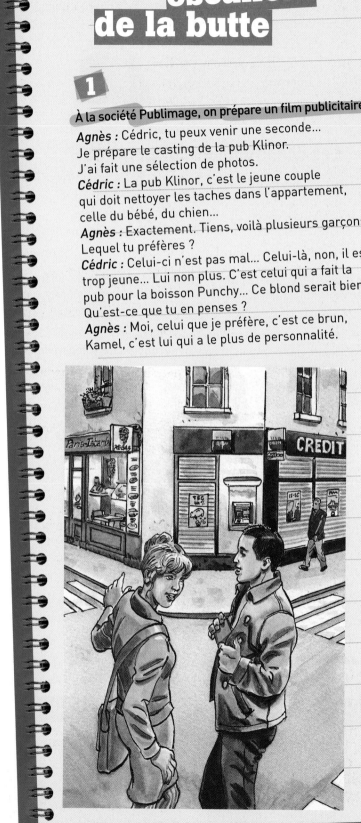

Quelques jours plus tard, après le casting.

Clémentine : Et voilà, on est pris !
Kamel : Ah, je n'y crois pas !
Clémentine : Sauf que tu as vu, on n'est pas très bien payé.
Kamel : Ça ne fait rien. Je t'invite au restau. On fera
connaissance. Tu n'as pas une petite faim ?
Clémentine : Je meurs de faim.
Kamel : Qu'est-ce qui te ferait plaisir comme restau ?
Clémentine : Celui-là ira très bien.
Kamel : Ah non, je t'invite ailleurs que dans un kébab. Mais je
te demande une seconde, il faut que je retire un peu de fric.
(il s'arrête devant une billetterie) Mais ce n'est pas possible !
Il refuse de me donner de l'argent.
Clémentine : Allez viens, c'est moi qui t'invite. Tu n'as rien
contre un kébab ?

Dans le restaurant.

Le serveur : Je vous écoute.

 Transcription

Kamel : Tu fais beaucoup de castings ?
Clémentine : C'est obligé. Plus tu en fais, plus tu te fais
connaître.

Kamel : Et tu en trouves ?

Clémentine : De plus en plus. Et je passe aussi le soir dans un cabaret à Montmartre.

Kamel : Mon rêve !

Clémentine : Tu fais des sketches ? Tu écris des textes ?

Kamel : Depuis toujours.

Clémentine : Il faudra me les montrer. Je peux peut-être te présenter au patron du cabaret.

4

L'après midi, Kamel téléphone à sa banque.

Kamel : Allô, Le Crédit du Centre ?

 Transcription

5

Quelques jours plus tard, au cabaret Le Troubadour à Montmartre.

Clémentine : Alors comment vous le trouvez ?

Le patron du Troubadour : Il a de l'avenir, ton copain.

Clémentine : Donc, vous le prenez ?

Le patron : On va faire un essai avec le public, mais je pense que ça marchera... En plus, j'ai une idée. Vous devriez faire quelque chose ensemble.

Clémentine : Un sketch à deux ?

Le patron : Un sketch, deux sketches, peut-être un spectacle ! Tu vois : le jeune de la banlieue qui vit avec une fille du 16e, les petits problèmes de la vie quotidienne...

Compréhension et simulations

1. Scène 1

a. Qu'apprenez-vous sur le produit Klinor et sur sa publicité ?

b. Notez les commentaires faits par Cédric et Agnès à propos de chaque photo.

Exemple : Photo 1 → pas mal ...

2. Jouez la scène (à deux).

Avec un(e) ami(e), vous entrez dans un magasin pour acheter un nouveau téléphone portable (ou un nouveau vêtement, etc.). Regardez, commentez, choisissez.

3. Scène 2. Écoutez et répondez.

a. Que s'est-il passé depuis la scène précédente ?

b. Kamel et Clémentine sont-ils amis ?

c. Où Kamel veut-il inviter Clémentine ?

d. Peut-il le faire ?

4. Scène 3

a. Transcrivez le dialogue avec le serveur.

b. Qu'apprend-on sur Clémentine ?

5. Scène 4. Notez le résultat de chaque appel.

Appel 1 → C'est un faux numéro

Appel 2 → ...

6. Scène 5. Imaginez la suite de la scène.

Exprimer une opinion

• Qu'est-ce que vous pensez de cet artiste ? Comment le trouvez-vous ?

Quel est votre avis sur ce film ?

• Je pense qu'il est original.

Je crois qu'il plaira au public.

Pour moi (À mon avis), c'est un bon acteur.

• Je ne pense pas qu'il **soit** un grand acteur.

Je ne pense pas qu'il **puisse** jouer le rôle.

(subjonctif après un verbe d'opinion à la forme négative)

Prononciation

Les sons [z] et [s]

Grand choix de chemises

Vous aimez celle-ci ?

Plus ou moins.

Que pensez-vous de celle-là ?

Le tissu est très agréable

Je la voudrais moins étroite, plus ample et plus élégante

Essayez donc cette rose !

Rose ! Y pensez-vous !

Il faut oser le rose, monsieur. Avec votre costume sombre, elle sera très tendance !

QUESTIONS D'ARGENT

> Bienvenue.
> Insérez votre carte.
>
> VISA
>
> Choisissez votre opération
> et validez

Composez votre code
confidentiel à l'abri
des regards indiscrets

Composez votre montant
avec le clavier
Validez

50 €	100 €	150 €
200 €	250 €	300 €
autre montant		

solde	récupérer
	votre carte
solde et relevé	
retrait	
recharger votre téléphone mobile	

Pour obtenir vos billets
retirez votre carte

Retirez votre carte
Merci et au revoir

Désirez-vous un ticket
oui
non

Prenez vos billets

Vous voulez
• payer
• payer avec remise d'un reçu
• effectuer une autre command

Vous désirez envoyer
• lettre DOM-TOM
• lettre service rapide
• écopli France
  service économique

Bonjour. Appuyez sur le bouton
de votre choix
• vignette à 0,54
• carnet de timbres
• vignette montant au choix

envoyer une lettre
• en France
• à l'étranger

Pour se débrouiller avec l'argent

• À la banque
Ouvrir un compte / clôturer un
compte – Verser de l'argent –
faire un versement
Déposer de l'argent, un chèque
de 500 € – faire un dépôt
Retirer de l'argent – faire
un retrait au guichet, au
distributeur
Faire un virement (depuis
mon compte en Allemagne sur
mon nouveau compte en France)
Être à découvert (avoir une
somme négative sur son
compte) – Approvisionner
son compte
Un relevé de compte

• Les recettes
Gagner de l'argent –
recevoir (toucher un salaire,
un traitement (pour les
fonctionnaires), une bourse,
une allocation, etc. (voir p. 77)
Économiser – faire des
économies
Placer de l'argent à la banque,
faire un placement

• Les dépenses
Dépenser – faire des dépenses
Payer par chèque, par carte
bancaire, en espèces
Choisir le prélèvement
automatique (pour les factures
de consommation d'eau et
d'électricité)
Demander un crédit – acheter
quelque chose à crédit

Appuyez sur la
touche
de votre choix
• départ immédiat
• échange de billet
• autre départ
• renouvellement
d'abonnement
• retrait de dossiers
et de billets
électroniques

▶ Comprendre les messages des distributeurs

1. Les messages du distributeur de banque et de la machine à affranchir sont dans le désordre. Remettez-les dans l'ordre.

2. Lisez le premier écran du distributeur de billets de train. Imaginez ce qui peut être écrit sur les écrans suivants.

Exemple : En cas de départ immédiat → Choisissez votre destination

▶ Imaginer et rédiger le menu d'un distributeur

(Travail en petits groupes)
1. Imaginez un distributeur original (livres, repas complets, etc.).

2. Rédigez les instructions à suivre pour l'utiliser.

À savoir

• **Paiement en espèces** : méfiance !
En France, il n'est pas rare de voir des chauffeurs de bus, des petits commerçants ou des cinémas qui n'acceptent pas les billets de plus de 50 €.
Pour des sommes de plus de 20 €, la plupart des Français paient par chèque ou (de plus en plus) par carte bancaire.

• **Pas de pourboire... en principe** : en France, les services et taxes sont toujours compris dans le prix annoncé. Les pourboires ne sont pas obligatoires. Mais certaines ouvreuses de théâtre vous le demanderont en vous disant qu'elles ne sont payées qu'avec les pourboires. Certains Français donnent une petite somme aux serveurs et aux chauffeurs de taxi mais cette somme n'est pas calculée au pourcentage du prix. Pour un café de 1,80 €, on laisse par exemple les 20 centimes de monnaie.

• **Brut ou net** : si vous cherchez un petit boulot en France, vérifiez que le salaire qu'on vous propose est le salaire net. C'est ce que vous allez toucher après déduction des cotisations sociales (sécurité sociale, etc.) du salaire brut.

• **Prix TTC** : le prix des objets est toujours marqué TTC (toutes taxes comprises). Mais ce n'est pas toujours le cas pour le prix des services (prix de la réparation annoncée par le garagiste ou le plombier).

• **Loyer TCC** (toutes charges comprises) : au prix du loyer peuvent s'ajouter des charges importantes (pour l'ascenseur, le nettoyage, la consommation d'eau).

• **Les impôts** : les Français paient *un impôt sur le revenu* (selon ce qu'ils gagnent et leur situation familiale) et *une taxe d'habitation* augmentée de *la redevance audiovisuelle* (sauf s'ils ne possèdent pas de télévision). S'ils sont propriétaires de leur logement, ils paient aussi *une taxe foncière*.

Les dépenses

Les dépenses des habitants de quelques pays de l'Union européenne (en % du budget des ménages)

	France	Espagne	Royaume-Uni	Pologne
alimentation	14,4	16	12,2	19,4
alcool, tabac	3,3	3,2	3,9	2,8
habillement	4,5	5,9	6,1	4,4
logement	24,1	14,4	18,7	24,8
ameublement	5,9	5,8	6,4	4,5
santé	3,7	3,5	1,8	4,7
transport	14,7	12,2	15	10,5
communication	2,4	2,5	2,3	3,2
loisirs, culture	9	8,4	12,7	7,2
enseignement	0,6	1,6	1,4	1,7
hôtels, cafés, restaurants	7,6	19,6	11,4	2,9
autres	9,7	7,00	11,4	10

Eurostat, 2004

Ce qu'ils gagnent (salaire net par mois en euros)

Smic (salaire minimum) (concerne 2 millions de personnes)	1 000
Employé de ménage	1 200
Ouvrier qualifié – secrétaire	1 500
Plombier	2 200
Agent technique ou commercial	2 400
Professeur	2 400
Cadre administratif	3 500
Médecin	4 500

🎧 Les opérations bancaires

1. Lisez le vocabulaire de la p. 68.

2. Écoutez. Dans chaque situation, identifiez l'opération bancaire.

▶ Les Français et l'argent

a. Lisez les informations « À savoir ». Faites des comparaisons avec votre pays et les pays que vous connaissez.

b. Observez le tableau « Les dépenses ». Comparez les dépenses des Français avec celles des autres pays européens et avec les vôtres.

c. Quels types de dépenses souhaiteriez-vous pouvoir augmenter ?

TEST Pour quel métier êtes-vous fait ?

Pour chacune des 18 situations suivantes, entourez l'une des deux réponses possibles.

 1 Ce que vous détestez le plus
- ♦ travailler seul
- ♣ parler de vous

 2 D'habitude
- ♠ j'agis d'abord, je réfléchis après
- ■ je réfléchis avant d'agir

 3 Votre loisir préféré
- ■ rechercher des informations sur Internet
- ♠ participer à une fête

4 Vous diriez
- ● plus je suis conseillé et dirigé, mieux je travaille
- ■ plus je suis autonome, plus je suis efficace

5 Ce que vous aimez le plus dans un groupe
- ♠ entraîner les autres
- ♥ apporter de nouvelles idées

 6 On vous trouve
- ♣ terre à terre
- ♥ rêveur

7 Vous aimez les personnes
- ♠ entreprenantes
- ■ réfléchies

 8 Quand il y a un problème
- ♠ vous faites face
- ♣ vous hésitez et vous perdez vos moyens

 9 Quand vous avez du temps libre
- ♣ vous profitez du grand air
- ♦ vous allez voir des amis

 13 Quand vous devez prendre la parole en public
- ♣ vous êtes mal à l'aise
- ♠ vous adorez

 10 Vous pensez
- ♥ plus il y a des règles, moins on avance
- ● plus il y a des règles, mieux ça marche

 14 Quand vous étiez enfant, vous préfériez
- ♥ vous déguiser
- ♣ les jeux de Lego ou les puzzles

 11 D'après vous, on est mieux informé
- ■ en lisant la presse
- ♦ en discutant avec des amis

 12 Pour réussir, il vaut mieux
- ♦ être dans une ambiance détendue
- ● avoir des objectifs précis

 Votre ordinateur ne marche pas très bien
- ♦ vous appelez un ami
- ● vous cliquez sur aide

 Pour être efficace, vous préférez travailler
- ● dans le calme
- ♥ sur des sujets passionnants

17 Les livres que vous préférez
- ♥ les romans
- ■ les essais sur l'actualité politique ou scientifique

 Pour vous, il vaut mieux
- ● être honnête
- ♦ être utile aux autres

Comptez les symboles que vous avez obtenus.

Maximum de ♣ = **Métiers techniques**
→ ingénieur ou technicien (environnement, mécanique, robotique, électronique) – artisan (maçon, plombier, peintre, menuisier, garagiste, réparateur) – artisan d'art – sportif ou professeur de sports – restaurateur

Maximum de ■ = **Métiers de réflexion**
→ architecte – concepteur de produit – chercheur – économiste – psychologue, sociologue – musicien – journaliste – archéologue – météorologue

Maximum de ♥ = **Métiers d'imagination**
→ écrivain – comédien – dessinateur – artiste – styliste – concepteur multimédia publicitaire – responsable marketing – organisateur d'événements – coiffeur

Maximum de ♦ = **Métiers de la coopération**
→ professeur – bibliothécaire – attaché de presse – diplomate – directeur des ressources humaines – médecin – infirmier – responsable commercial – conseiller pour l'emploi ou l'aide sociale

Maximum de ♠ = **Métiers de l'action**
→ animateur – agent immobilier – chef de chantier – chef de projet – consultant – policier – militaire – guide nature

Maximum de ● = **Métiers de méthode**
→ métiers de la banque et de la finance – comptable – cadre dans une administration ou un commerce – informaticien – chercheur – jardinier – commerçant (boulanger, pâtissier, boucher, épicier, etc.) – agriculteur

▶ Faites le test

1. Répondez aux questions collectivement ou par deux avec l'aide du professeur.

2. Lisez la liste des métiers qui correspond à votre symbole dominant. Donnez votre avis.

▶ Le vocabulaire des métiers

La classe se partage les six listes de métiers.

1. Complétez la liste que vous avez choisie.
Exemple : autres métiers techniques : horloger

2. Pour chaque nom de métier :
a. Trouvez le féminin.
b. Trouvez les qualités qu'il faut avoir pour exercer ce métier.

▶ Présentez le métier de vos rêves

Quel métier aimeriez-vous faire ? Pour quelles raisons ?

Pour parler des professions

- un métier – une profession – une activité – un emploi
Il est plombier. Il exerce le métier de plombier – Elle a un emploi d'assistante de direction
- être en activité – être au chômage (en recherche d'emploi) – être en congé (de maladie, de maternité) – être à la retraite

- **masculin et féminin des noms de métier**
1. le féminin est marqué par le suffixe
-ien / -ienne : un pharmacien / une pharmacienne
-ier / -ière : un épicier / une épicière
-er / -ère : un boucher / une bouchère
-eur / -euse : un vendeur / une vendeuse
-teur / -trice : un agriculteur / une agricultrice
-ant / -ante : un enseignant / une enseignante

2. le mot est le même au masculin et au féminin
C'est souvent le cas quand la lettre finale du masculin est « e » :
un / une pianiste, antiquaire, biologiste, stagiaire, architecte

3. il n'y a pas de féminin
un médecin / une femme médecin
un ingénieur / une femme ingénieur
En France, les recommandations officielles pour féminiser ces mots (une professeure – une auteure – une écrivaine) ne sont pas très suivies.

► **Apprécier l'importance des choses**

> C'est **trop** dangereux.
> Il y a **trop de** risques.
> Ce **n'**est **pas assez** bien payé.
> Tu es **si** sensible **que** tu ne pourras jamais être un bon flic !

> Ce n'est pas **si** dur **que** ça.
> Je suis **assez** forte.
> J'ai lu **tellement de** romans policiers **que** je connais déjà le métier.
> Et il y a **tant de** délinquants **que** j'aurai toujours du travail !

1 **Observez les phrases ci-dessus et lisez le tableau. Présentez les avantages et les inconvénients de ces professions en utilisant « trop », « très », « assez », « ne ... pas assez ».**

Exemple : Médecins : les études sont très intéressantes, les activités sont assez variées mais ...

Médecin : études intéressantes – activités variées – beaucoup de stress – pas beaucoup de vacances

Bibliothécaire : travail enrichissant – rencontres intéressantes – on est toujours enfermé – on n'est pas très bien payé

Cuisinier : métier à la mode – études courtes – pas de temps libre – horaires différents des horaires normaux

2 **Reliez les deux phrases en utilisant « si », « tellement », « tant ... que ».**

Que pense-t-elle de son nouvel appartement ?
• Il y a beaucoup de bruit dehors. On ne peut jamais ouvrir les fenêtres.
• C'est très éloigné du lieu de travail. Elle a deux heures de trajet par jour.
• Le soir, les voisins crient. On ne s'endort pas avant minuit.
• L'ascenseur est souvent en panne. Il faut souvent prendre l'escalier.
• Il y a peu de placards. Les affaires sont encore dans les cartons.

Trop – assez – si – tellement – tant

1. L'appréciation. On a une référence à l'esprit.
• Trop
Le métier de professeur est **très** difficile (en général).
Il est **trop** difficile **pour** Paul.
(Il n'est pas difficile pour d'autres personnes)
Il faut **trop** étudier. – Il y a **trop de** devoirs à corriger.

• Ne ... pas assez
Le métier de comptable **n'**est **pas assez** actif (pour moi).
On **ne** voit **pas assez de** gens. On **ne** bouge **pas assez**.

• Assez
Il aime son travail. C'est **assez** intéressant. On gagne **assez d'**argent.

2. Importance et conséquence
Il est **si** malade (Il est **tellement** malade) **qu'**il ne pourra pas aller travailler.

J'ai **tellement de** travail, j'ai **tant de** choses à faire **que** je ne pourrai pas sortir ce soir.

Il mange **tellement qu'**il va finir par grossir.

3. Exclamation
Pourquoi n'allez-vous pas au Mexique ? C'est un pays **si** beau ! Il y a **tellement de** choses à voir !

► **Maîtriser les constructions verbe + verbe**

1. Construction sans préposition
• Avec les verbes *vouloir, souhaiter, espérer, savoir, penser, aimer, détester, devoir, pouvoir*
Il souhaite partir demain. – Il pense arriver à 10 h.
N.B. – Quand les verbes ont un sujet différent, on utilise une construction avec « que ».
Je veux qu'il parte. – J'espère qu'il arrivera à 10 h.

• Cas des verbes exprimant une perception
(*regarder – voir – écouter – entendre*)
J'ai écouté chanter Roberto Alagna. (J'ai écouté Roberto Alagna chanter à l'Opéra.)

2. Construction avec la préposition « à »
« à » exprime souvent un mouvement vers une action
(*apprendre à – arriver à – réussir à – commencer à – continuer à – se préparer à*)
Elle se prépare à partir en voyage.

3. Construction avec la préposition « de »
« de » exprime souvent une rupture (*finir de – s'arrêter de – oublier de – venir de – avoir besoin de*)
Elle a oublié d'éteindre la lumière.

4. Cas des verbes qui expriment une demande
(*demander de – dire de – proposer de – permettre de – prier de*)
J'ai demandé à Julien d'éteindre la lumière.

1 **Répondez en construisant le verbe entre parenthèses avec le verbe de la question.**

Exemple : **a.** Je veux venir.

a. Tu viens à la piscine avec moi ? – Oui, ... (*vouloir*)
b. Tu nages ? – Oui ... (*savoir*)
c. Tu plonges ? – Non, ... (*apprendre*)
d. Tu as passé ton diplôme de nageur ? – Non mais ... (*se préparer*)
e. Tu fais toujours du basket ? – Non, ... (*s'arrêter*)
f. Tu fais toujours du tennis ? – Oui ... (*continuer*)
g. Tu as vu Amélie Mauresmo à la télé ? Elle jouait très bien. – Oui, je ... (*voir*)
h. On va faire un tennis. On emmène Patrick et Nathalie ? – D'accord, ... (*emmener*)

▶ **Opposer des idées**

Quelqu'un est entré. **Pourtant** la porte était fermée. **En revanche**, la fenêtre est ouverte. **Au lieu de** passer par la porte, le voleur est entré par la fenêtre. Vous avez dû trouver beaucoup de traces sur le sol, sur le mur, dans le jardin.

Au contraire, il n'y a rien ! **Malgré** nos recherches, nous n'avons rien trouvé. **Malheureusement** pour nous, ce voleur est un grand professionnel !

1 **Observez les phrases ci-dessus. Montrez que les mots en gras opposent deux informations.**

Pourtant → quelqu'un est entré / la porte était fermée
En revanche → ......

2 **Indiquez les oppositions entre les phrases. Complétez avec les expressions du tableau.**

• Julien n'aime pas les films policiers. ...... il est allé voir le film *Le Couperet* parce qu'il aime bien l'acteur José Garcia.
• Marie, ... adore les films policiers.
• ...... d'aller au cinéma, elle est restée chez elle.
• Elle avait mal à la tête ...... l'aspirine qu'elle avait prise.
• Elle a allumé la télé. Sur la première chaîne, le programme était nul. ...., sur la deuxième chaîne, il y avait un reportage très intéressant sur la Patagonie.
............, il y a eu une coupure d'électricité dix minutes après le début du reportage.

Expression de l'opposition

1. La deuxième information semble en contradiction avec la première
Il pleut. **Pourtant** Pierre est allé se promener.
Il est sorti **malgré** la pluie.

2. Les deux informations sont contraires
Il était fatigué après sa promenade ?
Au contraire, il était en pleine forme.

3. On oppose deux actions
Elle n'a pas travaillé. **En revanche**, elle est sortie.
(**Par contre**, elle est sortie)
Au lieu de travailler, elle est sortie.

4. Une action empêche une autre action
Elle voulait être avocate. **Malheureusement**, elle a échoué à son concours. **Heureusement**, elle a réussi le concours de notaire.

▶ 🎧 **La grammaire sans réfléchir**

1 **Construction avec « trop (de) »**

Il a participé à une fête. Il n'a pas été raisonnable. Critiquez-le.
• J'ai bu du vin.
– Tu en as trop bu !
• J'ai mal à la gorge. J'ai beaucoup chanté.
– Tu as trop chanté !
• ...

2 **Construction avec « ne ... pas assez (de) »**

Son ami l'a quittée. Elle a des regrets. Critiquez-la.
• Je n'ai pas beaucoup écrit à Florent.
– Tu ne lui as pas assez écrit !
• Je n'ai pas beaucoup appelé Florent.
– Tu ne l'as pas assez appelé !
• ...

Les escaliers de la butte

4 – Sur le devant de la scène

1

**Nadia est venu voir Kamel à Paris.
Ils vont visiter Barbizon.**

Nadia : Tu as rencontré une autre fille ?
Kamel : Mais non, je t'assure !
Nadia : Pourtant, tu n'es plus le même.
Kamel : Nadia, je t'ai envoyé des méls, je t'ai appelée.
Nadia : Une fois par semaine, comme si tu étais obligé de le faire.
Kamel : J'ai tellement d'activités que je ne trouve pas le temps !
Nadia : C'est si difficile que ça d'y penser !
Kamel : Pourquoi tu ne t'installes pas à Paris ?
Nadia : Kamel, il y a tellement de différences entre nous que ça ne vaut pas la peine d'essayer. Moi, je rêve d'être médecin dans un village de la Loire. Toi, au contraire, tu aimes la ville, la nuit, les rencontres.
Kamel : Arrête avec les rencontres. Je te jure que je n'ai rencontré personne.
Nadia : Alors, ça ne va pas tarder !

2

En quittant le parking, Kamel a un accident.
Kamel : Excusez-moi. Je ne vous ai pas vu !
L'automobiliste : Il faut regarder en arrière quand on recule.
Kamel : Je sais, c'est de ma faute. Je suis totalement responsable.
L'automobiliste : Vous pensiez à autre chose. C'est normal, votre amie est tellement charmante !
Kamel : Ma voiture n'a rien.
L'automobiliste : Par contre, la mienne a l'aile gauche enfoncée. Ma roue est bloquée. C'est embêtant.
Kamel : On va faire le constat. Puis je vous réparerai ça. J'ai tout ce qu'il faut dans la voiture. Vous pourrez repartir.
L'automobiliste : En fait, j'ai de la chance d'être tombé sur vous !

Plus tard.

↪ *Transcription*

L'automobiliste : Et vous le faites où, ce spectacle ?
Kamel : Au Troubadour, à Montmartre. J'ai votre adresse. Je vous envoie une invitation.
L'automobiliste : Je viendrai avec plaisir.

3

Quelques jours plus tard. Après le spectacle du cabaret Le Troubadour.

Alain *(l'automobiliste)* : Alors là, toutes mes félicitations. Je me suis beaucoup amusé et le public aussi.

Kamel : Tant mieux.

Alain : Écoutez. J'ai une proposition à vous faire, à tous les deux. Vous savez que je travaille dans un service qui organise des tournées à l'étranger pour de jeunes artistes français...

4

Deux mois plus tard. Dans la Casbah d'Alger.

Kamel *(il téléphone)* : Allô, papa ! Devine d'où je t'appelle !

Le père : Je sais que tu es à l'étranger.

Kamel : Je suis à Alger, devant la maison où tu es né.

Le père : Elle a changé ?

Kamel : Comment veux-tu que je le sache ? C'est la première fois que je la vois !

Le père : Prends-la en photo.

Kamel : C'est déjà fait... Oh papa, la communication va couper. Ma batterie est morte. Je vous rappelle.

Le père : Ta mère t'embrasse. Ton frère et Nadia aussi.

Kamel : Qu'est-ce qu'elle fait, Nadia, chez vous ?

▶ Compréhension et simulations

1. *Scène 1.* **Commentez les affirmations suivantes :**

a. Nadia et Kamel ne se sont pas vus depuis longtemps.

b. Kamel aime toujours Nadia.

c. Nadia aime toujours Kamel.

d. Kamel est sincère.

e. Kamel et Nadia ne sont pas faits l'un pour l'autre.

2. *Scène 2.* **Écoutez la partie transcrite et la partie non transcrite.**

a. Faites le dessin de l'accident. Expliquez comment il s'est produit.

b. Qu'apprenez-vous sur l'automobiliste ?

3. Jouez la scène (à deux).

Vous avez prêté votre appartement à un(e) ami(e). Quand vous rentrez, vous trouvez : un fauteuil cassé, la plante verte morte, etc.

Vous demandez des explications. Votre ami(e) raconte et s'excuse.

Utilisez le vocabulaire du tableau.

4. *Scènes 3 et 4*

Racontez l'histoire et imaginez la suite.

Exprimer la responsabilité

• Faire une faute

une faute – une erreur – une bêtise – une maladresse – faire quelque chose de mal

• Accuser – s'accuser

Je vous reproche de... Vous êtes responsable.

Vous l'avez fait exprès ?

Je suis responsable – J'ai eu tort

C'est de ma faute

• Se défendre

Je ne suis pas responsable – Je n'y suis pour rien – Ce n'est pas de ma faute – Je ne l'ai pas fait exprès

Prononciation

Le son [r]

Racontars

La boulangère l'a raconté à la bouchère.

Elle a eu tort.

Le docteur l'a répété au facteur.

C'est une erreur.

Le serrurier l'a rappelé au cafetier.

C'est fait exprès.

Et le notaire l'a redit à la presse.

Quelle maladresse !

constat amiable d'accident automobile

Ne constitue pas une reconnaissance de responsabilité, mais un relevé des identités et des faits, servant à l'accélération du règlement

à signer obligatoirement par les DEUX conducteurs

1. date de l'accident	heure	2. lieu (pays, n° dépt. localité)		3. blessé(s) même léger(s)
				non ☐ oui ☐ *

4. dégâts matériels autres qu'aux véhicules A et B
non ☐   oui ☐ *

5. témoins noms, adresses et tél. (à souligner s'il s'agit d'un passager de A ou B)

véhicule A

6. assuré souscripteur *(voir attest. d'assur.)*

Nom (majusc.) _____

Prénom _____

Adresse *(rue et n°)* _____

Localité *(et c. postal)* _____

N° tél. *(de 9 h. à 17 h.)* _____

L'Assuré peut-il récupérer la T.V.A. afférente au véhicule ? non ☐   oui ☐

7. véhicule

Marque, type _____

N° d'immatr. (ou de moteur) _____

8. sté d'assurance

N° de contrat _____

Agence (ou bureau ou courtier) _____

N° de carte verte *(Pour les étrangers)* _____

Attestation d'ass. ou carte verte } valable jusqu'au

Les dégâts matériels du véhicule sont-ils assu-rés ? non ☐   oui ☐

9. conducteur *(voir permis de conduire)*

Nom (majusc.) _____

Prénom _____

Adresse _____

Permis de conduire n° _____

catégorie (A, B, ...) ___ délivré par _____

le _____

permis valable du ___ au ___
(Pour les catégories C, C₁, D, E, F et les taxis)

12. circonstances

Mettre une croix (x) dans chacune des cases utiles pour préciser le croquis.

1	en stationnement	1
2	quittait un stationnement	2
3	prenait un stationnement	3
4	sortait d'un parking, d'un lieu privé, d'un chemin de terre	4
5	s'engageait dans un parking, un lieu privé, un chemin de terre	5
6	s'engageait sur une place à sens giratoire	6
7	roulait sur une place à sens giratoire	7
8	heurtait l'arrière de l'autre véhicule qui roulait dans le même sens et sur la même file	8
9	roulait dans le même sens et sur une file différente	9
10	changeait de file	10
11	doublait	11
12	virait à droite	12
13	virait à gauche	13
14	reculait	14
15	empiétait sur la partie de chaussée réservée à la circulation en sens inverse	15
16	venait de droite (dans un carrefour)	16
17	n'avait pas observé un signal de priorité	17

◄ indiquer le nombre de cases marquées d'une croix ►

13. croquis de l'accident

Préciser : 1. le tracé des voies - 2. la direction (par des flèches) des véhicules A, B - 3. leur position au moment du choc - 4. les signaux routiers - 5. le nom des rues (ou routes).

avenue de la liberté
pont
boulevard Talabot
● feu
A
B
avenue Pompidou

10. Indiquer par u[n] le point de ch[oc]

11. Décrivez précisément les circonstances de l'accident.

Je roulais sur l'avenue Pompidou en direction de l'avenue de la Liberté.

Devant moi, le feu qui se trouve à l'angle du boulevard Talabot est passé à l'orange. J'ai freiné et me suis arrêté. Le véhicule B qui me suivait a heurté violemment l'arrière de mon véhicule.

Sous le choc, mon véhicule a traversé le boulevard Talabot et a heurté le mur gauche du pont de chemin de fer.

Dégâts : tout l'arrière de mon véhicule est enfoncé ; l'aile et la roue avant gauche sont endommagées.

▶ Remplir un constat d'accident automobile

À faire à deux.

Observez le document ci-dessus. Lisez la description des circonstances de l'accident et regardez le schéma. Complétez le reste du constat (la partie remise au conducteur du véhicule B est la même que celle du véhicule A).

▶ Récits d'incidents

1. Écoutez ces 3 récits. Pour chaque incident, complétez le tableau.

Type d'incident	
Victime	
Lieu	
Cause	
Conséquence	

2. Lisez le tableau de vocabulaire de la p. 77.

▶ Rédiger une déclaration pour une compagnie d'assurances

Vous avez été victime d'un accident, d'un vol, d'un incendie ou d'un autre incident. Vous écrivez à votre compagnie d'assurance pour le déclarer.

Résidents étrangers en France

Soyez bien assurés

Vous venez en France pour étudier, travailler, ou pour des séjours de longue durée.

Pensez à vous assurer.

Voici quelques informations sur vos droits et vos devoirs.

AlphAssurances

Madame, Monsieur

Je vous informe que mon appartement situé 20 rue Picasso à Montreuil a été cambriolé entre le 8 et le 24 août dernier.

J'ai quitté mon appartement pour des vacances le 8 août à 9 h après avoir fermé la porte à clef. En rentrant chez moi le 24 à 15 h, j'ai trouvé la porte fermée mais j'ai eu des difficultés à l'ouvrir car la serrure était endommagée.

J'ai constaté la disparition de plusieurs objets. Vous trouverez ci-joint la liste de ces objets.

J'estime leur valeur totale à environ 5 000 €.

Accidents et incidents

- **La conduite** : conduire une voiture (un véhicule) – le conducteur – démarrer – avancer / reculer – accélérer / freiner – rouler – tourner – dépasser (doubler) une voiture – croiser – se garer – stationner

- **L'accident** : un accident de voiture, de moto
- heurter un véhicule – rentrer dans un mur – renverser un cycliste
- **les dommages matériels** : avoir le pare-brise cassé – l'aile enfoncée – le moteur endommagé
- **les dommages corporels** : un blessé, etc.

- **Les autres incidents** : un vol – un cambriolage – etc. (voir les délits p. 92 et les catastrophes p. 87)

La Sécurité sociale

La Sécurité sociale est un système public d'assurances qui couvre :
- la maladie (frais de visite chez le médecin, de médicaments ou de séjour dans un hôpital ou une clinique) ;
- la maternité : suivi et aide pour les futures mamans ;
- les besoins des personnes en difficulté. Selon vos revenus, vous pouvez bénéficier de différentes allocations (enfants, logement, etc.) ;
- la vieillesse : retraite ou minimum vieillesse.

La Sécurité sociale est financée par la CSG (contribution sociale généralisée) qui est prélevée sur tous les revenus.
Tous les étrangers qui résident en France ont droit à la Sécurité sociale.

Les autres assurances

L'assurance habitation
Si vous êtes locataire, vous devez souscrire une assurance habitation. Elle couvre le vol, l'incendie et les dommages que vous pouvez causer chez vous ou ailleurs (responsabilité civile).

L'assurance automobile ou moto
Quand vous conduisez en France, vous devez être en possession de votre permis de conduire, de la carte grise (titre de propriété du véhicule) et de la carte verte (assurance du véhicule).

D'après le site de l'Égide.

La **carte** vitale est la carte des assurés de la Sécurité sociale. Pour être bien remboursé par la Sécurité sociale, il est nécessaire d'être inscrit chez un médecin généraliste (votre médecin référent). C'est lui qui vous enverra si c'est nécessaire chez un spécialiste comme l'ORL (oto-rhino-laryngologiste). Mais la Sécurité sociale ne rembourse pas la totalité des frais médicaux. Il est donc conseillé d'adhérer à une assurance maladie complémentaire, par exemple une mutuelle.

Le document « Soyez bien assurés »

1. Vous avez l'intention de faire un voyage en France. Recherchez dans le document les informations correspondant à votre situation.

2. Faites des comparaisons avec les systèmes d'assurances de votre pays.

Évaluez-vous

1 Pensez-vous pouvoir gérer votre vie quotidienne dans un pays francophone ? .../10

Répondez « oui » ou « non ». Comptez les « oui » et notez-vous.

a. Vous savez vous débrouiller pour trouver un logement. ...

b. Quand il y a un problème d'entretien dans votre logement, vous savez l'expliquer
à un professionnel ou à votre propriétaire. ...

c. Vous comprenez les instructions en français données par les billetteries automatiques. ...

d. Vous pouvez faire des opérations bancaires simples. ...

e. En cas d'erreur sur une facture ou dans une opération de paiement, vous savez réclamer. ...

f. Vous pouvez décrire un objet (vêtements, appareils, etc.). ...

g. Vous savez réclamer un objet que vous avez perdu. ...

h. Dans un supermarché, vous pouvez repérer ce que vous recherchez selon les indications
figurant sur l'emballage. ...

i. Vous savez vous adresser à votre compagnie d'assurances et à la police en cas de vol,
perte d'objet, accidents, sinistres, etc. ...

j. Vous pouvez remplir un constat d'accident de véhicule. ...

2 Vous savez trouver le professionnel qui résoudra votre problème. .../10

Trouvez dans la colonne de droite la rubrique des Pages jaunes qui correspond à votre problème.

Vos problèmes

a. Votre médecin vous a prescrit des piqûres.

b. Il y a une fuite au robinet de votre lavabo.

c. Votre lave-linge est en panne.

d. Vous avez perdu vos clés.

e. Votre enfant a de mauvaises notes.

f. Votre fenêtre se ferme mal.

g. Votre voiture ne démarre pas.

h. Votre ordinateur est en panne.

i. Les murs de votre salon sont sales.

j. Vous voulez emprunter des livres.

Rubriques des Pages jaunes

bibliothèques

électroménager (service après-vente)

garagistes

infirmières

informatique (réparateurs)

leçons particulières

menuisiers

peintres

plombiers

serruriers

Comptez un point par réponse juste.

3 🎧 Vous comprenez des ordres relatifs à la vie quotidienne. .../10

Associez l'ordre et le dessin. Comptez un point par réponse juste.

4 Vous comprenez des informations à propos de sport ou d'aventure. …/10

Alain Robert, le « Spiderman » français, escalade un pont à Lisbonne

Le grimpeur a déjà atteint à mains nues le sommet d'une cinquantaine de tours dans le monde.

Sans cordes ni mousquetons, Alain Robert, surnommé le « Spiderman » français, a escaladé lundi 6 août l'un des piliers du pont du 25-Avril, qui enjambe les deux rives du fleuve Tage à Lisbonne au Portugal. À sa descente, il a été aussitôt interpellé par la police locale. Il devra s'acquitter d'une amende de 120 €. Le grimpeur français n'a mis qu'une vingtaine de minutes pour atteindre le sommet de l'édifice, à 190 mètres.

Âgé de 45 ans, Alain Robert a déjà escaladé à mains nues une cinquantaine de tours dans le monde dont celles du quartier d'affaires de La Défense à Paris, mais aussi la tour Eiffel et la tour Montparnasse, ainsi que l'Empire State Building à New York. Le Taipei 101 à Taïwan, l'immeuble le plus haut de la planète avec 508 mètres, ne lui a également pas résisté.

Avant de s'attaquer à l'ascension d'édifices urbains, Alain Robert était considéré comme un des meilleurs spécialistes de la « grimpe » des falaises. Sa passion a failli lui coûter la vie en 1982 quand une chute l'a rendu invalide à 66%. À l'époque, les médecins étaient persuadés qu'il ne pourrait plus s'adonner à cette passion.

AFP et Reuters- www.lemonde.fr - le 06/08/2007.

Lisez le texte ci-dessus et répondez.

a. À quelle photo de la p. 22 correspond cet article ?
b. De qui parle-t-on ?
c. Qu'a-t-il fait ?
d. Où ?
e. Quand ?

f. Comment l'a-t-il fait ?
g. A-t-il réussi ?
h. Avait-il le droit de le faire ?
i. L'avait-il déjà fait ?
j. Cela s'est-il toujours bien passé ?

Trouvez dans le texte les mots qui correspondent aux définitions suivantes :

• Paragraphe 1
(1) objet qui sert aux alpinistes
(2) monter une pente difficile
(3) partie d'un pont
(4) passer par-dessus

(5) arrêté (par la police)
(6) payer
(7) arriver à un but
(8) bâtiment

• Paragraphe 3
(9) le fait de monter une montagne
(10) handicapé
(11) occuper son temps à des loisirs

5 Vous pouvez réagir en cas d'incidents. …/10

Avec votre voisin(e), imaginez un dialogue pour chacun des trois épisodes de ces aventures aux sports d'hiver. Utilisez les phrases qui sont au-dessous de chaque dessin.
Lisez ou jouez ces dialogues à la classe et donnez-vous une note.

« À qui sont ces skis ? »

« N'aie pas peur ! »

« C'est de ma faute ! »

6 🎧 **Vous comprenez des informations sur les conditions de vie de quelqu'un.** .../10

Écoutez cette conversation. Clément parle de ses conditions de vie.
Dans la fiche ci-dessous, repérez les rubriques que vous pouvez compléter. Complétez-les.
Corrigez ensemble et notez-vous.

• **Nom :** ARCHAMBAUD   • **Prénom :** Clément
• **Âge :** ......

• **Habitation**
Type de quartier : ......
Logement :
Location : ☐ oui ☐ non
Nombre de pièces : ......
Étage : ......
Ascenseur : ☐ oui   ☐ non
État de l'immeuble : ......
État du logement : ......
Loyer : ......
Charges : ......
• **Travail**
Profession : ......
Fonction : ......
Horaires par semaine : ......
Horaires quotidiens : ......
Salaire mensuel : ......

Trajet habitation / lieu de travail :
durée : ......
moyen : ......

• **Ressources**
Salaire : ......
Autres ressources :
   allocation logement : ......
   allocations familiales : ......
   autres : ......

• **Dépenses**
Logement (tout compris) : ......
Nourriture : ......
Trajets : ......
Autres : ......

• **Somme restant pour les loisirs :** ......

7 **Vous pouvez décrire un objet.** .../10

Vous avez commandé une
lampe par Internet. Vous en
recevez une qui ne correspond
pas à celle que vous avez
demandée.
Vous faites un courriel pour
réclamer. Dans ce courriel,
vous indiquez les différences
de dimensions, de couleur, de
forme, de matière, etc., entre
les deux lampes.
Lisez votre courriel à la classe
et décidez ensemble d'une note.

Lampe de bureau –
ampoule de 60 W max

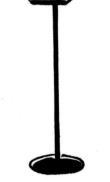

Lampe halogène sur pied.

8 **Vous pouvez faire une déclaration en cas d'accident ou d'incident.** .../10

Rédigez les phrases principales dans les deux messages suivants.
Indiquez les circonstances.
Écoutez le corrigé du professeur et notez-vous.

a. Vous ne trouvez plus votre carte bancaire. Vous envoyez un courriel au Service des cartes bancaires.
b. Un matin, vous découvrez qu'on a cassé la vitre de votre voiture et que certains objets qui étaient à
l'intérieur ont disparu. Vous écrivez à votre compagnie d'assurances.

9 Vous utilisez correctement le français. …/20

a. Le subjonctif présent. Mettez les verbes entre parenthèses au subjonctif ou à l'indicatif.

Une famille en vacances
Les enfants, vous (*être*) en vacances. Il faudrait que vous nous (*aider*) un peu.
J'aimerais que vous (*faire*) votre lit et que vous (*ranger*) votre chambre. Il faut que j'(*aller*) faire les courses pour le pique-nique. Je veux que tout (*être*) parfait à mon retour.
Aujourd'hui, nous (*aller*) faire une randonnée au col de Porte. J'aimerais que nous (*partir*) à 10 heures. Là-haut, il (*faire froid*). Il faut que vous (*prendre*) des vêtements chauds. Paul, je regrette que tu ne (*pouvoir*) pas venir.

b. Complétez avec un pronom possessif.

Deux jeunes se vantent
Léo : Ma moto va à 160 km/h.
Tony : …… fait du 180 km/h.
Léo : C'est moins bien que celle de mon frère. …… fait du 200.
Tony : Mon frère est champion de boxe.
Léo : …… est champion de judo.
Tony : Nous, à la maison, on a un écran plasma de 1 m.
Léo : Je crois que …… fait 2 m. Il n'y a pas plus gros.
Tony : Si, j'ai des voisins. …… couvre tout le mur.

c. Complétez avec un mot interrogatif.

Au marché
• Je voudrais 1kg de pommes.
– …… vous préférez ? les Golden ou les Gala ?
• Les Gala. Il me faudrait aussi un melon. …… vous me conseillez ?
– Ils sont tous bons, madame, et, pour le prix d'un, vous en avez deux. …… vous choisissez ?
• Celui-ci et celui-là. Ensuite je voudrais des œufs.
– …… grosseur ? Des gros, des moyens ?
• Des moyens, une douzaine. Voilà, ce sera tout.
– Très bien, ça fait 8€. Et je vous offre une rose. …… vous préférez ?

d. Complétez avec un pronom démonstratif.

Projet de soirée
• Qu'est-ce qu'on fait ce soir ?
– …… tu veux. On pourrait aller au cinéma.
• Pour voir quel film ?
– ………………… tu as envie de voir.
• Moi, ……'il me faut, c'est un bon film comique.
– Il y a *OSS 117* avec l'acteur Jean Dujardin, …… joue dans « Un gars, une fille ».
• Il est très bon. Je l'ai vu au théâtre avec Alexandra.
– …… « Un gars, une fille » ?
• Exactement. Ils jouent « Deux sur la balançoire ». Une pièce de Feydeau.
– C'est une de …… je préfère.

e. Complétez avec un mot de comparaison ou d'appréciation (*plus*, *trop*, etc.).

Nouvelle vie
« J'ai dirigé une petite entreprise pendant 15 ans. Mais l'an dernier, j'ai décidé d'arrêter.
C'était …… difficile pour moi.
J'avais …… de travail que j'y passais mes week-ends.
J'étais …… stressé que même en vacances je pensais à l'entreprise.
J'ai demandé un poste dans l'administration de la région et je l'ai eu. Mon salaire n'est pas …… élevé. Je suis passé de 5 000 € à 3 000 € par mois. Mais j'ai beaucoup …… temps libre. Je peux enfin partir en week-end ! »

f. Expression de l'opposition. Complétez avec : *au lieu de, en revanche, malgré, pourtant.*

Un voisin mystérieux
• Je ne comprends pas. Notre voisin ne travaille pas, …… il a acheté une Renault Safrane.
– …… chercher du travail, il va faire du jogging et il passe ses après-midi au café. Je le trouve bizarre. …… mes sourires, il ne me regarde pas.
• Moi si. Il me dit bonjour quand il me croise. …… il ne dit pas un mot de plus.

Évaluez vos compétences

	Test	Total
• Votre compréhension de l'oral	3 + 6	… / 20
• Votre expression orale	1 + 5	… / 20
• Votre compréhension de l'écrit	2 + 4	… / 20
• Votre expression écrite	7 + 8	… / 20
• La correction de votre français	9	… / 20
Total		**…/100**

... dans la publicité

Projet : opération publicitaire

Le saviez-vous ? Chaque Français est confronté tous les jours à 60 messages publicitaires en regardant la télévision, 60 autres en écoutant la radio, 30 en lisant la presse, une cinquantaine dans la rue et les transports publics, sans compter ceux qu'il va trouver dans sa messagerie électronique et en surfant sur Internet. Dans les pages suivantes, vous allez découvrir quelques-uns de ces messages. Vous allez vous en inspirer et réaliser une opération publicitaire pour un produit de votre pays à l'intention d'un pays francophone.

Nous pensons à ceux qui aiment être servis en un clin d'œil.

Nouvel E...
Faites entr...
cet aspirat...
il se tend...
pour un ne...
et instanta...

ergorapido°

Seul ou en petits groupes, vous imaginerez successivement un slogan, un petit texte publicitaire, un projet d'affiche et le script d'un spot pour la télévision.

« La publicité, c'est la plus grande forme d'art du XXe siècle », M. Mac Luhan, philosophe.
« La publicité est le reflet exact des tendances de la mode, des habitudes, des désirs, des besoins, des engouements d'une population pendant un temps donné », C. Weill (journaliste) et F. Bertin (publiciste), *Belles de pub*.

▶ Choisissez votre produit et imaginez son slogan

1. Choisissez un produit de votre pays que vous voulez faire apprécier aux Français (un objet, un plat, un vêtement, un lieu, etc.).

2. Lisez la liste des aspirations des Français. Recherchez en groupe des explications à ces aspirations.

3. Quelles aspirations les slogans ci-dessous cherchent-ils à satisfaire ?

4. Imaginez un slogan pour votre produit.

- Faire du ciel le plus bel endroit de la Terre
  Air France, compagnie aérienne

- Il vous prend par la douceur
  Velours noir (café)

- À ne pas confondre avec une voiture
  Renault Scénic (automobile)

- La vie, la vraie
  Auchan (hypermarché)

- Bic fait, bien fait *Bic (stylo)*

- Et si on prenait l'apéritif plus souvent ?
  Belin (biscuits)

- Prenez le temps d'aller vite
  SNCF (TGV)

- Deviens ce que tu es
  Lacoste (chemise)

- Ce que la nature nous offre notre recherche le révèle
  Ushuaïa (gel douche)

- Il y a tout pour moi
  Castorama (bricolage)

- Parce que vous le valez bien
  L'Oréal (produits de beauté)

- Déclarée source de jeunesse pour votre corps
  Évian (eau minérale)

- La victoire est en nous
  Adidas (chaussures de sport)

LES ASPIRATIONS DES FRANÇAIS

Voici les mots que les Français considèrent comme positifs :

Sécurité	Santé
Réalisation personnelle	Facilité
Naturel	Autonomie
Authentique	Temps libre
Évasion	Plaisir
Durable	Convivialité
Solidarité	Proximité
Équitable	

LES CINQ RÈGLES DU PUBLICITAIRE

Surprendre
Informer
Faire rêver
Rassurer
Consolider-Répéter

▶ Rédigez un texte publicitaire

La légende raconte qu'il y a très longtemps, peut-être plus de mille ans, les Eaux d'un terrible orage partirent au fond de la terre de Quézac. On dit que, année après année, les Eaux de cet orage prirent ses forces à la pierre, et se chargèrent de bulles miraculeuses. Et on dit que si l'Eau rejaillissait un jour, elle apporterait gaieté et longue vie à quiconque la boirait.

Chypre de cœur

Si, en plein hiver, vous cherchez à vous changer les idées, à oublier la grisaille et la pluie, il y a en Méditerranée, une île qui vous attend: Chypre. Baignez vous en novembre dans des eaux cristallines à 22 degrés, célébrez les fêtes de fin d'année autour d'une piscine, dégustez des mezzé sur la terrasse d'une taverne en plein hiver.

Et sous ce ciel si bleu et ce soleil si doux, il y a des paysages fleuris, des villages, et des plages d'une rare beauté. Se promener, se baigner, partir pour la journée dans les montagnes. Vous êtes à Chypre, en hiver mais c'est l'été.

Pour être en été même en hiver
www.visitcyprus.com

Chypre, le soleil habite ici

Chypre, Prenez des vacances d'été en hiver

1. Lisez ces textes publicitaires en vous aidant des définitions ci-contre.
2. Analysez ces textes publicitaires. Comment cherchent-ils à séduire les clients ?
3. Rédigez un texte publicitaire pour votre produit.

cristalline : transparente comme du cristal – *mezzé* : hors-d'œuvre traditionnels des pays de la Méditerranée orientale – *rejaillir* : sortir de terre à nouveau – *quiconque* : n'importe qui, tout le monde.

▶ Faites un projet d'affiche

1. Commentez les publicités de ces deux pages :
originalité du sujet, couleur, correspondance avec les aspirations des Français, etc.
2. Décrivez ou dessinez une affiche pour votre produit.

Saint-Quentin, en Picardie
Le Parc des Autoroutes

Transportez votre entreprise dans un parc florissant

Une situation de premier plan   110 hectares disponibles   Une installation facilitée

▶ Imaginez votre spot publicitaire

1. Voici deux petits films publicitaires destinés à la télévision et aux salles de cinéma. Quels effets cherchent-ils à produire sur le spectateur ?

2. Imaginez un spot publicitaire pour votre produit.

Le spot publicitaire pour la boisson aux fruits Orangina.

La scène se déroule dans une salle de classe.

Le professeur : Pourquoi la première lettre d'Orangina est-elle un « O » ?... Parce que, en prononçant ce « O », la bouche prend elle aussi la forme d'un « O »... Exactement comme le goulot rond d'une bouteille d'Orangina... Et c'est pour cela qu'elle s'adapte si parfaitement à notre bouche et qu'elle en est le prolongement naturel.

L'étudiant : Mais tout cela n'explique pas pourquoi Orangina se termine par un « A ».

Le professeur : Mais parce que c'est ce que fait la bouche en terminant un Orangina, démonstration... Ah ! (*Il pousse un ah de satisfaction*)

Le directeur : Rejoignez-nous !

Le spot publicitaire pour la MAAF (compagnie d'assurances).

La scène se passe dans la compagnie d'assurances. Marcel, un client difficile, cherche toujours à piéger la MAAF. Aujourd'hui, il vient souscrire une assurance pour la voiture de sa fille.

Marcel : Appelez-moi le directeur !

Le directeur : Monsieur ?

Marcel : Ah ! Alors voilà. Ça, c'est ma fille. (*Il montre une photo de sa fille*)

Le directeur : Ravissante.

Marcel : Oui, bon, elle a 19 ans, ma fille.

Le directeur : Ah la jeunesse !

Marcel : Justement, l'assurance voiture : plus les conducteurs sont jeunes, plus c'est cher. Pourtant, plus ils sont jeunes et moins ils ont des sous, les jeunes. Et ça, ça vous échappe !

Le directeur : Les filles ayant moins d'accidents que les garçons, la MAAF n'applique pas de surprime aux jeunes conductrices.

Marcel : Ah bon ?

Le directeur : Autre chose ?

Marcel : Non.

Le directeur : Je peux ? (*Il prend congé du client*)

Marcel (seul) : Je l'aurai un jour, je l'aurai !

S'INFORMER

La Biliothèque nationale François Mitterrand.

▶ POUR **COMPRENDRE ET FAIRE PARTAGER DES INFORMATIONS** PORTANT SUR L'ACTUALITÉ ET LES DOMAINES CULTURELS, VOUS ALLEZ APPRENDRE À ...

▶ **LIRE** DES EXTRAITS DE PRESSE, DE GUIDES TOURISTIQUES, DE GUIDES DE LOISIRS, D'AFFICHES ET DE PANNEAUX D'INFORMATIONS SITUÉS DANS DES LIEUX CULTURELS (MONUMENTS, MUSÉES)

▶ **DEMANDER** DES INFORMATIONS, LES FAIRE PARTAGER

▶ **RÉAGIR** À DES INFORMATIONS, LES **COMMENTER, DONNER VOTRE OPINION** SUR LA VÉRITÉ DES FAITS, **EXPRIMER LES SENTIMENTS** QU'ILS VOUS INSPIRENT

LES MEILLEURS MOMENTS DE CES DERNIÈRES ANNÉES...

Le service militaire a été supprimé

Mardi 28 mai 1996

Le président de la République, qui s'adresse aux Français à la radio et à la télévision, officialise la fin de la conscription. Cela dès le 1er janvier 1997. Dès l'année prochaine, le service militaire sera remplacé par ce que Jacques Chirac a qualifié de « rendez-vous citoyen » ouvert aux filles dès 2002.

Chronique de l'année 1996.

La Coupe du Monde de football a été gagnée par la France

Paris, dimanche 12 juillet 1998

Hier soir, au Stade de France, les « magiciens » du Brésil ont été battus par les Français qui deviennent champions du monde de football pour la première fois de leur histoire.

Le passage à l'an 2000 a été fêté dans le monde entier

Il était 15 heures à Paris, le vendredi 31 décembre, quand les Australiens sont entrés dans l'an 2000. Un feu d'artifice gigantesque a embrasé le port de Sydney. Aux quatre coins de la planète, des milliers de fiancés ont préféré patienter jusqu'à ce premier jour du millénaire pour se marier.
En Égypte, Jean-Michel Jarre a illuminé les pyramides par un de ces concerts géants dont il est l'orfèvre.

2001 – Une grande année pour le cinéma

Le Goût des autres, Le Fabuleux Destin d'Amélie Poulain, Harry Potter, Le Seigneur des anneaux, Gladiator et bien d'autres films sortis cette année seront considérés comme les chefs-d'œuvre de la décennie.

Le franc est remplacé par l'euro

Mardi 1er janvier 2002

Adieu francs, florins, escudos, livres et marks, drachmes et pesetas. Ce matin, 304 millions d'Européens ont une nouvelle monnaie : l'euro. Seules subsistent au sein de l'Europe des quinze trois monnaies nationales : les couronnes danoises et suédoises et la livre sterling... Tony Blair, Premier ministre britannique, a été le premier dirigeant européen à saluer la naissance de la nouvelle monnaie qu'il espère toujours faire adopter par son peuple. Et en raison du décalage horaire, c'est l'île de la Réunion qui est passée la première à l'euro [...].

Chronique de l'année 2002, © 2003, éditions Chronique/Dargaud s.a.

La France dit non à la guerre

New York, vendredi 14 février 2003

Le discours de paix de Dominique de Villepin, ministre des Affaires étrangères de la France, a été très applaudi à l'ONU. La France estime que, dans la situation actuelle, une déclaration de guerre à l'Irak ne se justifie pas.

L'ouverture des jeux Olympiques d'Athènes en 2004.

Les jeux Olympiques retrouvent leur terre natale

Athènes, vendredi 13 août 2004

Les jeux Olympiques sont nés dans la Grèce antique. En 1896, ils ont été recréés à Athènes par Pierre de Coubertin. Cent ans plus tard, ils ont lieu à nouveau dans la capitale grecque... Hier, la spectaculaire cérémonie d'ouverture a été suivie par les 72 000 spectateurs du stade olympique et des millions de téléspectateurs dans le monde.

...ET LES PIRES

Terrible attentat à New York

New York, mardi 11 septembre 2001

Deux avions se sont écrasés sur les deux tours du World Trade Center à New York, un autre sur le Pentagone, un quatrième dans la campagne. Cet attentat a fait près de 3 000 victimes.

Plus de 10 000 victimes à cause de la canicule

Paris, vendredi 29 août 2003

Ce mois d'août a été le plus chaud depuis 1949. Cette chaleur excessive a causé le décès de milliers de personnes âgées ou malades.

Terrible tsunami dans l'océan Indien

Sumatra (Indonésie), dimanche 26 décembre 2004

Les côtes des pays de l'océan Indien ont été dévastées par un tsunami qui a fait plus de 200 000 victimes. L'Indonésie a été le pays le plus touché.

La banlieue parisienne s'est embrasée

Paris, lundi 31 octobre 2005

La mort accidentelle de deux jeunes poursuivis par la police à Clichy-sous-Bois est à l'origine d'une explosion de violence dans plusieurs villes de la banlieue parisienne. De nombreuses voitures ont été incendiées…

En 1999, le parc du château de Versailles a été dévasté par une tempête. Le parc était remis en état en 2006.

Que s'est-il passé ?

1. Partagez-vous les différents articles et lisez-les.

Pour chacun, complétez le tableau.

	1
Que s'est-il passé ?	L'annonce de la fin du service militaire
Où ?	En France
Quand ?	Le 28 mai 1996
Quels sont les acteurs de l'événement ?	Le président de la République
Quelles sont les conséquences ?	Plus de service militaire à partir de 1997

2. Présentez à la classe les événements que vous avez découverts.

Les meilleures nouvelles de ces dix dernières années

1. Travail en petits groupes. Faites la liste des meilleures nouvelles de ces dix dernières années (nouvelles nationales, internationales, régionales ou personnelles).

2. Pour chaque nouvelle, rédigez une ou deux phrases.

3. Présentez oralement votre sélection.

Événements et catastrophes

- **Pour annoncer un événement (voir p. 89)**
Un tremblement de terre a eu lieu en Indonésie.

- **Les catastrophes**
une tempête – un cyclone – un orage
une inondation – inonder – Les champs ont été inondés
un tremblement de terre – un tsunami – La terre a tremblé
une éruption volcanique – un volcan – Le volcan est entré en éruption
une avalanche – un glissement de terrain
un attentat – une bombe – exploser – Une bombe a explosé à Paris

- **Les dégâts et les victimes**
une victime – un mort – un blessé (grave)
(se) tuer – (se) blesser – (se) noyer
une destruction – détruire – dévaster

▶ **Mettre en valeur**

1 **Dans la partie gauche du dessin, observez la transformation de la phrase.**
Transformez les phrases de la partie droite du dessin en commençant par les mots en gras.

2 **Transformez ces titres de presse en commençant par les mots en gras.**

a. Pour son voyage en Chine, le Président sera accompagné par **des chefs d'entreprise**.
b. Le match a été gagné par **Bordeaux**.
c. Un bateau du XVIᵉ siècle a été trouvé par **des pêcheurs** en Méditerranée.
d. La loi anti-fumeur est votée aujourd'hui par **les députés**.
e. « Mes enfants **m'**ont volée », déclare Brigitte Delubac.

3 **Transformez ces phrases en commençant par les mots en gras.**

Phrases entendues après un casting
a. Le metteur en scène a choisi **les comédiens** ?
b. On **vous** a sélectionnés comment ?
c. On **t'**a recrutée ?
d. Je ne sais pas. On **m'**informera la semaine prochaine.
e. Daniel Auteuil jouera **le rôle principal**.

4 **Reformulez les phrases suivantes sans employer la forme pronominale.**

Exemple : **a.** On boit ce champagne très frais.
a. Ce champagne se boit très frais.
b. En France, les timbres s'achètent à la poste ou au bureau de tabac.
c. Cette année, les pantalons larges se portent beaucoup.
d. La tour Montparnasse se voit de très loin.
e. Pendant le déménagement, deux assiettes se sont cassées.
f. Les bruits de la fête s'entendent d'ici.

Les constructions à sens passif

1.Pour mettre en valeur l'objet direct de l'action
Des ouvriers chinois fabriquent **ces téléviseurs**. →
Ces téléviseurs sont fabriqués **par** des ouvriers chinois.

• Au passé
Molière a écrit *L'Avare*. → *L'Avare* a été écrit par Molière.
Cette pièce **t'**a intéressé(e) ? → **Tu** as été intéressé(e) par cette pièce ?

• Au futur
L'acteur Philippe Torreton jouera *L'Avare*.
→ *L'Avare* sera joué par Philippe Torreton.

N.B.
a. Quand le sujet de l'action n'est pas vraiment actif, on peut utiliser « de » au lieu de « par ».
La réunion sera suivie d'un pot amical.
b. La transformation passive n'est possible qu'avec un complément d'objet direct.
On a donné un livre à Pierre. → On peut dire : *Un livre a été donné à Pierre.*
Mais on ne peut pas commencer la phrase par « Pierre ».

2.Pour présenter une action quand on ne connaît pas son auteur
Mon téléphone portable a été volé. (On m'a volé mon portable.)

3. Quand quelqu'un a fait une action pour quelqu'un d'autre (voir p. 33)
Lise et Florent ont fait construire une piscine par l'entreprise Dumur.
Ils se sont fait construire une piscine.

4. Quand quelqu'un a fait une action contre quelqu'un d'autre
Il s'est fait voler son portable.

5. La forme pronominale peut avoir un sens passif
Les fruits se vendent cher cette année. (Ils sont vendus cher)
Les agriculteurs se découragent. (Ils sont découragés)
La porte s'ouvre.

5 **Répondez en utilisant la forme « *(se) faire* + verbe ».**

a. Qu'est-ce que le professeur vous a fait faire au dernier cours ?
– Il nous a fait lire ......
b. Dans votre travail ou dans vos études, qu'est-ce qu'on vous fait faire ?

c. Vous gagnez dix millions d'euros. Vous arrêtez de travailler. Imaginez.
Utilisez : *faire, refaire, repeindre, construire,* etc.

▶ **Préciser le moment d'une action**

Ça a eu lieu quand ?

À quelle heure ça s'est produit ?

C'est arrivé comment ?

On a monté la grue lundi. Le lendemain il a plu. Le surlendemain il y a eu une tempête. Trois jours après la grue est tombée.

1 **Repérez ci-dessus les mots utilisés pour :**
– annoncer l'événement
– préciser quand il a eu lieu

2 **Lisez le tableau. Complétez l'agenda du mois de mars de ce directeur commercial.**

« Je suis rentré chez moi le lundi 15 mars. La veille, j'étais à Barcelone. L'avant-veille, j'étais à Madrid. J'y étais depuis le début de la semaine dernière.
La semaine précédente, j'étais au Portugal.
Demain, je vais à Rome.
Le lendemain, je serai à Florence et le surlendemain, à Venise. J'y resterai jusqu'à la fin de la semaine prochaine.
La semaine suivante, je travaillerai en Turquie. »

...
↑
13 mars

14 mars

15 mars   retour en France

16 mars   Rome
↓
...

Le moment d'une action

1. Annoncer un événement

se passer – avoir lieu – se dérouler (pour une manifestation, une fête, etc.) – se produire
Qu'est-ce qui s'est passé ? Qu'est-ce qui s'est produit ?
Un tremblement de terre a eu lieu (s'est produit) dans la région de Strasbourg.
La Fête de la musique a eu lieu le 21 juin.
Le festival d'Avignon se déroulera en juillet.

2. Préciser le moment

• Précision sans relation avec un autre moment
*L'incendie a eu lieu **le** 8 février, **à** minuit, **en** hiver, **en** 2002.*

• Précision en relation avec un autre moment

En relation avec le moment où l'on parle	En relation avec un autre moment
Maintenant Aujourd'hui Cette semaine	À ce moment-là Ce jour-là Cette semaine-là
Hier Avant-hier	La veille L'avant-veille
Demain Après-demain	Le lendemain Le surlendemain
La semaine dernière	La semaine précédente
La semaine prochaine	La semaine suivante
Il y a dix ans	Dix ans avant
Dans dix ans	Dix ans après

▶ 🎧 **La grammaire sans réfléchir**

1 **Le professeur contrôle votre travail. Répondez-lui comme dans l'exemple.**

• Vous avez fait votre travail ?
– Oui, il est fait.

2 **Votre amie a passé deux ans à l'étranger. Mais depuis rien n'a changé. Répondez-lui comme dans l'exemple.**

• On a construit le nouveau lycée ?
– Non, il n'a pas été construit.

Le dossier Vinci

1- Mobilisation

1

Mercredi 8 mai, 6 h du matin, dans les bureaux du journal *Le Matin* à Bruxelles.

L'employée : Mon Dieu, quel désordre !
L'employé : Ne range pas. Ce n'est pas la peine.
L'employée : Mais qui est dans ce bureau ?
L'employé : Une originale : Zoé Duquesne. Mais c'est la star de la maison !
L'employée : Alors on laisse tout comme ça ?
L'employé : Écoute, le jour où j'ai commencé à travailler ici, j'ai rangé son bureau. Le lendemain, il était encore en désordre. Alors j'ai à nouveau tout rangé.
L'employée : Et le surlendemain ?
L'employé : Je me suis fait engueuler.

2

À 10 h, au journal *Le Matin* a lieu la conférence de rédaction.

M. Dupuis : Et pour notre dossier du dimanche, vous avez une idée ?
Eudes : Je peux faire quelque chose sur le squat du quartier des Marolles.
M. Dupuis : Il y a du nouveau ?
Eudes : Pas vraiment.
M. Dupuis : Alors, ça ne sert à rien d'en parler.
Eudes : Et sur la fête du quartier Marconi ?
M. Dupuis : On peut s'en passer. On en parle chaque année.
Julie : Il y a l'exposition Léonard de Vinci. Elle ouvre la semaine prochaine.
M. Dupuis : Ah, là, ça devient intéressant.
Zoé : Mais je pense qu'il y a plus important.
M. Dupuis : On t'écoute.
Zoé : Fibrasport, l'usine de textile. La direction veut délocaliser.
Julie : Et tu crois que ça va faire monter les ventes du journal ?
Zoé : Oui, si on lance la mobilisation et si on gagne.

3

À la pause de midi.

Julie : Tu as vu ça ? C'est encore Zoé qui fait le dossier du dimanche !
Grégory : ......

 Transcription

4

L'après-midi devant l'usine Fibrasport.

A. Bossard : Tiens, mademoiselle Duquesne !

Zoé : Bonjour, monsieur le député.

A. Bossard : *Le Matin* s'intéresse aux petits problèmes de la région ?

Zoé : Comme vous voyez ! Mais donnez-moi une bonne raison d'être venue.

A. Bossard : Écoutez, Zoé. Jeudi, Fibrasport dit qu'il délocalise une partie de sa production. La veille, la direction annonçait des bénéfices.

Zoé : Effectivement, ça vaut la peine qu'on se bouge.

A. Bossard : Et si on se bouge ensemble, ça fera du bruit. Venez, je vais vous présenter aux syndicats.

Zoé : Après, j'essaierai de voir la direction.

Compréhension et simulations

1. *Scène 1.* Qu'apprenez-vous sur Zoé Duquesne ?

2. *Scène 2.*

a. Présentez la situation et les personnages.

M. Dupuis : rédacteur en chef

...

b. Faites la liste des sujets proposés pour le dossier du dimanche. Notez les réactions du rédacteur en chef.

(1) Squat du quartier des Marolles → ...

3. Jouez la scène à deux. Utilisez le vocabulaire du tableau.

Un groupe de Français vient passer trois jours dans votre région. Vous préparez leur programme de visite. Vous n'êtes pas toujours d'accord.

« Et si on allait ... Ça vaut la peine ... »

4. *Scène 3.* Transcrivez la scène.

Caractérisez Julie et Grégory.

5. *Scène 4.* Répondez.

• Où est allée Zoé ? Pourquoi ?
• Qui se trouve sur ce lieu ? Pourquoi ?
• La mobilisation est-elle justifiée ? Pourquoi ?
• Que fait Zoé ?

Exprimer l'intérêt ou l'indifférence

• Ce livre est intéressant, utile, important, passionnant. – Ça vaut la peine de le lire. (Il vaut la peine d'être lu) – Il sert à ...

• Ce livre est sans intérêt, inutile, ennuyeux. – Ça ne vaut pas la peine de le lire – Il ne sert à rien – On peut s'en passer.

• Vous préférez aller au théâtre ou au cinéma ? Ça m'est égal – Je m'en moque – Cela n'a pas d'importance – Peu importe.

• Vous savez que l'équipe de Marseille a battu Lyon ? – Ça me laisse indifférent – Je m'en moque.

Prononciation

Distinguez [k] et [g].

Indifférence

À l'école je rigole
En grammaire, ça accroche
L'orthographe j'ai le trac
Les pourquoi, ça m'angoisse
Le grec, ça bloque
Pour le bac ça m'est égal
La carrière je m'en moque !

FAITS DIVERS

Un retraité de 62 ans a été grièvement mordu à un bras, une jambe et à l'arrière du crâne par le rottweiler de son fils, samedi après-midi à Saint-Louis (Haut-Rhin). Hier, deux journalistes de France 3 ont réalisé un reportage sur ce fait divers. Ils disent avoir été violemment pris à partie par le propriétaire du chien responsable de l'agression.
24/09/2007

Les pâtissiers de Meurthe-et-Moselle ont créé à Nancy la plus longue tarte à la mirabelle du monde : 325,45 m pour célébrer la vitesse commerciale du TGV-Est (320 km/h). 02/09/2007

Un important incendie a ravagé hier à l'aube un immeuble de Rennes faisant 7 blessés graves. Un des trois jeunes de 19 à 21 ans interpellés en état d'ébriété a avoué avoir mis le feu.
22/09/2007

Des bagarres ont éclaté dans la nuit de dimanche entre gendarmes et jeunes de la cité du Parc à Ecquevilly (Yvelines), sans faire de blessés ni entraîner d'interpellation. 13/08/2007

Plusieurs hommes cagoulés et armés ont braqué hier le personnel du musée des Beaux-Arts de Nice pour s'emparer de quatre tableaux de valeur, deux Bruegel, un Sisley et un Monet. Les braqueurs, dont on ignore le nombre exact, se sont présentés aux alentours de 13 h au musée des Beaux-Arts Jules-Chéret, dont l'entrée était gratuite ce dimanche.
06/08/2007

Des loups ont attaqué un troupeau de moutons. Une dizain a été tuée dans la nuit de mardi au col de Corps (2 103 m au-dessus de Lus-la-Croix-Haute (Drôme). 02/08/200

Le tribunal correctionnel de Meaux (Seine-et-Marne) juge à partir d'aujourd'hui vingt-huit personnes accusées d'avoir participé à l'organisation de mariages blancs, en tant que mariés, témoins ou intermédiaires. 13/08/2007

▶ Lecture des faits divers

Lisez les nouvelles brèves ci-dessus.

a. Complétez le tableau.

	1
Type d'événement	
Lieu	
Acteurs (responsables, victimes, témoins)	
Cause(s)	
Conséquence(s)	

Les crimes et les délits

1. Les crimes et les délits

- un vol (un voleur) – un cambriolage (un cambrioleur) – voler – cambrioler – dérober (quelque chose) – l'auteur d'un vol – la victime
- un assassinat (un assassin) – un meurtre (un meurtrier) – assassiner – tuer – une arme – un pistolet – un revolver – un fusil
- un incendie – incendier – mettre le feu – brûler
- un enlèvement – enlever quelqu'un – kidnapper quelqu'un – s'échapper

2. Les accidents

- un accident (se blesser – se tuer) – un accident de montagne, de voiture
- une noyade – se noyer
- un empoisonnement – (s')empoisonner

b. Rédigez un titre bref pour chaque nouvelle.

c. À quel problème de société vous fait penser chaque nouvelle ?

SOMMES-NOUS BIEN INFORMÉS ?

SONDAGE

les Français et les médias

En général, à propos des nouvelles, est-ce que vous vous dites :	dans les journaux	à la télévision	à la radio	sur Internet
les choses se sont vraiment passées comme cela	5	6	7	4
les choses se sont passées à peu près comme cela	46	42	50	26
il y a sans doute pas mal de différence entre la façon dont les choses se sont passées et la façon dont elles sont montrées	39	41	34	16
les choses ne se sont vraisemblablement pas passées du tout comme cela	6	10	5	4
sans opinion	4	1	4	50

Sondage TNS/Sofres du 07/02/2007.

FORUM : Pensez-vous être bien informés ?

☺ On n'a jamais eu autant d'informations et en plus elles sont gratuites : radios et chaînes d'info en continu, sites Internet d'informations, journaux gratuits. Mais on a souvent l'impression que tout le monde dit la même chose. Il y a peu d'explications et peu d'opinions.

Cormoran

☺ Si tu veux des explications et des opinions, lis les journaux ou regarde les bonnes émissions, pas le JT. Dans « C dans l'air », un seul sujet est développé pendant plus d'une heure.

Tiki 2

☺ À la télé, les infos sont caricaturées et exagérées. Il suffit qu'un enfant soit mordu par un chien en France et aussitôt, c'est une catastrophe nationale : le ministre parle ; il promet une loi. C'est ridicule.

Enzym

☺ Je connais des personnes pour qui le présentateur ou la présentatrice sont aussi importants que les infos. Ces gens-là sont devenus des stars. Dans les magazines people, on peut tout savoir de leur vie privée. Et pourtant, ce ne sont pas eux qui vont chercher l'information.

Phosphore

☺ Il y a vingt ans, un assassinat, c'était 10 secondes d'info à la télé, à la fin du journal. Aujourd'hui, on voit l'événement comme si on y était. On voit le meurtrier (ses pieds seulement) entrer dans la maison, monter l'escalier... car, comme au cinéma, le JT est un spectacle. Je trouve ça moins ennuyeux...

Vanille

Rédigez une nouvelle brève

🌐 **a.** Observez les photos de la p. 92. Écoutez l'enregistrement. Vous obtiendrez des renseignements sur chaque événement.

b. À partir de ces informations rédigez une nouvelle brève.

Internet, le cinquième pouvoir ?

À la fin de l'année 2006, la candidate socialiste à l'élection présidentielle de 2007, Ségolène Royal (députée du département des Deux-Sèvres), est en tête dans les sondages avant Nicolas Sarkozy, son concurrent principal.

Elle est alors fortement attaquée sur Internet.

La France politique à son tour est passée de l'ombre à la lumière informatique... Trois vidéos circulent cet automne sur Internet : la résurrection de Pierre Bourdieu sous forme d'une attaque en règle de Ségolène Royal datant de 1999 ; les sifflets du meeting de Paris interdit aux caméras de télévision ; les propos de la députée des Deux-Sèvres sur les enseignants « qui devraient travailler 35 heures » pendant une rencontre à Angers. Cette dernière séquence fut téléchargée 1 million de fois en une semaine. « La révélation de cette campagne, c'est que la vidéo sur le Net est devenue le premier moyen de communiquer. La rapidité de la diffusion et le nombre de personnes touchées sont extraordinaires. »

Guillaume Gallet et al., *L'Express*, 07/12/2006.

▶ Opinion sur la qualité de l'information

1. Commentez le sondage « Les Français et les médias ». Organisez ce sondage dans votre classe.

2. Lisez le forum « Pensez-vous être bien informés ? »

a. Donnez votre opinion sur chaque message.

b. Ajoutez votre propre message.

3. Lisez « Internet, le cinquième pouvoir ? ».

a. Faites la liste des attaques contre Ségolène Royal. Vous semblent-elles normales ?

b. Pensez-vous qu'Internet soit un bon moyen d'information ?

Les trente histoires les plus mystérieuses

Réalisé par Franck Broqua
Présenté par Carole Rousseau et Jacques Legros
Au cours de cette grande soirée familiale, nous irons à la découverte d'histoires et de lieux chargés de mystères à l'autre bout du monde ou tout simplement près de chez vous. Témoins et spécialistes de ces phénomènes étranges nous racontent ces histoires.

Le célèbre manuscrit de Voynich (XVᵉ s.), un livre dont l'écriture est inconnue et dont les illustrations représentent des végétaux et des créatures mystérieuses. S'agit-il d'informations secrètes ou d'une plaisanterie ?

La Dame blanche de la D913 (*France*).

Dans un virage aux environs de Montpellier, des témoins ont aperçu régulièrement une silhouette de femme sur le bord de la route. Certains automobilistes se sont arrêtés pour la faire monter à bord de leur véhicule avant qu'elle ne disparaisse.

Fantôme ou effets spéciaux ? (*États-Unis*).

En pleine nuit, la caméra de surveillance d'un garage filme une curieuse forme transparente et blanche qui tourne au-dessus de l'épave d'une voiture accidentée et dont la conductrice est décédée.

Poltergeist, le film maudit (*États-Unis*).

1982, aux États-Unis, une incroyable histoire de fantômes sort sur les écrans : *Poltergeist*, le film qui raconte la vie d'une famille confrontée à de mauvais esprits et dont le tournage a été marqué et suivi par d'étranges phénomènes. Les acteurs de ce film ont été frappés d'une étrange malédiction.

L'homme pongoïde[1].

Plusieurs témoins et des photos montrent l'existence d'une créature mi-humaine, mi-animale qui viendrait bousculer les théories de l'évolution de l'homme [...].

1. Qui a l'aspect d'un singe.

Site TF1 – http://lachaine.tf1.fr. 06/10/2007

Témoignages | **en savoir +** | **rechercher** | **entrer en contact avc l'ailleurs**

Objets venus d'AiLLEURS

Bonjour,

Nous habitons dans le Tarn, à Graulhet, et nous avons observé, mon mari et moi, à plusieurs reprises entre le 10 et le 15 août, un phénomène curieux.
Nous étions sur la terrasse, au frais, dans les relax, vers 22 h. Au sud-est de notre terrasse, à la cime des arbres, il y avait une boule orange très lumineuse ressemblant à une étoile.
Cette étoile semblait bouger : tantôt elle disparaissait derrière les arbres, tantôt elle allait à droite, tantôt à gauche. Pour une étoile, elle semblait bien grosse et bien basse. Avec l'heure qui avançait, dans le ciel, toutes les étoiles s'étaient déplacées mais cette boule orange était toujours à la même place [...].
Plusieurs soirs de suite, nous l'avons observée. Puis un soir, aux environs de 23 h, elle est partie sans aucun bruit, à une vitesse vertigineuse se poster derrière la maison (donc à l'ouest) [...].

Site photovni.free.fr

Le retour des porte-bonheur

Accrochés au sac ou au portable, enroulés autour du poignet, les porte-bonheur reviennent.

Les Français seraient-ils superstitieux ?

La plupart affirment que non mais faut-il les croire quand on sait que 30 % consultent régulièrement leur horoscope et que 55 % pensent que certains gestes ou objets peuvent porter bonheur ou malheur.
Voici quelques-unes de ces croyances toujours vivantes.

Les porte-bonheur

- toucher du bois
- croiser les doigts
- marcher par inattention sur une crotte de chien
- voir une étoile filante
- le trèfle à quatre feuilles, la patte de lapin, le fer à cheval
- le chiffre 13 (pour la moitié des Français), le chiffre 7 (pour 33 %)

Les porte-malheur

- être 13 à table
- passer sous une échelle
- casser un miroir
- se lever du pied gauche
- ouvrir un parapluie dans une pièce
- voir un chat noir
- renverser la salière sur la table, croiser les couteaux, poser le pain à l'envers

Dans la tradition canadienne, « l'attrape-rêves », suspendu au-dessus du lit, capture les mauvais rêves.

Trouvez des idées pour l'émission

1. Partagez-vous la lecture des quatre premiers sujets de l'émission « Les trente histoires les plus mystérieuses ». Présentez-les à la classe.

2. Recherchez d'autres sujets pour l'émission. Pour chacun d'eux, rédigez une brève présentation. Complétez le programme de l'émission.

3. Observez les phrases construites avec le pronom « dont ».

Racontez un phénomène étrange

1. Lisez le deuxième document de la page 94. Faites un dessin explicatif de la scène.

2. Donnez votre opinion sur ce témoignage. Utilisez les expressions de la page 96.

3. Racontez un phénomène étrange dont vous avez été témoin ou que vous avez entendu raconter.

Êtes-vous superstitieux ?

Faites un tour de table pour commenter le retour des porte-bonheur.
Chaque étudiant :
– donne son opinion sur un des sujets de la liste,
– dit s'il a un porte-bonheur,
– dit s'il croit que certaines choses portent malheur.

Croyances – Mensonges – Vérités

Les croyances
croire – il croit en Dieu – Elle croit aux fantômes
Elle est superstitieuse – une superstition
porter bonheur (un porte-bonheur) / porter malheur – une malédiction

Le secret
un secret – une cachette secrète
cacher – tenir secret
garder, chercher, découvrir, révéler un secret – une révélation
un phénomène étrange, curieux, mystérieux (un mystère), incompréhensible, inexplicable

Le mensonge et la tromperie
mentir (un mensonge) / dire la vérité
tromper quelqu'un – Le vendeur a trompé le client.
se faire avoir (être trompé) – Le client s'est fait avoir (a été trompé) par le vendeur.

▶ **Exprimer le doute ou la certitude**

> Regarde ça. On dirait que c'est l'écriture des anciens Égyptiens.

> Il me semble plutôt que c'est du vieux chinois...

> Il est possible que ce soit une plaisanterie.

> J'en doute. Il est probable que ça date de 3000 avant J.-C. Mais il se peut que je me trompe !

> Ça risque d'être la découverte du siècle !

Doute – Possibilité – Impossibilité – Certitude

• **L'apparence**

On dirait... Ça ressemble à...
J'ai l'impression que c'est...
Il me semble que c'est... (indicatif) ⎤ une écriture
Il ne semble pas que **ce soit**... (subjonctif) ⎦ égyptienne
On dirait que l'archéologue est content.
Il a l'air content.
Il semble (il paraît) content.

• **La forme impersonnelle**

Dans certains cas, le pronom « il » ne représente pas une personne ou une chose.

1. Verbes impersonnels

Il faut – Il fait beau – Il pleut – Il neige – Il semble que

2. Construction « Il est + adjectif »

Il est possible que nous partions ce week-end.
Il est étrange qu'elle ne soit pas arrivée.
Il est dangereux de se promener la nuit dans ce quartier.

• **La possibilité – L'impossibilité**

Il est possible ⎤
Il est impossible ⎬ qu'il **fasse** beau demain
Il se peut ⎦ (subjonctif)
Il risque de pleuvoir.
Le ciel risque de se couvrir.

• **La probabilité – L'improbabilité**

Il est probable qu'il **fera** beau. (indicatif)
Il est improbable (peu probable) qu'il **pleuve**. (subjonctif)

• **La certitude et le doute**

Je suis sûre (certaine) qu'il **va** pleuvoir. – J'en **suis** sûre. (indicatif)
Elle doute (elle n'est pas sûre) qu'il **pleuve**. – Elle en **doute**. (subjonctif)

• **Le conditionnel exprime une information non vérifiée.**

Kamel et Nadia vivraient ensemble. Ils se marieraient dans un mois.

---

1 **Observez les phrases du dessin. Relevez et classez les mots qui expriment les degrés entre :**

●--------------------------□--------------------------●

le doute　　　　　　　　　On dirait que　　　　　　　　la certitude

2 **Combinez les deux phrases en employant une forme impersonnelle.**

Exemple : Il est probable que ce sont les voisins.
Bruits bizarres dans la maison la nuit
• Écoute. On entend un bruit. Ce sont les voisins. C'est probable.
– Non, ce ne sont pas les voisins. C'est impossible.
Les voisins sont en voyage. J'en suis sûre.
• Il y a des rats sous le toit. C'est possible.
– Quelqu'un fait du bruit dans la rue. Ça se peut.
Quelqu'un frappe à la porte. J'en suis certaine.
• Le bruit vient de la porte. Je n'en suis pas sûr.

3 **Imaginez les phrases prononcées dans les situations suivantes. Utilisez les formes du tableau ci-dessus.**

a. Vous avez invité des amis pour 8 h. À 9 h, ils ne sont toujours pas arrivés.
(avoir un accident – oublier l'invitation – embouteillage sur la route – panne – plus de batterie au portable)
Il est possible qu'ils aient eu un accident.
b. Vous êtes à la terrasse d'un café. Tout à coup, vous entendez un bruit qui ressemble à une explosion.
(attentat à la bombe – machine à café qui explose – feu d'artifice qui commence – accident de voiture)

▶ **Comprendre les constructions avec « dont »**

> Voici la maison **dont**
> **je vous ai parlé.**
> C'est la découverte **dont**
> **nous rêvions depuis longtemps**
> et **dont nous sommes très fiers.**
> C'est une maison **dont les pièces**
> **sont décorées.**
> Admirez ces murs **dont**
> **les inscriptions datent**
> **de Nabuchodonosor.**

1 ▪ Observez les phrases ci-dessus.

a. Quelle est la fonction des groupes en gras ?
b. Réécrivez le texte en supprimant le mot « dont ».
Exemple : Je vous ai parlé d'une maison. La voici.
c. Avec quels autres mots peut-on rajouter une information
à un nom ?
La maison dont je vous ai parlé
        de François
        ......

2 ▪ Combinez les phrases en utilisant « dont ».

Exemple : **a.** J'ai rencontré une fille sympa dont le frère
est musicien.
a. J'ai rencontré une fille sympa. Son frère est musicien
b. Nous sommes allés chez ce frère. Sa femme est bonne
cuisinière.
c. Il habite une maison. La cuisine de cette maison est
immense.
d. Ils ont un grand salon. Les murs de ce salon sont couverts
d'affiches de concerts.
e. Nous avons fait un repas. Les légumes et les fruits
venaient de leur jardin.
f. Il a joué un morceau de musique. Le rythme m'a endormi.

3 ▪ Combinez les phrases en utilisant « dont ».

a. Marie est directrice d'une entreprise. Le comptable de
cette entreprise a pris sa retraite.
b. Je connais un bon comptable. Je m'en suis souvenu.
c. J'ai parlé à Marie de ce comptable. Je connaissais son
nom.
d. Marie a recruté ce comptable. Elle avait besoin de lui.
e. Elle est très contente de lui. C'est un bon employé.
f. C'est un beau garçon. Elle risque de tomber amoureuse
de lui.

Le pronom « dont »

Il introduit une information à propos d'une personne ou
d'une chose.
La proposition introduite par « dont » peut être :

1. Complément d'un verbe construit avec la préposition « de »

Je vous ai parlé **d'un livre**. Je vous l'apporte.
→ Je vous apporte le livre **dont je vous ai parlé**.
Elle a rencontré un garçon. Elle se méfie **de ce garçon**.
→ Elle a rencontré un garçon **dont elle se méfie**.

2. Complément d'un nom

J'ai acheté un livre. Les illustrations de ce livre sont
magnifiques.
→ J'ai acheté un livre dont les illustrations sont magnifiques.
Elle a rencontré un garçon. Le père de ce garçon est
dentiste.
→ Elle a rencontré un garçon dont le père est dentiste.

4 ▪ Complétez avec un pronom relatif (*qui, que, où, dont*).

Une maison pleine de souvenirs
Voici un masque ... j'ai rapporté d'Afrique.
Ici, c'est un dessin ... a été fait par un ami.
J'aime ce tableau ... les couleurs sont magnifiques.
Voici une sculpture ... j'aime beaucoup et ... le bois
est précieux.
Ça c'est un collier ... j'ai acheté au Brésil et ... les pierres
sont des émeraudes.

5 ▪ Imitez le texte ci-dessus. Présentez vos amis.

Voici John qui ...
Voici Anne dont ...

▶ **La grammaire sans réfléchir**

1 ▪ Combinez les deux phrases comme dans l'exemple.

Elle présente sa bibliothèque
• Voici un roman policier. Je t'en ai parlé.
– Voici le roman policier dont je t'ai parlé.

2 ▪ Confirmez comme dans l'exemple.

Claudia a de mauvaises notes à l'école
• Elle ne travaille pas assez. C'est probable.
– Il est probable qu'elle ne travaille pas assez.

Le dossier Vinci

2 - Révélation

1

Le 14 mai. Au vernissage de l'exposition Léonard de Vinci, à la basilique de Koekelberg.

A. Bossard : D'après vous, elle est française ou italienne ?

Zoé : Oh ! monsieur le député ! Ça me fait plaisir de vous voir.

A. Bossard : Et moi aussi, ça me fait plaisir. Mais appelez-moi Arnaud, s'il vous plaît.

Zoé : D'accord.

A. Bossard : Alors française ou italienne, la Belle Ferronnière ?

 Transcription

2

Plus tard.

Zoé : Alors, cette révélation ?

A. Bossard : Vous allez voir. Ce n'est pas banal... Vous savez qu'au musée du Louvre, au British Museum ou ici, au musée Royal, il y a des peintures et des sculptures qui viennent d'Italie, de Grèce ou d'Égypte.

Zoé : Oui, et alors ?

A. Bossard : Les pays d'origine de ces œuvres pourront bientôt les récupérer.

Zoé : Non !

A. Bossard : Si.

Zoé : Ce n'est pas possible !

A. Bossard : Je vous le jure. C'est une loi que prépare la Commission européenne.

Zoé : Cela voudrait dire que nous devrions rendre nos Turner à l'Angleterre.

A. Bossard : Absolument, mais que nous pourrions reprendre nos Van Eyck.

Zoé : Vous êtes sûr de ce que vous dites ?

A. Bossard : Totalement. J'ai un ami à la Commission.

Zoé : Je pourrais le rencontrer ?

A. Bossard : Le rencontrer, je ne sais pas, mais lui parler, oui. Tout cela est encore top secret. Je vous donne son numéro de portable. Dites-lui seulement qui vous êtes et que vous appelez pour le dossier Vinci.

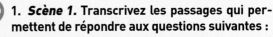

Le soir, au journal, dans le bureau du rédacteur en chef.

M. Dupuis : Tu es sûre de tes informateurs ?

Zoé : Oui, mais je ne dirai pas leur nom. Je l'ai promis.

M. Dupuis : Tu te rends compte, Zoé. Cette histoire, c'est une bombe. Si l'information est fausse, je saute et toi aussi.

Zoé : Je t'assure. Il n'y a aucun risque. Et puis on dira que ce n'est qu'un projet de loi et on mettra tout au conditionnel.

M. Dupuis : Remarque, c'est le scoop dont on a besoin pour augmenter les ventes.

Zoé : Alors, je fais l'article. Tu es d'accord ?

M. Dupuis : Oui, mais fais bien toutes tes vérifications. Et pas un mot au reste de l'équipe. Ça reste entre nous. Ce sera le dossier Vinci.

Le lendemain, à la pause déjeuner.

Julie : Alors, ton stage avec Zoé Duquesne, ça se passe comment ?

Grégory : Lentement. On dirait que je n'existe pas. Elle ne parle jamais de son travail. Je ne participe pas à ses enquêtes.

Julie : Bref, tu fais les photocopies.

Grégory : Même pas. Elle les fait elle-même.

Julie : C'est bizarre, ça.

Grégory : J'ai l'impression qu'elle est sur un coup. J'ai entendu parler d'un dossier Vinci.

Julie : Alors elle préparerait un dossier sur le peintre sans m'en parler !.... Tu pourrais vérifier ?

Grégory : Je te promets que je vais essayer.

Compréhension et simulations

1. *Scène 1.* Transcrivez les passages qui permettent de répondre aux questions suivantes :

a. De quoi parlent Zoé et Arnaud Bossard ?

b. Qui est la Belle Ferronnière ?
– selon Zoé
– selon Arnaud Bossard

c. Qu'est-ce qu'une ferronnière ?

2. *Scène 2.*

a. Rédigez l'information donnée par Bossard sous forme d'un titre et d'un sous-titre de presse.

b. Cette information est-elle sûre ?

3. Organisez un débat.

La classe se partage en deux : les pour et les contre le projet de loi.

Chaque groupe recherche des arguments. Présentez ces arguments sous forme de débat.

4. *Scène 3.* Les affirmations suivantes sont-elles vraies ou fausses ?

a. Le rédacteur en chef a peur.

b. Il a envie de publier l'article.

c. Le travail de Zoé doit rester secret.

d. Zoé pense que l'information peut être fausse.

5. *Scène 4.*

a. Qu'apprend-on dans cette scène ? Imaginez ce que va faire Grégory.

b. Cherchez des situations où on peut utiliser les mots du tableau ci-dessous.

Promettre

• **promettre – assurer**
Je vous promets que je viendrai. – Je viendrai, c'est promis.
Je tiendrai ma promesse.
Je vous assure que je viendrai. – Je viendrai sans faute.

• **Jurer**
Je vous jure que je viendrai.
Je dis la vérité. Je vous le jure.

Prononciation

Différenciez [v], [b], [p].

Météo
Sur les Vosges, du beau temps, c'est possible.
Sur Vouvray, du brouillard, c'est probable.
Sur Bandol, du vent, ça se peut.
Et dans les vallées, il paraît que le ciel est bas.

L'ART ET SES MYSTÈRES

Face à une œuvre d'art, ne soyons pas paralysés par le respect ou par la peur de paraître ridicules. Osons poser des questions. Qu'est-ce que ça représente ? Qu'est-ce que ça signifie ? Pourquoi le peintre a-t-il représenté les choses comme cela ? Chaque œuvre d'art a son mystère et chacune est faite pour être interrogée.
Visite guidée dans ce musée indiscret.

L'asperge de Manet

À Paris, au musée d'Orsay, on peut voir une petite toile d'Édouard Manet qui a de quoi surprendre : elle représente une asperge posée sur le coin d'une table. Pas de quoi être impressionné par ce tableau impressionniste... Son histoire est plus surprenante. En 1880, Charles Ephrussi, collectionneur et grosse légume de l'époque, commande au peintre une nature morte, en l'occurrence une botte d'asperges. Les deux hommes conviennent d'un prix : 800 F. Manet réalise la commande. Ephrussi est très satisfait : il paye non pas 800 mais 1000 F. Touché, Manet exécute alors un nouveau tableau, où il figure une seule asperge, qu'il offre au collectionneur avec ce petit mot : « *Il en manquait une à votre botte.* » C'est *L'Asperge.*

Réponse à tout, octobre 2005.

Monet
Quand l'œil droit et l'œil gauche ne voient pas la même chose

C'est à plus de 70 ans, dans son jardin de Giverny, que Monet peint les célèbres nymphéas exposés au musée de l'Orangerie à Paris. Les œuvres peintes à Giverny sont différentes des œuvres antérieures. Les formes deviennent floues, les couleurs sont plus variées. Évolution de l'artiste ? Lumière différente selon les moments de la journée ? Peut-être, mais aussi maladie des yeux de l'artiste, affirme le docteur Jean Milot, ophtalmologue.

Quand il peint les nymphéas, Monet est atteint de la cataracte et vient de se faire opérer d'un œil. De cet œil, il voit les nymphéas distinctement en bleu et en vert. De l'œil malade, il les voit flous, en rouge et en jaune.

D'après www.radio-canada.ca/actualité/découverte, 15/12/2002.

Révélation : la Joconde sourit, elle vient d'accoucher

Des scientifiques canadiens ont enfin percé le secret de Mona Lisa. Celui d'une mère comblée.

Depuis des siècles, les historiens de l'art s'interrogent sur le mystérieux sourire de la Mona Lisa telle qu'elle fut peinte par Leonardo da Vinci. Aujourd'hui, grâce aux appareils perfectionnés – caméra à infrarouge, imagerie tridimensionnelle – mis en œuvre par une équipe de scientifiques canadiens, on a la réponse : la Joconde venait... d'accoucher. « *Ces technologies ont permis de pénétrer les différentes couches de peinture*, explique Bruno Mottin, un expert en restauration du Louvre, *et de s'apercevoir que la Mona Lisa porte, par-dessus sa robe, un vêtement en tulle, qui était typique, dans l'Italie du XVIe siècle, des femmes enceintes ou qui venaient d'accoucher. Nous pouvons maintenant affirmer que Leonardo da Vinci a peint ce tableau pour commémorer la naissance du second fils de Lisa Gherardini, l'épouse du marchand florentin Francesco de Giocondo, ce qui nous permet d'en fixer plus précisément la date autour de 1503.* »

Marianne, du 7 au 13 octobre 2006

À la découverte du Musée national d'art moderne

Le Musée national d'art moderne, situé au dernier étage du Centre national d'art et de culture Georges-Pompidou, appelé aussi Beaubourg, possède plus de 300 000 œuvres dont 800 sont exposées. Il couvre la période allant de 1905 à nos jours.

D'importantes œuvres de Derain, Matisse, Braque et Picasso témoignent des multiples recherches du début du XXᵉ siècle où les artistes mettent en valeur la couleur (fauvisme) puis la forme (cubisme) puis abandonnent la représentation (art abstrait).

Après la guerre de 1914-1918 et ses horreurs, les artistes sont partagés entre le besoin d'exprimer leurs obsessions (expressionnisme de Soutine, de Modigliani, de Chagall), le désir de révolte et de provocation (mouvement Dada avec Marcel Duchamp) et le refuge dans le rêve (surréalisme de Max Ernst, Miró, Dali).

À la fin de la Seconde Guerre mondiale, la France entre dans la société de consommation. Les Nouveaux Réalistes comme les représentants du Pop Art américain jouent avec les objets qu'ils déforment (César), détruisent (Arman), transforment (Tinguely), exposent (Duchamp) et leur donnent une signification nouvelle.

La période actuelle est riche de nombreuses recherches : Nouvelle Figuration représentée par Adami et Arroyo, grande toile au motif répétitif de Viala, installation de Beuys et de Thomas Schütte.

Marcel Duchamp, *Roue de bicyclette*, 1913 à 1964.

Braque, *Paysage de l'Estaque*, 1906.

Les arts plastiques

- la peinture (peindre – un peintre) – la sculpture (sculpter – un sculpteur) – le dessin (dessiner – un dessinateur) – la gravure (graver – un graveur) – la photographie (photographier – un photographe)

- un musée – une galerie – une exposition – le vernissage (l'inauguration) d'une exposition
  Un jeune peintre expose ses œuvres à Beaubourg

- représenter (ce tableau représente un paysage) – symboliser (la couleur rouge symbolise l'amour) – évoquer (le peintre évoque les paysages de son enfance) traduire – exprimer (les couleurs traduisent une impression de bonheur)

L'art et ses mystères

La classe se partage les trois documents de la page 100.

Recherchez le mystère qui se cache derrière chaque tableau. Présentez le tableau à la classe.

Découverte du Musée d'art moderne

1. Lisez la présentation ci-dessus. Faites la liste des courants artistiques du XXᵉ siècle.

Quels sont leurs représentants et leurs caractéristiques ?

🌐 **2. Écoutez. Le guide présente les œuvres de cette page. Complétez le tableau.**

Artiste et nom de l'œuvre	
Date et courant artistique	
Matériaux	
Description	
Explications	

À l'occasion des Journées du Patrimoine

SAUVEZ UN TÉMOIN DU PASSÉ

Bientôt auront lieu les Journées européennes du Patrimoine. Les grands monuments et les musées seront gratuits. Les châteaux, les jardins et les hôtels particuliers privés seront exceptionnellement ouverts au public.

Ce sera aussi l'occasion de découvrir d'autres lieux moins prestigieux mais tout autant chargés d'histoire : la petite chapelle perdue dans les champs rénovée par une association de bénévoles, l'ancienne usine transformée en théâtre, la Renault des années 1930 remise en service.

Peut-être que vous aussi vous connaissez un témoin du passé qui mériterait d'être sauvé de l'oubli ou de la destruction. Peut-être même travaillez-vous avec des amis à sa rénovation.
Les Journées du Patrimoine seront l'occasion de le faire connaître.

L'association ÉCHO PATRIMOINE peut vous aider.

RECONVERSIONS RÉUSSIES

Le Palais idéal : l'œuvre d'un original

« Un jour du mois d'avril 1879, en faisant ma tournée de facteur rural, mon pied accrocha quelque chose qui m'envoya rouler quelques mètres plus loin. Je fus surpris de voir que j'avais fait sortir de terre une espèce de pierre à la forme si bizarre que je regardais autour de moi... Je vis qu'elle n'était pas seule. Je la pris et je la portai soigneusement avec moi[1]... »

Ainsi commença l'extraordinaire construction du Palais idéal, œuvre de Ferdinand Cheval, facteur à Hauterives, département de la Drôme.

Pendant trente-trois ans, le Facteur Cheval fit tous les jours la tournée des fermes des environs de Hauterives. Au retour, il remplissait son sac de pierres aux formes originales. Le soir, avec les pierres qu'il avait ramassées, il construisait dans son jardin un étrange palais inspiré par son imagination et par les photos des revues de son époque.

En 1912, il avait terminé ce qu'il appela son Palais idéal et il consacra les dix dernières années de sa vie à bâtir son tombeau dans le même style. Ses constructions insolites furent classées monuments historiques dans les années 1970.

1. Ferdinand Cheval, lettre à André Lacroix, 1897.

Le lieu unique

Où ?

Quand ?

Tarifs

Plan

Contact

Des biscuits à la culture :

 **LU et approuvé**

Située en bordure du canal Saint-Félix, à proximité de la gare de Nantes et du centre-ville, l'annexe Ferdinand Favre demeure une des dernières empreintes architecturales des usines LU, un empire industriel érigé en 1886 par une dynastie de pâtissiers, les Lefèvre-Utile. Le bâtiment en forme de croissant est voué tout au long du XXe siècle à la fabrication du Petit-Beurre LU... Restaurée à l'identique en 1998, la tour LU est la première étape de la restauration du site déclaré patrimoine industriel.

Depuis le 1er janvier 2000, l'ancienne biscuiterie vit au rythme d'un centre d'art atypique, le Lieu unique, espace d'exploration artistique qui mélange les genres, les cultures et les publics.

Site du Lieu unique de Nantes, www.lelieuunique.com

UN AVENIR INCERTAIN

Le phare n'éclaire plus

Ce phare est illustre dans le monde ; il s'appelle « le Planier ». Évoqué en 1927 par Albert Londres, convoité par les plongeurs pour ses nombreuses épaves, le Planier au large de Marseille est, 80 ans plus tard, un monument historique à l'abandon [...].

S'inspirant du musée new-yorkais de l'immigration, Jean Kehayan, auteur et journaliste marseillais, rêvait de voir s'élever sur le Planier un musée à la mémoire de « tous ces migrants qui ont peuplé Marseille ». Un projet voisin baptisé « Cité nationale de l'histoire et de l'immigration » va voir le jour mais à Paris, Porte Dorée.

La Tribune de Genève, 04/08/2007.

Qui veut de l'ancienne gare du Champ de Mars ?

Cette gare, souvenir de l'époque glorieuse du chemin de fer, était au pied de la tour Eiffel. Quand on construisit le métro, elle fut transportée à Bois-Colombes au nord-ouest de Paris et servit d'atelier jusqu'en 1937.

Depuis elle est à l'abandon. Une association de défense du Patrimoine la sauva de la démolition en 1983. On pensa y installer une école du cirque mais le projet échoua.

La gare du Champ de Mars trouvera-t-elle son sauveur ?

▶ Lecture du tract

– Qui a écrit ce document ?
– À quelle occasion ?
– Pour qui ?
– Dans quel but ?
– Que se passe-t-il pour les Journées du Patrimoine ?
– Quel est le but de cette manifestation ?

▶ Lecture des articles

1. La classe se partage les quatre articles. Chaque groupe prépare une présentation orale.

Pour préparer cette présentation, repérez :
– le type de bâtiment, où il se trouve
– son origine
– les étapes de son histoire
– ce qu'il est devenu aujourd'hui

2. Présentez le lieu et son histoire.

3. Avec le professeur, observez l'emploi des temps du passé.

▶ Projet : sauver un témoin du passé

Travail individuel ou en petits groupes.
Vous connaissez sans doute un lieu qui a une histoire et que vous aimeriez voir sauvé de l'oubli ou de la destruction (un magasin, une école, un cinéma, etc.).

1. Présentez ce lieu et ce que vous savez de son histoire.

2. Dites pourquoi il mériterait d'être sauvegardé.

3. Proposez une idée de reconversion.

Construction et rénovation

• **La construction et la démolition**
construire (une construction) – bâtir (un bâtiment)
Le château a été construit en 1880.
Il s'élève au nord de la ville.
Il comprend deux ailes.
Il est en bon / en mauvais état – en ruine
démolir (la démolition) – détruire (la destruction)

• **Les transformations**
reconstruire – rénover (une rénovation)
réparer (une réparation)
faire des changements, des transformations, des aménagements
reconvertir (changer de fonction) – *La vieille gare a été reconvertie en bibliothèque.*

▶ **Faire un récit courant**

Monsieur Paul a quitté le restaurant à 23 h.
La nuit était tombée. Il semblait inquiet.
Il était arrivé à 19 h. Il avait dîné avec des
amis. Après le repas ils avaient joué aux cartes.

Quand il est sorti ses amis
étaient déjà partis ?

1 **Observez les phrases ci-dessus.**
Notez les actions sur un schéma. Trouvez :

– l'événement le plus important
– les actions qui se passent avant
– les circonstances

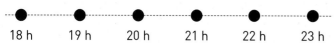

18 h   19 h   20 h   21 h   22 h   23 h

2 **Mettez les verbes entre parenthèses au temps qui convient.**

Après l'examen

a. J'ai échoué à l'examen. C'est normal. Je (*ne pas travailler*)
et j'(*aller*) faire un stage de tennis quinze jours avant l'examen.
b. Marie et Clément ont réussi. C'est normal. Ils (*apprendre*)
par cœur toutes les questions.
c. Benjamin a échoué. C'est bizarre. Pourtant il (*suivre*) les
cours régulièrement. Il (*faire*) tous les devoirs. Il (*prendre*) des
cours particuliers.

3 **Complétez avec ce qui s'est passé avant. Mettez
les verbes à la forme qui convient.**

Le vieux château

a. Le vieux château a été racheté avant qu'on le... (*démolir
le château*)
b. Quand elle l'a acheté, Mme Delamare (*voir une photo du
château*)
c. Elle l'a acheté avant de (*visiter le château*)
d. Elle a fait rénover le château avant de (*habiter le château*)
e. Elle ne s'y est pas installée avant que (*la fin de la rénovation*)

Exprimer l'antériorité

Dans le passé, quand une action se passe avant une
autre action, on utilise les formes suivantes :

1. Le plus-que-parfait
• **Emploi**
*Elle a acheté le vieux moulin. Elle l'**avait découvert** il y a
deux ans.* (les deux actions sont dans des phrases indépendantes)
*Quand elle a acheté le vieux moulin, elle **avait vendu** son
appartement.* (les deux actions sont reliées)

• **Formation**
***avoir** ou **être** à l'imparfait + participe passé*

j'avais dîné	j'étais allé(e)
tu avais dîné	tu étais allé(e)
il/elle avait dîné	il/elle était allé(e)
nous avions dîné	nous étions allé(e)s
vous aviez dîné	vous étiez allé(e)(s)
ils/elles avaient dîné	ils/elles étaient allé(e)s

2. *Avant de* + infinitif présent – *Après* + infinitif passé
*Elle est allée voir le vieux moulin **avant de l'acheter**.*
***Après l'avoir acheté**, elle a invité ses amis.*

3. *Avant que* + subjonctif
*Elle a rénové le moulin **avant qu'il tombe** en ruine.* (1)

(1) On peut trouver « avant qu'il *ne* tombe en ruine ». Ce « ne » n'a pas
de valeur négative.

▶ **Comprendre un récit au passé simple**

Monsieur Paul et le gang des cartes bleues

Quand il eut dîné, Monsieur Paul fit une partie de
cartes avec ses amis. Il était arrivé à 19 heures
et avait pris l'apéritif en attendant ses amis.
    Quand la partie fut finie, ses amis sortirent.
Monsieur Paul resta encore un quart d'heure à
bavarder avec la patronne, puis il ouvrit la porte du
restaurant et fit quelques pas dans la rue. La nuit
était tombée. Il paraissait inquiet.
    Soudain on entendit un coup de feu.

1 **Dans le texte de la page précédente, relevez et classez les verbes. Trouvez leur infinitif.**

a. événement le plus important

b. actions qui se passent avant

c. circonstances

Le passé simple et le passé antérieur

1. Emploi

• **Le passé simple** exprime une action achevée dans le passé. Il s'emploie à l'écrit dans les récits historiques, biographiques ou littéraires. On le trouve surtout à la 3ᵉ personne (il(s)/elle(s)) sauf dans des textes littéraires ou antérieurs à 1950.

On ne l'emploie pas à l'oral ni dans des écrits personnels (CV, lettres).

*À midi, il **dîna**. Puis il **sortit** se promener.*

(Dans les récits historiques ou littéraires, on utilise aussi bien le passé simple que le présent.)

• **Le passé antérieur** exprime une action antérieure à une action au passé simple. Les deux actions doivent être subordonnées (reliées) dans une même phrase.

*Quand il **eut dîné**, il sortit.*

*Il se coucha quand il **fut déshabillé**.*

• **Le plus-que-parfait** indique le résultat d'une action antérieure.

*Quand il eut dîné, il sortit. Il **avait** bien **mangé**.*

2. Formes

• **Le passé simple**

Verbes en -*er*

parler : je parlai – tu parlas – il/elle parla

nous parlâmes – vous parlâtes – ils/elles parlèrent

La forme des autres verbes est souvent proche du participe passé. On trouve :

– des formes en [i] → faire : il/elle fit, ils/elles firent

– des formes en [y] → vouloir : il/elle voulut, ils/elles voulurent

– des formes en [ɛ̃] → venir : il/elle vint, ils/elles vinrent

• **Le passé antérieur**

avoir ou *être* au passé simple + participe passé

parler : j'eus parlé, tu eus parlé, il/elle eut parlé, nous eûmes parlé, vous eûtes parlé, ils/elles eurent parlé

partir : je fus parti(e), tu fus parti(e), il/elle fut parti(e), nous fûmes parti(e)s, vous fûtes parti(e)(s), ils/elles furent parti(e)s

2 **Mettez les phrases suivantes au présent.**

Extrait d'un guide touristique

a. C'est en 1661 que le roi Louis XIV décida de construire le château de Versailles.

b. Les travaux commencèrent en 1668.

c. Le roi prit Jules Mansart comme architecte.

d. Il vint souvent voir les travaux.

e. Il fit aménager un magnifique jardin.

f. Il y eut de gros problèmes pour installer l'eau.

g. De nombreux artistes travaillèrent à la décoration du château.

h. Bientôt les courtisans s'installèrent à Versailles.

i. Louis XIV mourut en 1715.

3 **Réécrivez l'histoire suivante comme si vous la racontiez oralement.**

« En mai j'ai reçu ... »

Un homme raconte

« En mai, je reçus une invitation d'Aurélien. Je fus surpris car je ne l'avais pas vu depuis longtemps. Mais j'y allai. Nous étions installés dans le salon et j'avais déjà pris un verre quand une fille arriva. Elle était très belle. Aurélien me la présenta. À table, je fus placé à côté d'elle. Nous bavardâmes. Elle adorait les voyages. Nous avions beaucoup de points communs. Après le dessert, quelques personnes allumèrent une cigarette. Céline me proposa d'aller sur la terrasse. »

▶ 🎧 **La grammaire sans réfléchir**

1 **Emploi du plus-que-parfait.**

Vous n'aimez pas Pierre. Répondez-lui comme dans l'exemple.

• Pourquoi tu n'as pas dîné avec moi ?

– Parce que j'avais déjà dîné !

• Pourquoi tu n'es pas venu au cinéma voir Astérix ?

– ......

2 **Emploi de « avant de ». Répondez comme dans l'exemple.**

Interrogatoire

• Vous avez pris votre café. Puis vous vous êtes habillé(e).

– Non, je me suis habillé(e) avant de prendre mon café.

• Vous êtes sorti(e) puis vous avez appelé Paul.

– Non, ...

Le dossier Vinci

3 - Disparition

1

Le samedi 18 mai à 9 h, dans le bureau de Zoé Duquesne, au journal *Le Matin*.

Zoé : Vous avez touché à quelque chose sur ce bureau ?
Grégory : Ah jamais. Je vous jure !... Pourquoi ?
Zoé : Hier soir, j'ai quitté mon bureau à 8 h. J'avais travaillé à un article tout l'après-midi. Je l'avais terminé. Je l'avais mis sur ma clé USB et j'avais rangé la clé dans ce tiroir. Elle n'y est plus !
Grégory : Ce n'est pas grave ! Vous n'aviez pas supprimé l'article dans votre ordinateur ?
Zoé : Non, je l'avais sauvegardé. J'en suis sûre. Mais il a disparu. Je n'y comprends rien !

2

Quelques minutes plus tard.

Julie : Qu'est-ce qu'il lui arrive ? Elle a l'air bien énervée.
Grégory : ......

Transcription

3

Pendant ce temps, dans le bureau de Maxence Dupuis.

M. Dupuis : Et le stagiaire ?
Zoé : J'ai demandé au gardien. Il m'a dit qu'il était parti à 20 h hier soir.
M. Dupuis : Et ce matin, il est arrivé à quelle heure ?
Zoé : Quand j'ai garé ma voiture dans le parking, la sienne n'y était pas. Il était 8h30. Après, je suis tout de suite montée dans mon bureau. Il est arrivé vers 9 h.
M. Dupuis : Tu as demandé au gardien si un étranger au personnel était venu dans la nuit ?
Zoé : Il m'a dit qu'il n'avait vu que les gens du journal.

4

Au journal, tout le monde est au courant de la disparition du fichier.

5

Dans le bureau de Maxence Dupuis.

M. Dupuis : Je vais aller voir le directeur et le service de sécurité. Tu pourras refaire ton article d'ici ce soir ?

Zoé : Tu n'y penses pas ! Il est sans doute déjà sur Internet ou alors il sortira demain chez un concurrent... Et puis j'ai tout perdu. L'article était terminé, j'avais détruit toutes mes notes.

M. Dupuis : Recontacte ton informateur...

Zoé : Il n'en est pas question ! On est samedi. Je ne vais pas le déranger pendant le week-end. Surtout pour lui dire que je me suis fait voler ses informations.

M. Dupuis : Si l'article sort quelque part, il le saura.

Zoé : Je sais... Ah... la honte, cette histoire ! Bon, en attendant, c'est moi qui vais disparaître. Pour une fois, je pars en week-end. On fera le point lundi. D'accord ?

M. Dupuis : Tu vas où ?

Zoé : Quelque part... Dans les Ardennes. Allez, ciao !

M. Dupuis : Bon, ben... Bon week-end !...

Dès que Zoé est sortie

M. Dupuis : Julie ? C'est Maxence. Dites-moi, vous n'aviez pas préparé un dossier sur Léonard de Vinci ?... Oui, le mystère de La Joconde... le roman de Dan Brown... tout ça... parce qu'on a un problème pour le dossier de demain... Oui, c'est Zoé qui devait le faire mais...

Compréhension et simulations

1. *Scène 1.* Retrouvez l'emploi du temps de Zoé depuis le vendredi 17 mai.

Observez l'emploi des temps du passé.
Faites des suppositions : pourquoi le fichier et la clé USB ont-ils disparu ?

2. *Scène 2.* Transcrivez la scène.

3. *Scène 3.* Complétez l'emploi du temps de Zoé. Notez celui de Grégory.

4. *Scène 4.* Imaginez et jouez la scène (à quatre).

Les employés du *Matin* parlent de la disparition. Chacun raconte ce qu'il a entendu et fait des suppositions.
Utilisez les expressions du tableau et celles de la page 96.

5. *Scène 5.* Complétez les phrases.

Zoé pense que ... Elle refuse de refaire son article parce que ... Elle décide de ....
M. Dupuis décide de ...

Rapporter des paroles

Quand on exprime des paroles rapportées dans le passé, le temps des verbes change.

Paroles prononcées dans le passé	Paroles rapportées dans le passé
Je sors (présent)	Il m'a dit qu'il sortait (imparfait)
J'ai fini mon travail (passé composé)	Il m'a dit qu'il avait fini son travail (plus-que-parfait)
C'était difficile (imparfait)	Il m'a dit que c'était difficile (imparfait)
Je vais me promener (futur proche)	Il m'a dit qu'il allait se promener (imparfait + infinitif)
Je rentrerai (futur)	Il m'a dit qu'il rentrerait (conditionnel)

Prononciation

Différenciation [t] et [d].

Politique
Alors, ce petit déjeuner avec le député ?
Très détendu.
Entre la tomme du Dauphiné
Et la poire du Pertuis
Il m'a tout dit
Les aides secrètes
Et les cadeaux sous le manteau.

Saint-Rémy-de-Provence

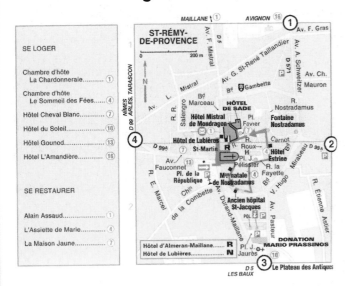

G ros bourg paisible au pied des Alpilles, Saint-Rémy est un point de départ idéal pour explorer cette chaîne de collines dont la flore nourrit depuis des siècles la pratique de nombreux herboristes. **Le musée des Arômes et des Parfums**, sur le boulevard Mirabeau, rend honneur à leur art.

Reconstruite après un écroulement en 1817, l'église de la ville, **la collégiale Saint-Martin**, n'a gardé que le clocher (1330) de l'édifice gothique antérieur. Son principal intérêt est un orgue exceptionnel (1983). Des récitals, durant le festival Organa et le samedi, permettent d'en apprécier la qualité. Dans la rue Hoche voisine se dresse toujours la maison où naquit **Nostradamus** en 1503.

La vieille ville rassemble également plusieurs beaux hôtels du XVe au XVIIe siècle. De style Renaissance, l'hôtel Mistral de Mondragon (v. 1550) abrite **le musée des Alpilles** qui évoque les traditions locales. Datant de la fin du XVe siècle, **l'hôtel de Sade** abrite d'intéressants vestiges provenant des sites archéologiques voisins (Glanum). Plus récent (XVIIIe siècle), l'hôtel Estrine est devenu **le Centre d'art-Présence Van-Gogh** qui consacre son rez-de-chaussée à l'œuvre du peintre et accueille aux étages des expositions d'art contemporain.

Ancien monastère (XIIe siècle), **la maison de santé Saint-Paul**, sur le plateau des Antiques, accueillit et soigna Van Gogh en 1889-1890. Non loin de là, le mas de la Pyramide est une habitation troglodytique transformée en un musée rural. Il occupe les carrières romaines qui servirent à l'édification de **Glanum** (p. 40).

De cette ville gréco-latine abandonnée au IIIe siècle, il ne reste aujourd'hui qu'un impressionnant champ de ruines dominé par un mausolée et un arc de triomphe du Ier siècle av. J.-C.

Provence, Côte d'Azur, Guides Voir, © Hachette Tourisme, 2006

▶ ## Compréhension du guide

1. Situez Saint-Rémy-de-Provence sur la carte p. 187.

2. Faites la liste des intérêts touristiques en complétant le tableau.

Nom du lieu	Époque	Ce qu'on peut y voir
musée des Arômes et des Parfums	Actuelle	Flore de la région Documents sur la fabrication des parfums
……	……	……

▶ ## Rédigez

1. Retrouvez les lieux sur le plan. Rédigez un itinéraire à l'intention des touristes.

2. 🌐 Écoutez et complétez le guide. On vous donne des informations sur :

a. Nostradamus

b. Van Gogh

c. le site de Glanum

Les films historiques

Caméra – *Marie-Antoinette*

2006, film américain, français et japonais de Sofia Coppola avec Kirsten Dunst. Évocation de la vie de la reine d'origine autrichienne, épouse mal-aimée du roi Louis XVI, guillotinée en 1793.

Forum – *Jeanne d'Arc*

1999, film français de Luc Besson avec Milla Jovovich. L'aventure de Jeanne qui entend des voix qui lui demandent d'aller délivrer la France de la domination anglaise, prend la tête d'une armée, délivre Orléans et finit brûlée sur un bûcher le 30 mai 1431 à l'âge de 19 ans.

Majestic – *Vercingétorix, la légende du druide-roi*

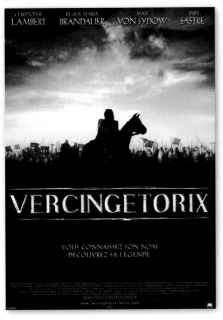

2001, film français de Jacques Dorfmann avec Christophe Lambert. Au cours du Iᵉʳ siècle avant Jésus-Christ, les troupes romaines envahissent la Gaule. Vercingétorix rassemble les tribus gauloises et se bat pour la libération de la Gaule.

Odéon – *La Reine Margot*

1994, film français, allemand et italien de Patrice Chéreau avec Isabelle Adjani et Daniel Auteuil. Pendant la nuit de la Saint-Barthélémy, où les catholiques tuent des centaines de protestants, Marguerite de Navarre cache un protestant et tombe amoureuse de lui.

Éden cinéma – *Germinal*

1993, film français, italien et belge de Claude Berry avec Renaud et Judith Henry. Sous le Second Empire, Étienne Lantier, un jeune chômeur devenu mineur, découvre dans le nord de la France la misère des travailleurs.

Forum – *Ridicule*

1996, film français de Patrice Leconte avec Charles Berling.
À travers les aventures de Grégoire de Malavoy, issu d'une famille d'ancienne noblesse tombée dans la pauvreté, une étude de la vie de la cour du roi Louis XVI où il fallait être spirituel sans être ridicule.

Lido – *L'Homme au masque de fer*

1998, film américain et britannique de Randall Wallace avec Leonardo DiCaprio. Les célèbres mousquetaires sont réunis vingt ans après leurs premières aventures pour sauver le fils de l'un d'entre eux.

Arcade – *Napoléon*

2002, téléfilm d'Yves Simoneau avec Christian Clavier. Comment un jeune général corse prend le pouvoir, impose par la force des réformes révolutionnaires à la France et à une partie de l'Europe avant d'être battu et exilé sur une île de l'océan Atlantique.

D'après le site « allocine.com ».

L'histoire

• **les régimes politiques**
la monarchie (un roi, une reine) – l'Empire (un empereur, une impératrice) – la République (un président, des députés, une assemblée)

• **les événements**
une crise économique, financière une révolte (se révolter) – une révolution – un coup d'État

• **les guerres**
déclarer la guerre – entrer en guerre – se battre – gagner / perdre une bataille – une victoire / une défaite une invasion (envahir un pays) – une conquête une armée – un soldat – un capitaine – un général un fusil – un canon – un bombardement (bombarder)

Les films à l'affiche

1. Lisez ci-dessus l'extrait du programme des cinémas. Retrouvez l'ordre chronologique des épisodes historiques racontés par ces films.

la Préhistoire – l'Antiquité – le Moyen Âge – la Renaissance (XVIᵉ siècle) – le XVIIᵉ siècle – le XVIIIᵉ – le XIXᵉ.

2. Associez chaque film aux mots des listes suivantes.

• **les lieux :** les arènes de Nîmes – l'abbaye du Mont-Saint-Michel – la cathédrale Notre-Dame de Paris - le château de Chenonceaux – le château de Versailles – l'Arc de Triomphe de Paris.

• **les personnes :** Jules César – Louis XIV – Molière – Voltaire – Rousseau – Victor Hugo.

▶ Projet de film historique

Un metteur en scène français souhaite faire un film sur un moment de l'histoire de votre pays. Il vous demande de lui faire des propositions de sujets.

Rédigez quelques propositions en résumant chaque sujet en trois lignes.

forum   vos délires   contact   chercher   F.A.Q   ...

Le forum délire
Partagez vos idées, vos envies et vos rêves

Le forum du jour :
une autre vie ?

N'avez-vous jamais rêvé d'avoir une autre vie, d'être né à une autre époque ou dans un autre lieu ?
Échangez vos rêves sur notre forum.

1 **Auriez-vous aimé vivre à une autre époque ?**
réponse

2 **Où auriez-vous aimé passer votre jeunesse ?**
réponse

3 **Quelle personnalité de l'histoire ou de l'actualité auriez-vous aimé être ?**
réponse

4 **Quel métier auriez-vous aimé faire ?**
réponse

5 **Quelle femme ou quel homme auriez-vous aimé rencontrer ?**
réponse

6 **Quel caractère, quelle personnalité auriez-vous aimé avoir ?**
réponse

7 **Quel pouvoir auriez-vous aimé avoir ?**
réponse

8 **Dans quel film auriez-vous aimé jouer ?**
réponse

9 **S'il n'y avait pas eu tel ou tel événement, auriez-vous pu être quelqu'un d'autre ?**
réponse

10 **Quel est votre plus grand regret ?**
réponse

Vos réponses aujourd'hui à 20 h

1 Auriez-vous aimé vivre à une autre époque ?

Non   30 %   **Oui**   70 %

La Préhistoire	2 %	La Révolution	1 %
L'Antiquité	12 %	Le XIXᵉ siècle	21 %
Le Moyen Âge	15 %	Le début du XXᵉ siècle	2 %
La Renaissance	10 %	Dans le futur	3 %
Les XVII et XVIIIᵉ siècles	4 %		

ILS ONT DIT

Quel métier auriez-vous aimé faire ?

Emmanuelle Devos, comédienne

J'aurais aimé être archéologue. Lorsqu'on éprouve l'envie de jouer, c'est généralement pour être transporté dans une autre réalité. Gamine, les bouquins d'histoire me procuraient la même sensation que lire une pièce de théâtre aujourd'hui. Quand on a étudié l'histoire, on a besoin d'aller dans les musées voir les objets, les tableaux. On a alors l'impression de vivre d'autres aventures que la sienne ou celle de son siècle.

Fémina, supplément de *Midi Libre*

Auriez-vous pu être quelqu'un d'autre ?
Yann Arthus-Bertrand, photographe, journaliste et militant écologiste

Je haïssais l'école. L'ironie du sort, c'est que, aujourd'hui, deux écoles portent mon nom – l'une à Sysoing (Nord) et l'autre à Carentoire (Morbihan), qui sera inaugurée en juin 2007, alors que j'ai été viré de partout ! Entre 17 et 20 ans, j'ai vécu une période assez trouble, dont j'ai encore beaucoup de mal à parler aujourd'hui. J'aurais pu devenir un vrai voyou, car j'étais farouchement rebelle à l'autorité, à la discipline. Je suis parti de chez moi du jour au lendemain sans donner aucune nouvelle.

Extrait d'une interview de Patricia Kenouna, *Sélection du Reader's digest*, décembre 2006.

Quel est votre plus grand regret ?

La carrière d'écrivain que j'aurais aimé faire.
Pierre Bergé, créateur et entrepreneur spécialisé dans le luxe

Ne pas avoir dirigé un orchestre.
Michel Blanc, comédien

Que ma génération n'ait pas pu préparer un monde plus solidaire et plus fraternel pour mes enfants qui deviennent adultes maintenant.
Barbara Hendrix, cantatrice

J'aurais voulu des frères et des sœurs.
Mazarine Pingeot, écrivain

J'aurais aimé voyager davantage.
Michel Troisgros, cuisinier

Être né trop tard... Je suis très nostalgique des années 1950 et 1960. Je regrette même les années 1970 : le monde était alors beaucoup moins laid.
Christian Vincent, cinéaste

J'aurais aimé être une grande pianiste.
Danielle Tompson, scénariste

Sélectionnés dans « Le Questionnaire de Proust », *L'Express Mag*,

Lecture du document

1. Présentez le document. Quelle est son origine ? De quoi est-il composé ?

2. Lisez l'extrait de l'interview d'Emmanuelle Devos.

a. Pourquoi sa profession ressemble-t-elle à celle qu'elle aurait aimé avoir ?

b. Observez le temps des verbes.

3. Lisez l'extrait de l'interview de Yann Arthus-Bertrand.

a. Quelle vie aurait-il pu avoir ?

b. Imaginez pourquoi sa vie a été différente ?

4. Lisez les réponses des personnalités à la question « Quel est votre plus grand regret ? » (À faire sous forme de tour de table)
Donnez un conseil à chacun d'eux.

Exemple : à Pierre Bergé → « Il n'est pas trop tard. Vous pouvez encore écrire un livre. »

Répondez aux questions du forum

a. Chaque étudiant choisit une question et en tire une autre au sort.

b. Il prépare une réponse aux deux questions.

c. La classe commente les réponses.

Imaginez un questionnaire pour le forum délire

Imaginez et rédigez des questions sur un même sujet.

Exemple : Êtes-vous jaloux (jalouse) ?

(1) Quand un homme ou une femme regarde votre ami(e), êtes-vous mal à l'aise ?

(2) Ouvrez-vous le courrier de votre ami(e) ?

etc.

▶ **Faire des hypothèses au passé**

> Si tu avais été plus souvent à la maison **j'aurais eu envie** de rester !

> **Tu aurais pu** m'emmener avec toi !

> Je **n'aurais pas dû** prendre ce poste de commercial en Afrique.

> Si tu n'avais pas peur de l'avion tu **serais venue** avec moi.

> À ta place je resterais... Le directeur **aurait décidé** de me donner le secteur France.

1 **a. Observez les formes en gras. Comment sont-elles construites ? Qu'est-ce qu'elles expriment ?**

– une action réelle ? imaginée ?
– une action présente ? passée ?

b. Lisez le tableau. Trouvez ci-dessus un exemple pour les quatre emplois du conditionnel passé.

2 **Exprimez des regrets et des reproches.**

On propose à Marie un poste à l'étranger. Pierre lui donne des conseils.

> Accepte ce poste.
> Tu connaîtras un nouveau pays.
> Je te donnerai des nouvelles des copains.
> Tu rencontreras des gens.
> Les gens seront très gentils avec toi.
> Nous viendrons te voir.
> Tu gagneras plus d'argent.
> Tes enfants parleront une langue étrangère.

Mais Marie n'a pas suivi les conseils de Pierre. Pierre le lui reproche. **Continuez.**
« Tu aurais dû accepter ce poste ... »

3 **Imaginez la suite en variant les pronoms sujets et en utilisant les verbes entre parenthèses.**

a. Si nous étions allés en vacances au Brésil ... nous ... tu ... je ...
(voir le carnaval de Rio – se baigner sur la plage de Copacabana – découvrir la forêt amazonienne – faire de la pirogue...)

Le conditionnel passé

• Formation
avoir ou *être* au conditionnel présent + participe passé

parler	partir
j'aurais parlé	je serais parti(e)
tu aurais parlé	tu serais parti(e)
il/elle aurait parlé	il/elle serait parti(e)
nous aurions parlé	nous serions parti(e)s
vous auriez parlé	vous seriez parti(e)(s)
ils/elles auraient parlé	ils/elles seraient parti(e)s

• Emploi
1. Après une supposition exprimée au plus-que-parfait ou au subjonctif
S'il avait fait beau (Supposons qu'il ait fait beau), nous serions sortis et nous aurions déjeuné à l'auberge du Lac.

2. Pour exprimer un regret
Nous aurions dû aller au théâtre.

3. Pour donner un conseil
À votre place, je serais allé au théâtre.

4. Pour annoncer une information non vérifiée
Le ministre aurait démissionné.

b. Ah, si j'avais pu vivre à la campagne ... je ... tu ... les enfants ...
(acheter une ferme – créer un gîte rural – recevoir des gens – avoir des animaux – monter à cheval – être au contact de la nature)

▶ **Exprimer des sentiments**

> Je souhaite que vous soyez heureux !

> Je suis heureux que vous soyez mariés.

> Votre cadeau nous a fait très plaisir.

> Je suis content de te revoir.

> Je regrette que nous nous soyons séparés.

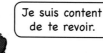

   Les mariages, moi ça me rend triste. Je suis déçu qu'il n'y ait pas de whisky.

 Tu n'as pas honte ? Tu ne serais pas un peu jaloux ?

1 Quel sentiment est exprimé dans chacune des phrases du dessin ?

Exemple : Je souhaite ... → le souhait
Faites la liste des différentes constructions qui permettent d'exprimer des sentiments.

2 Associez les contraires.

Exemple : le bonheur / le malheur
le bonheur – la confiance – la déception – l'enthousiasme – la fierté – la honte – l'insatisfaction – la jalousie – la joie – la peine – le plaisir – le malheur – la satisfaction – la tristesse

3 Que disent-ils dans les circonstances suivantes ? Variez les constructions.

Exemple : **a.** je suis fier – je suis content – j'éprouve une grande fierté
a. Un sportif a gagné une médaille d'or aux jeux Olympiques.
b. La compagne de Julien l'a quitté. Elle est allée vivre avec un collègue de Julien.
c. Clara commence un nouveau travail qui lui plaît beaucoup.
d. Lina et Joseph fêtent leurs 64 ans de mariage entourés de leurs enfants et de leurs petits-enfants.
e. Le chien de Marie est mort.
f. Jade vient d'assister au spectacle extraordinaire d'un chanteur.
g. Le fils de Pierre vient d'échouer à son bac pour la troisième fois.

4 Combinez les deux phrases.

Utilisez les formes « être + adjectif + de / que ... ».
Réponse au message d'une amie
a. J'ai reçu ton message. Je suis contente.
b. Je n'ai pas répondu à tes précédents messages. J'ai honte.
c. Tu vas bien. J'en suis heureux.
d. Ton ami est au chômage. Je suis triste.
e. Au travail, j'ai changé de service. J'en suis heureux.
f. Je ne suis plus avec ma meilleure collègue. Je suis déçue.
g. Nous partons en vacances en Russie. Je suis contente.

L'expression des sentiments

Différentes constructions permettent d'exprimer les sentiments.

• **Construction « être + adjectif »**
Elle est fière de son succès.
Je suis heureux de venir.
Elle est triste de ne pas venir.

• **Construction « être + adjectif + proposition subordonnée » (quand la proposition principale et la proposition subordonnée ont des sujets différents)**
Elle est fière que vous participiez à la compétition.

N.B. Le verbe de la subordonnée est au subjonctif sauf quand le verbe de la proposition principale est « espérer », « avoir le sentiment que ». *J'espère qu'elle viendra.*

• **Construction « avoir, éprouver, ressentir + nom »**
J'ai du plaisir à le revoir.
Il éprouve une grande tristesse.
Elle ressent de la pitié pour lui.

N.B. « avoir honte » et « avoir pitié » se construisent sans article. Certains sentiments peuvent s'exprimer par un verbe : s'inquiéter – se satisfaire.

• **Verbes et constructions qui signifient « causer un sentiment »**
→ **verbes** : satisfaire – contenter – décevoir – etc.
Sa proposition ne me satisfait pas.

→ **faire + nom sans article**
Sa visite m'a fait plaisir.
Son déguisement lui fait peur.

→ **rendre + adjectif**
Marie rend Pierre heureux.
La nouvelle m'a rendu(e) triste.

 La grammaire sans réfléchir

1 Dites-lui qu'il a eu tort comme dans l'exemple.

Vacances pourries
• Je suis allé(e) dans les Pyrénées. Il a plu tout le temps.
– À ta place, je ne serais pas allé(e) dans les Pyrénées.

2 Confirmez comme dans l'exemple.

Vous avez organisé une grande fête. Vos amis vous posent des questions.
• Il fait beau. Tu es contente ?
– Je suis contente qu'il fasse beau.

Le dossier Vinci

4 - Explications

1

Dimanche 19 mai, le matin dans un village des Ardennes.

Zoé : Maman, attends une seconde, j'achète *Le Matin*.
La mère : Tu ne peux pas t'en passer, hein ?
....
Zoé : Mais.... c'est mon article !
La mère : Celui qu'on t'a volé ?
Zoé : Regarde ! En première page ! Et avec ma signature, en plus ! Maman, je crois que je deviens folle.
La mère : Il y a bien une explication.
Zoé : J'appelle le journal.

Quelques minutes plus tard.

La mère : Alors ?
Zoé : Je ne comprends pas. Dupuis et le directeur sont injoignables. Au journal, ils ne savent rien. L'équipe de nuit est partie. Ils m'ont dit qu'il y avait une réunion lundi à 9 h.

2

Lundi 20 mai, dans la salle de réunion du journal *Le Matin*.

Le directeur : Mesdames et messieurs, je vous ai réunis pour vous dire que vendredi dernier, nous avons fait des tests de sécurité. Nous avons vérifié que personne ne pouvait avoir accès à vos informations. Et nous avons eu quelques surprises...

Après la réunion.

Zoé : Tu peux m'expliquer ?
M. Dupuis : Je te jure. Quand tu es partie samedi matin, je n'étais pas au courant.

Zoé : Alors comment ils ont su pour le fichier et pour la clé USB ?
M. Dupuis : J'avais parlé de ton article au directeur.
Zoé : Ça devait rester entre nous !
M. Dupuis : Comprends-moi, Zoé. Le sujet était trop sensible.
Zoé : Tu me déçois, Maxence... Et tu as su quand, pour les tests de sécurité ?
M. Dupuis : Après ton départ, quand je suis allé voir le directeur.
Zoé : Tu aurais pu me téléphoner.
M. Dupuis : Il n'a pas voulu.
Zoé : Je peux savoir pourquoi ?
M. Dupuis : Il voulait que ce soit une... disons... expérience pour toi ... Que tu t'en souviennes... Ben c'est vrai, n'importe qui pouvait avoir accès à tes dossiers. Tu aurais dû faire attention !
Zoé : Drôles de méthodes !
Une réceptionniste : Excusez-moi de vous déranger mais je voulais vous dire... au standard, ça n'arrête pas les appels au sujet de l'article de Mlle Duquesne. Tout le monde la demande, les télés, les radios...

Un mois plus tard.

Le président du Jury : Mesdames et messieurs, je suis très heureux de remettre le prix Albert Londres, prix du meilleur journaliste francophone, à Zoé Duquesne du journal *Le Matin*...

Le directeur : Toutes mes félicitations, mademoiselle Duquesne. Le journal est fier de vous.
Zoé : J'espère que je pourrai être fière de mon journal s'il ne m'espionne plus !
Le directeur : ...

 Transcription

Julie : Ça me fait plaisir que tu aies ce prix.
Zoé : Ça me fait plaisir que tu me dises ça. Au fait, ta série d'articles sur Léonard de Vinci, super !

 Transcription

A. Bossard : Je suis content pour vous.
Zoé : Tout ça, c'est grâce à vous.
A. Bossard : Mais non, vous m'avez aidé dans l'affaire Fibrasport. Je vous ai renvoyé l'ascenseur, c'est tout.
Zoé : ...

 Transcription

Compréhension et simulations

1. *Scène 1.*
a. Racontez la scène.
b. Imaginez la scène au téléphone : le dialogue entre Zoé et son collègue du journal, les messages des répondeurs de M. Dupuis et du directeur.

2. *Scène 2.* Avec ce que vous apprenez dans cette scène et ce que vous avez appris dans les scènes de la leçon 11, notez dans le tableau l'emploi du temps de Zoé, de M. Dupuis, du directeur et des services de sécurité à partir du vendredi 17 mai au matin.

	Vendredi 9 h
Zoé	Zoé travaille à son article
M. Dupuis	
Le directeur et les services de sécurité	

3. *Scène 3.* Transcrivez la fin des scènes.
a. Que s'est-il passé :
– dans la carrière de Zoé ?
– entre Zoé et Julie ?
b. Imaginez d'autres fins possibles pour cette histoire.

Espoirs et déceptions

• **J'espère que tu viendras. – Espérons que tu viendras. – Je compte sur toi samedi soir.** Ah, s'il pouvait venir !

• **Il m'a promis de venir. – Je vous promets...**

• **Elle n'est pas venue. Je suis déçu.**
Pendant la fête il a plu. C'est décevant. C'est dommage.

Prononciation

Distinguez [ʒ] et [ʃ].

Jour de générosité
J'en ai eu de la chance !
Un chèque d'un million d'euros, au Loto !
Alors choisis... Un petit quelque chose...
Avec joie... Mais je n'ose...
Ce bijou ?... Il est chouette !
Ce château ?... J'adore !
Ce tableau recherché ?... J'hésite :
Est-ce qu'il va avec le style du château
Et la couleur du bijou ?

Chère Émilie, cher Simon,

J'ai un peu honte de vous remercier avec autant de retard pour votre envoi de photos. Elles nous ont rappelé avec émotion les sympathiques moments de l'été dernier. Nous avons eu beaucoup de plaisir à vous avoir comme voisins de notre résidence de vacances. Il en a été de même pour les enfants. En tout cas, votre départ a rendu les nôtres bien tristes. Nous espérons que la jambe de Simon ne le fait plus souffrir. Nathan regrette de l'avoir entraîné dans cette descente dangereuse des gorges du Verdon.

Depuis votre départ, nous avons beaucoup réfléchi et l'idée d'émigrer dans votre pays nous enthousiasme de plus en plus. Après dix ans d'une vie professionnelle un peu monotone, nous éprouvons le besoin de vivre une expérience forte. Pourquoi pas nous installer au Canada puisque nous parlons anglais et que nous aimons la nature ? Bien sûr, ce n'est pas pour cette année mais nous vous serions reconnaissants s'il vous était possible de répondre à quelques-unes de nos interrogations.

Vous nous avez dit que vous connaissiez des Français qui s'étaient récemment installés dans la ville de Québec. Pourriez-vous nous dire quelles sont les formalités à accomplir et nous préciser si elles sont longues et quel en est le coût ?

D'autre part, si notre dossier de sélection était accepté, pensez-vous que nous aurions une chance de trouver du travail en tant que médecin généraliste pour Nathan et ingénieur en biotechnologie pour moi ?

Enfin nous aimerions connaître le prix approximatif de la location d'une maison avec quatre chambres et jardin et le montant des dépenses courantes pour une famille comme la nôtre.

Tout cela n'est pas urgent mais je vous en remercie par avance.

Recevez nos amitiés. Une bise aux enfants.

Lydia

S'informer par écrit

- **Je vous prie... Je vous serais reconnaissant...**
  ... de me donner les renseignements suivants
  ... de m'informer sur les offres d'emploi
  ... de me dire si je peux bénéficier de la sécurité sociale
  ... de me préciser quand... où...

- **Je voudrais savoir...
  Je souhaiterais savoir...**
  ... s'il reste des places dans votre camping
  .. quel est le prix de la place
  ... quand... comment...

- **Je voudrais connaître le prix de...**
  → Merci d'avance pour ces renseignements.
  Je vous en remercie par avance.

▶ Compréhension du message

1. Lisez le message ci-dessus. Dites si les phrases suivantes sont vraies ou fausses.

a. Émilie et Simon sont un couple sans enfant.
b. Ils vivent au Canada.
c. Ils sont venus passer leurs vacances en France.
d. Lydia et Nathan les connaissent depuis longtemps.
e. Lydia et Nathan ont au moins deux enfants.
f. Ils ont plus de quarante ans.
g. Ils veulent aller vivre au Canada.
h. Ils veulent changer de métier.
i. Leur dossier d'immigration est prêt.

2. Recherchez les formes qui expriment :
a. des sentiments
Exemple : J'ai un peu honte...

b. des demandes d'informations
Exemple : Pourriez-vous nous dire...

3. 🕐 Émilie téléphone à Nathan pour répondre aux questions posées dans le message. Notez ses réponses.

▶ Rédigez une lettre de demande d'informations

Vous avez envie d'aller dans un pays dont vous ne connaissez rien.

Vous écrivez à un ami français qui vit dans ce pays pour lui demander des renseignements (climat, coût de la vie, possibilité de logement pas cher, etc.).

MUSIQUE... ET PAROLES

Le texte est à nouveau à l'honneur dans les chansons. Entre les produits fabriqués de la « Star Ac », où la musique masque souvent la pauvreté des mots, et le rap où le texte fait sa propre musique, il existe des œuvres où paroles et musique se rencontrent pour créer un moment d'émotion et ouvrir une fenêtre sur le monde. Leurs auteurs-compositeurs-interprètes sont les héritiers de Brassens, Brel, Gainsbourg et, plus près de nous, de Cabrel, Renaud ou Souchon.

Il faut dire que depuis vingt ans, la chanson francophone s'est enrichie de sa diversité. Les Québécois (Garou, Isabelle Boulay), les Belges (Lara Fabian, Axel Red), les Africains (Corneille), les Français issus de l'immigration (Faudel, Diam's) y tiennent une place importante et les musiques s'inspirent de styles venus d'ailleurs.

La nouvelle génération chante bien sûr l'amour, ses joies et ses peines. Elle peut aussi défendre des causes (contre la guerre, le racisme, le sexisme et l'exclusion) mais beaucoup de chanteurs se plaisent dans l'évocation du quotidien pour en dire la poésie ou au contraire pour s'en moquer.

Vincent Delerm : « Quatrième de couverture »

23 juillet, Paris s'éteint
Et sur le quai des Grands-Augustins
Nous tournons les pages à l'improviste
Devant l'étalage d'un bouquiniste
Je ne vous connais pas, je vous frôle,
Là sur le Quai, épaule contre épaule.
Nous jetons en même temps un œil sur
Les quatrièmes de couverture.
Une biographie de Signoret
Voilà le genre de choses qui vous plaît.
Un storyboard de Fellini
Le genre de truc qui vous fait lever la nuit.
Je vous devine à Juan-les-Pins
Un Press Pocket entre les mains [...]
Je connais bien votre poignet
Je connais vos mains, votre bracelet.
J'aime la manière dont vous reposez
Tristan Corbière sur le côté
Qu'allez-vous donc penser de moi si
J'attrape en rayon « Les années Platini » ?

« Quatrième de couverture »,
paroles : Vincent Delerm,
© 2004 Lili Louise Musique.

Amel Bent, « Ma philosophie »

Je n'ai qu'une philosophie
Être acceptée comme je suis
Malgré tout ce qu'on me dit
Je reste le poing levé
Pour le meilleur comme le pire
Je suis métisse mais pas martyr
J'avance le cœur léger
Mais toujours le poing levé.

Paroles et musique : Amel Bent, 2004,
« Ma philosophie », © Jive/BMG

Bénabar, « Le dîner »

J'veux pas y'aller à ce dîner, j'ai pas l'moral, j'suis fatigué,
ils nous en voudront pas, allez on y va pas.
En plus faut que je fasse un régime ma chemise me boudine,
j'ai l'air d'une chipolata, je peux pas sortir comme ça.
Ça n'a rien à voir je les aime bien tes amis, mais je veux
pas les voir parce que j'ai pas envie.

Paroles et musique : Bénabar, 2005,
extrait de « Reprise des Négociations »
© Universal Music Publishing / Ma Boutique.

La nouvelle génération de chanteurs

Lisez le texte « Musique... et Paroles ». Qu'est-ce qui caractérise la nouvelle génération de chanteurs ?

Comparez avec les chansons actuelles dans votre pays.

Découverte des extraits de chansons

1. « Ma philosophie » d'Amel Bent

Qu'apprenez-vous sur la chanteuse ?

2. « Le dîner » de Bénabar

Imaginez le dialogue entre Bénabar et sa compagne.

3. « Quatrième de couverture » de Vincent Delerm

Mimez la scène avec un(e) autre étudiant(e).

Faites la liste des livres choisis par la jeune fille et des remarques faites par Vincent Delerm.

Exemple : une biographie de Signoret → le genre de choses qui vous plaît

Imaginez une suite à la chanson.

Évaluez-vous

1 Vous pouvez demander des informations et informer les autres.
.../10

Répondez « oui » ou « non ».

a. Dans un journal francophone, vous pouvez trouver la rubrique qui vous intéresse. ....

b. Avec l'aide d'un dictionnaire, vous comprenez l'essentiel d'un article de presse. ....

c. Vous pouvez demander ou donner les informations essentielles à propos
d'un événement quotidien ou d'un événement paru dans la presse (quel est
le type d'événement, qui est concerné, etc.). ....

d. Vous pouvez dire si un sujet vous intéresse et vous justifier. ....

e. Vous pouvez dire si une information vous paraît vraie ou fausse. ....

f. Vous pouvez réagir à une information en exprimant le sentiment qu'elle vous inspire. ....

g. Vous pouvez connaître une information en disant par exemple quelle autre
information elle vous rappelle. ....

Vous pouvez lire, demander ou donner oralement des informations sur :

h. – des lieux (lieux touristiques, culturels, personnels), leur histoire, leur organisation, etc. ....

i. – des événements culturels ou de loisirs. ....

j. Quand vous écoutez une chanson française, vous comprenez certains mots. ....

Comptez les « oui » et notez-vous.

2 Vous comprenez des faits divers.
.../10

a. Trouvez le sous-titre qui correspond à chaque titre.

LA TERRE TREMBLE À LA MARTINIQUE

MEURTRE À CHÂTEAUNEUF

INCENDIE EN CORSE

LA GRÈVE DES TRANSPORTS SE POURSUIT

AGRESSION DANS LE MÉTRO

• Plusieurs centaines d'hectares ont brûlé et de nombreuses habitations ont été détruites par le feu.

• Les deux délinquants qui avaient attaqué plusieurs personnes âgées sur la ligne 8 du métro ont été arrêtés.

• Un mari jaloux tue sa femme.

• La secousse a fait des millions de dégâts et heureusement seulement quelques blessés.

• Aujourd'hui encore, les Parisiens devront se lever tôt pour aller travailler en voiture, à pied ou à vélo.

b. Voici des extraits d'articles de presse. Imaginez le titre de l'article.

(1) Deux inconnus attendaient l'enfant à la sortie de l'école. Des témoins les ont vus entraîner le garçon de 10 ans vers une voiture.

(2) Trente personnes qui avaient pris leur repas de midi à la cantine ont été hospitalisées.

(3) Le coffre du bijoutier avait été ouvert et la plupart des bijoux de valeur avaient disparu.

3 Vous pouvez faire des hypothèses et des suppositions.
.../10

Avec votre voisin(e), imaginez un dialogue à partir des situations suivantes. Imaginez plusieurs suppositions.
Lisez votre dialogue à la classe ou jouez-le. Décidez ensemble d'une note.

Je viens d'apprendre
une nouvelle !
Audrey a démissionné
de son poste de chef de projet
au laboratoire
pharmaceutique Rousseau.

Vous connaissez
la nouvelle ?
Cécile et Nicolas
divorcent !

4 Vous comprenez le déroulement d'un fait. .../10

Le 20/11/2007
SOTHEBY'S MET EN VENTE UNE TOILE DE TAMAYO RETROUVÉE DANS LES POUBELLES

Sotheby's* commence mardi ses ventes aux enchères d'art latino-américain avec une toile du peintre mexicain Rufino Tamayo, retrouvée au milieu de sacs poubelles par une New-Yorkaise en 2003 et estimée à un million de dollars.

Le tableau, *Trois personnages*, peint en 1970 par l'artiste mexicain mort en 1991, a été retrouvé en 2003 par Elizabeth Gibson, sortie de chez elle pour prendre un café lorsqu'elle a aperçu la toile entre des sacs d'ordures prêts à être collectés, avait récemment indiqué Sotheby's.

Le tableau avait été volé en 1987 à un couple de Houston (Texas, sud) qui en avait fait l'acquisition dix ans auparavant. Alertée, la police fédérale avait mené une enquête qui n'avait jamais rien donné.

Un expert de Sotheby's, August Uribe, n'a cessé de rechercher l'œuvre pendant 20 ans. Il avait ainsi suggéré aux présentateurs d'une émission de télévision, « Chefs-d'œuvre disparus », diffusée sur la chaîne publique PBS, de montrer à l'écran une photo de la toile. L'image avait également été choisie pour illustrer le site de l'émission sur Internet.

Mme Gibson, qui a affirmé ne rien connaître à l'art contemporain, a donc appris l'importance de la signature « Tamayo » et a pris contact avec M. Uribe deux ans après son appel télévisé.

Sotheby's a alors contacté le propriétaire, à qui le tableau a été rendu et qui a décidé de le mettre en vente.

Mme Gibson a reçu 15 000 dollars des propriétaires et touchera une commission sur la vente dont le montant est confidentiel, a indiqué à l'AFP un porte-parole de Sotheby's.

AFP, 20/11/2007.

* Célèbre salle des ventes aux enchères pour objets d'art de New York.

a. Que va-t-il se passer mardi ?

b. Remettez dans l'ordre chronologique les étapes de l'histoire du tableau.

1970 – l'artiste mexicain Tamayo peint le tableau

......

c. Que savez-vous des personnages suivants :

Rufino Tamayo
Elizabeth Gibson
August Uribe

5 Vous savez raconter un événement par écrit. .../10

Vous avez été témoin de la scène suivante (ou vous avez été vous-même dans cette situation). Vous la racontez brièvement dans une lettre ou un courriel à des amis.

Lisez votre lettre à votre voisin(e) et décidez d'une note.

6 🎧 **Vous comprenez des informations sur la biographie d'une personne.** .../10

Marie vient d'apprendre une nouvelle à la radio. Elle informe son ami. Écoutez le dialogue et complétez la fiche.

Nom : Maurice Béjart
a. **Origine du nom :** ......
b. **Nationalité :** ......
c. **Profession :** ......
d. **Lieu de naissance :** ......
e. **Lieux de résidence :** ......
f. **Études :** ......
g. **Origine de sa vocation de danseur :** ......
h. **Début de sa carrière :** ......
i. **Œuvres les plus célèbres :**
...... de Stravinsky
...... de Ravel

Comptez 1 point par information juste.

7 🎧 **Vous comprenez des informations à propos d'un lieu touristique.** .../10

Un habitant de la ville de Vannes, en Bretagne, vous présente quelques lieux touristiques de sa ville. Complétez le tableau.

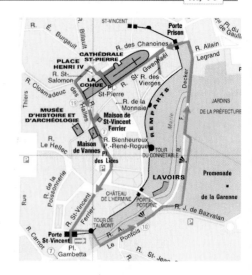

Lieux	Époques	Ce qu'il faut voir	Autres remarques
La place Henri IV			
La cathédrale Saint-Pierre			
La Cohue			
La place des Lices			
Les remparts			

8 **Vous savez demander des informations par écrit.** .../10

Vous êtes dans un pays francophone et vous cherchez un petit boulot. Vous lisez l'annonce suivante. Elle vous intéresse mais vous voulez des informations complémentaires (lieu, horaires, salaire, etc.).
Vous faites un courriel pour demander ces informations.
Écoutez la correction et notez-vous.

Centre international
d'appels téléphoniques
cherche
personnes parlant parfaitement
une langue étrangère

Mondial appel@mondialappel.com

9 **Vous utilisez correctement le français.** .../20

a. La construction passive. Reformulez les phrases en commençant par le mot souligné. Attention à l'accord du participe passé.

Le Tour de France
Le directeur du journal *L'Auto* a créé le Tour de France en 1903.
Cette compétition m'a toujours passionné.
Les organisateurs choisissent le parcours un an à l'avance.
On conserve toujours les grandes étapes de montagne.
En 2008, on a choisi la ville de Brest comme ville de départ.
Le maire de Brest nous invitera dans la tribune officielle.
Des millions de téléspectateurs suivront la compétition à la télévision.
Le président de la République félicitera le vainqueur à l'arrivée sur les Champs-Élysées.
L'Américain Lance Armstrong a gagné 7 fois le Tour de France.

b. Situer dans le temps. En 2005, un chef d'entreprise raconte.

« Il y a six mois que nous négocions avec une entreprise chinoise.
Le mois dernier, nous avons invité ses dirigeants en France.
Avant-hier, nous les avons accueillis à l'aéroport.
Hier, nous les avons emmenés voir Versailles.
Aujourd'hui, nous signons les contrats.
Ce soir, nous allons dîner à Montmartre.
Dans un mois, nous irons en Chine. »

Quelques années plus tard, le directeur raconte ses souvenirs.
Reformulez les phrases avec les nouvelles indications de temps.

« Je me souviens du jour où nous avons signé les contrats avec les Chinois. Ce soir-là, nous avons dîné... »

c. Le plus-que-parfait. Formulez la cause comme dans l'exemple.

Exemple : Hier, j'étais invité à dîner chez Karine et Harry. Je n'avais pas faim. À midi (*faire un repas d'affaires*). → À midi, j'avais fait un repas d'affaires.
• Il y avait Patrick et Anne-Sophie. Ils étaient fatigués. Ils (*voyager toute la nuit*).
• Je n'étais pas très en forme. La veille, j'(*sortir, se coucher tard*).
• J'ai appris que Faustine et Gaspard allaient se marier. Ils (*se rencontrer chez moi*). Nous (*faire un voyage ensemble en Grèce*).
• Odile n'était pas là. Elle (*ne pas trouver de baby-sitter pour garder sa fille*).

d. Le conditionnel passé. Mettez les verbes au temps qui convient.

• *Le candidat malheureux à l'élection municipale*
« Si j'avais été élu, j'(*aider*) les jeunes en difficulté.
On (*construire*) un nouveau stade.
Des entreprises (*s'installer*) dans notre ville.
Le quartier du port (*être rénové*).
Vous (*payer*) moins d'impôts. »

• *Les reproches de la copine*
« Si tu (*accepter*) l'invitation de Pierre-Antoine Dupré, il serait tombé amoureux de toi. Vous (*se marier*). Tu (*faire*) des tas de voyages. Vous (*avoir*) une fille que mon fils (*épouser*). »

e. Les constructions relatives. Complétez avec : *qui, que, dont*.

Je viens de lire un livre ...... j'ai beaucoup aimé.
C'est un roman ...... se passe au Vietnam dans les années 1930.
Elle raconte l'histoire d'une jeune fille ...... découvre l'amour avec un riche Chinois.
C'est *L'Amant* de Marguerite Duras, un livre ...... on a fait un film.
Marguerite Duras est une romancière ...... j'ai lu tous les livres.

Évaluez vos compétences		
	Test	Total
• Votre compréhension de l'oral	6 + 7	... / 20
• Votre expression orale	1 + 3	... / 20
• Votre compréhension de l'écrit	2 + 4	... / 20
• Votre expression écrite	5 + 8	... / 20
• La correction de votre français	9	... / 20
	Total	.../100

... dans les romans

Projet : roman « à la carte »

Voulez-vous faire un cadeau original à une amie ? Offrez-lui un roman dont elle sera le personnage principal, qui se passera dans les lieux qu'elle connaît et où elle retrouvera des personnes de son entourage.

Pour préparer ce livre à la carte que la société Comédia pourrait réaliser, vous devrez :
– donner des informations sur votre personnage principal ;
– choisir le scénario du roman ;
– choisir les lieux où se passeront les principaux épisodes de l'histoire.
Les documents suivants vous aideront à réaliser ce projet.

> **Lisez l'encadré « Romans sur mesure ».**
> **Retrouvez les étapes de la fabrication d'un livre chez l'éditeur Comédia.**

ROMANS « SUR MESURE »

La société Comédia est spécialisée dans la création de romans « à la carte ».

Tout se fait par Internet. Le principe est simple : Comédia propose sept scénarios différents. Vous sélectionnez celui qui vous intéresse et Comédia vous envoie une longue liste de questions destinées à personnaliser le roman... « J'ai choisi un roman noir pour offrir à ma fille à Noël, explique Michel. On m'a donc envoyé une liste de questions extrêmement précises pour donner le maximum de renseignements sur sa personnalité, sa vie quotidienne, son entourage. Il faut bien deux heures pour tout remplir ! »
« On intègre alors ces données au scénario, grâce à un logiciel mis au point par notre informaticien », explique Étienne Rérolle (directeur de Comédia).

Un outil assez génial qui permet d'injecter tous les renseignements à la trame d'un ouvrage de deux cents pages en une minute à peine !
Un rédacteur reprend ensuite le livre pour corriger, adapter à la trame préformatée du roman certains détails particuliers, imprimer un style...
Le livre est ensuite imprimé, sur place, puis expédié par la poste. Le tout pour 33 €.

Midi Libre, 25/11/2006.

> **Faites le portrait de votre personnage principal.**
> **1. Lisez le questionnaire de Proust rempli par le comédien Jean-François Balmer.**
> **2. Complétez ce questionnaire pour le personnage principal de votre roman (vous, un(e) ami(e) ou une personne imaginaire).**

Jean-François Balmer[1] et le Questionnaire de Proust[2]

Le principal trait de votre caractère ?
La lucidité.

Et le trait de caractère dont vous êtes le moins fier ?
Je ne suis pas toujours très délicat.

La qualité que vous préférez chez une femme ?
Son sourire.

Et chez un homme ?
La droiture.

La figure historique à laquelle vous auriez aimé ressembler ?
Lincoln.

Et vos héros, aujourd'hui ?
J'aimais bien Haroun Tazieff et Éric Tabarly[3]. Mais aujourd'hui je n'ai plus de héros : je trouve les hommes très décevants. Manque d'ambition, de passion.

Votre occupation préférée ?
Marcher. Mais aussi faire du vélo. Je peux pédaler des heures si je vais à mon rythme. J'ai grimpé deux, trois cols dans ma vie : les 22 kilomètres du Revard ou le Galibier. Et je peux dire que les Alpes, ça monte.

Votre plus grande peur ?
La foudre. Dans les années 1970, j'étais dans les Alpes. Il faisait beau. Tout à coup l'orage. Autour de moi, le tonnerre ricoche contre les montagnes, la foudre tombe à gauche, à droite. J'en ai encore les cheveux qui se dressent sur la tête.

Votre dernier fou rire ?
Avec Jacques Weber, un ami de trente ans.

Votre boisson préférée ?
Franchement ? Le vin rouge.

Votre livre de chevet ?
« Un singe en hiver » de Blondin[4].

La musique que vous aimez ?
Des chanteurs de country comme Johnny Cash, qui vient de mourir.

La chanson que vous sifflez sous votre douche ?
« The Wonder of You », d'Elvis Presley. Je ne la siffle pas, je la chante. Fort et faux.

Votre plus grand regret ?
Que les trottoirs se transforment en pistes pour rollers.

Que détestez-vous ?
Les spectateurs qui arrivent en retard au théâtre et qui parlent pendant que je joue.

Le talent que vous auriez aimé avoir ?
J'aurais voulu être un créateur. Hélas, je ne suis qu'un acteur.

Comment aimeriez-vous mourir ?
En avion. Je trouverais ça assez propre.

www.lexpress.fr/mag/arts/dossier/proust

1. Jean-François Balmer a joué de nombreux rôles au théâtre, au cinéma (*Madame Bovary*) et à la télévision (série « Boulevard du palais »).
2. Questionnaire de Proust : questionnaire d'origine anglaise auquel l'écrivain français Marcel Proust a été le premier à répondre en français.
3. Haroun Tazieff a exploré des volcans. Éric Tabarly était un navigateur.
4. Antoine Blondin : romancier et journaliste français (1922-1991), auteur d'*Un singe en hiver*, où il raconte l'aventure d'un ancien militaire alcoolique qui promet à sa femme de ne plus boire.

Choisissez votre scénario.

1. Lisez les extraits de romans ci-dessous.

2. Choisissez votre type de scénario (roman policier, roman de science-fiction, d'espionnage, roman d'amour, d'aventure, etc.).

3. Rédigez le scénario de votre roman en cinq ou six lignes.

► Science-fiction *Globalia*, Jean-Christophe Ruffin

Nous sommes au début du XXIIe siècle. Une partie importante du monde est devenue une zone hautement sécurisée protégée par une immense verrière qui recouvre les villes et les campagnes. C'est Globalia, l'État idéal où tout est contrôlé pour le bonheur des gens, où l'on ne vieillit plus et ne connaît plus aucun problème matériel. Mais deux jeunes gens, Baïkal et Kate, veulent s'échapper de Globalia pour connaître les territoires appelés « non-zones ». Ils ont choisi de s'enfuir à l'occasion d'une randonnée.

La plupart des randonneurs étaient déjà assis, laçaient leurs grosses chaussures ou bouclaient leur sac à dos. De temps en temps, ils s'arrêtaient pour observer la surprise des nouveaux arrivants et riaient de leur expression. Une femme fut prise de tremblements nerveux en découvrant le paysage et cria qu'elle avait le vertige. Il fallut la rassurer :

elle était seulement, comme tout le monde, déroutée par l'espace ouvert et la lumière naturelle. Les autres lui firent remarquer les parois de verre qui entouraient la salle de tous côtés et formaient une immense voûte loin au-dessus des têtes. C'étaient bien les mêmes parois qui couvraient la ville et en faisaient une zone de sécurité. Ils parvinrent ainsi à la calmer.

© Édition Gallimard, 2004.

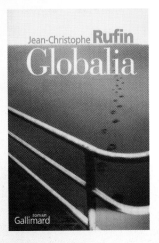

► Policiers *L'Homme aux cercles bleus*, **Fred Vargas**

Depuis quelque temps, on peut voir dans différents endroits de Paris des cercles bleus dessinés à la craie. Ils entourent des objets chaque fois différents : un trombone, une bougie, etc. Autour de ce cercle, on a écrit la phrase : « Victor, mauvais sort, que fais-tu dehors ? ». Le phénomène amuse les journalistes mais inquiète le commissaire Adamsberg...

Le lendemain matin, on trouva le grand cercle rue Cunin–Gridaine, dans le 3ᵉ. Il ne comportait en son centre qu'un bigoudi* [...]
– Combien de temps ça va durer cette histoire, commissaire ?, lui demanda Danglard.
– Quelle histoire ?
– Mais les cercles, bon Dieu ! On ne va pas aller se recueillir devant des bigoudis tous les matins de notre vie, bon sang !
– Ah, les cercles ! Oui, ça peut durer longtemps, Danglard. Très longtemps même. Mais qu'est-ce que ça peut faire ! Faire ça ou autre chose, quelle importance ! C'est amusant, les bigoudis.
– Alors on arrête ?
Adamsberg releva la tête avec brusquerie.
– Mais c'est hors de question, Danglard, hors de question.
– Vous êtes sérieux ?
– Autant que je puis l'être. Ça grossira, Danglard, je vou[s] l'ai dit.
Danglard haussa les épaules.
– On aura besoin de tous ces documents, reprit Adamsber[g] en montrant son tiroir. Ça nous sera peut-être indispensabl[e] après.
– Mais après quoi, bon Dieu ?
– Ne soyez pas impatient, Danglard, vous n'allez pa[s] souhaiter la mort d'un homme, non ?
Le lendemain, il y eut un cornet de glace avenue d[u] Docteur-Brouardel, dans le 7ᵉ.

© Édition Viviane Hamy, 19[ ]

* *Bigoudi* : sorte de rouleau utilisé pour faire boucler les cheveux.

► Souvenirs et mystère

Dans le café de la jeunesse perdue, **Patrick Modiano**

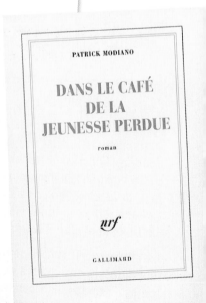

Qui est cette belle jeune fille surnommée Louki, de son vrai nom Jacqueline Delanque, qui fréquente le café Condé à Paris, dans les années 1960 ? Quatre personnages vont tenter d'éclaircir ce mystère : un étudiant de l'École des mines, un ancien agent des services secrets, un jeune écrivain et Louki elle- même.

Des deux entrées du café, elle empruntait toujours la plus étroite, celle qu'on appelait la porte de l'ombre. Elle choisissait la même table au fond de la petite salle. Les premiers temps, elle ne parlait à personne, puis elle a fait connaissance avec les habitués du Condé dont la plupart avaient notre âge, je dirais entre dix-neuf et vingt-cinq ans. Elle s'asseyait parfois à leurs tables, mais, le plus souvent, elle était fidèle à sa place, tout au fond.
Elle ne venait pas à une heure régulière. Vous la trouviez assise là très tôt le matin. Ou alors, elle apparaissait vers minuit et restait jusqu'au moment de la fermeture. C'était le café qui fermait le plus tard dans le quartier avec Le Bouquet et La Pergola, et celui dont la clientèle était la plus étrange. Je me demande, avec le temps, si ce n'était pas sa seule présence qui donnait à ce lieu et à ces gens leur étrangeté, comme si elle les avait imprégnés tous de son parfum.

© Éditions Gallimard, 2007.

S'INTÉGRER DANS LA SOCIÉTÉ

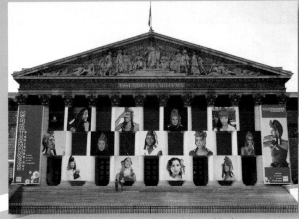

L'Assemblée nationale pendant l'exposition « Mariannes ».

▶ POUR **FACILITER VOTRE INTÉGRATION** DANS UNE SOCIÉTÉ FRANCOPHONE, VOUS ALLEZ APPRENDRE À...

L'association Les Enfants de la Terre.

▶ **MIEUX CONNAÎTRE LA VIE PUBLIQUE**, LES GROUPES ASSOCIATIFS ET POLITIQUES

▶ COMPRENDRE, DÉFENDRE ET **EXPOSER DES IDÉES ET DES POINTS DE VUE**

▶ AGIR POUR VOTRE INTÉRÊT OU POUR **DÉFENDRE UNE CAUSE**, CONNAÎTRE ET **DÉFENDRE VOS DROITS**

Scénarios pour le futur

Dans quarante ans, peut-être trente seulement, le monde aura changé. Le climat de la Terre, les ressources en énergie, la façon de travailler et les modes de vie se seront transformés. Mais les scientifiques ne sont pas d'accord sur ces évolutions.

Aurez-vous fait les bons choix pour vous ou pour vos enfants ? Aurez-vous choisi le métier qui va se développer, le lieu d'habitation qui sera toujours vivable ?

Étudiez ces différents scénarios et pariez sur le futur !

Le climat

Scénario 1 – **Le réchauffement de la Terre.** Dans quarante ans, les glaces des pôles auront fondu. La Terre se sera réchauffée. L'Afrique du Nord et le sud de l'Europe seront devenus des zones désertiques. Les anciennes terres gelées du Canada et de Sibérie seront habitables.

Scénario 2 – **Le refroidissement de la Terre.** Le Gulf Stream (courant chaud de l'océan Atlantique) aura changé sa route. La pollution aura fait écran aux rayons du soleil. On sera entré dans une nouvelle ère glaciaire. Les pôles auront gelé à nouveau. La moitié nord de la France sera sous la neige la moitié de l'année.

Les déplacements et les voyages

Scénario 1 – **L'énergie sera devenue très chère.** Les énergies renouvelables (le vent, le soleil, les vagues, les marées) suffiront seulement au chauffage et à l'éclairage des bâtiments. Pour cause de pollution, la conduite des véhicules à moteur aura été aussi limitée. Les gens resteront chez eux. Les déplacements seront virtuels.

Scénario 2 – **On aura découvert une énergie propre bon marché.** On se déplacera de plus en plus pour le travail et les loisirs.

L'habitation

Scénario 1 – **Le logement individuel.** On aura développé des énergies renouvelables. On aura créé de nouveaux matériaux de construction bon marché. Tout le monde se sera équipé de moyens virtuels de communication. Les gens pourront vivre où ils le souhaitent en ville ou à la campagne.

Scénario 2 – **Les mégapoles.** À cause des changements climatiques et de la mondialisation de l'économie, les gens auront été obligés d'émigrer. Ils se retrouveront dans d'immenses villes. Le logement sera plus petit et plus cher.

La durée de vie

Scénario 1 – **Tous centenaires.** La médecine, la chirurgie auront encore fait des progrès. La durée de vie continuera à augmenter.

Scénario 2 – **Plus besoin de retraite.** L'augmentation de la pollution et l'utilisation de produits chimiques dans l'agriculture, l'élevage, la vie quotidienne auront causé de nouvelles maladies. La population de la planète aura commencé à diminuer.

Les États

Scénario 1 – **L'État tout-puissant.** Les gens demanderont à l'État de les protéger face à ces changements. Ils abandonneront leur liberté à l'État qui s'occupera de tout.

Scénario 2 – **La disparition de l'État.** Les gens préféreront garder leur liberté. L'État confiera la santé, l'éducation, la justice, peut-être aussi la police, à des sociétés privées.

Le pouvoir des grandes sociétés privées

Pour Jacques Attali, économiste et écrivain, les 30 prochaines années verront la fin du pouvoir des États. Celui-ci appartiendra alors à des groupes privés comme les compagnies d'assurances.

« Ces compagnies d'assurances exigeront non seulement que leurs clients paient leurs primes (pour s'assurer contre la maladie, le chômage, le décès, le vol, l'incendie, l'insécurité), mais elles vérifieront aussi qu'ils se conforment à des normes pour minimiser les risques qu'elles auront à couvrir. Elles en viendront progressivement à dicter des normes planétaires (quoi manger ? quoi savoir ? comment conduire ? comment se conduire ? comment se protéger ? comment consommer ? comment produire ?). Elles pénaliseront les fumeurs, les buveurs, les obèses, les inemployables, les mal protégés, les agressifs, les imprudents, les maladroits, les distraits, les gaspilleurs. »

Jacques Attali, *Une brève histoire de l'avenir*, © éditions Fayard, 2006.

On s'adaptera comme par le passé

Pour le prix Nobel de chimie 2005, Yves Chauvin, l'homme a toujours été obligé de s'adapter à des changements ou à des catastrophes.

Le magazine *Le Point* : De nombreux scientifiques s'inquiètent du réchauffement climatique.

Yves Chauvin : Pas moi ! Écoutez, le réchauffement se poursuit depuis des milliers d'années. Certes, il s'accélère. Mais l'homme s'y adaptera. Les gens s'angoissent parce que le niveau de la mer va monter. Mais il n'a pas arrêté de monter ! Voyez la grotte Cosquer en Méditerranée, elle est aujourd'hui sous plusieurs dizaines de mètres d'eau, mais autrefois elle était fréquentée par nos ancêtres. L'homme continuera à suivre le niveau de la mer, c'est tout.

Le Point, 11 mai 2006.

Les scénarios du futur et leurs conséquences

1. Lisez l'article de la p. 126 avec l'aide du professeur.
Observez l'emploi des temps du futur.

2. Imaginez les conséquences de chaque scénario (recherche en grands groupes).
Exemple : Le climat, scénario 1. Le nord de la Sibérie va devenir très touristique, on pourra peut-être se baigner...

Les opinions de J. Attali et de Y. Chauvin

1. L'extrait du livre de Jacques Attali
• À quel scénario de l'article p. 126 correspond l'idée de Jacques Attali ?
• Qui va s'occuper des problèmes des hommes ?
• Quelles seront les conséquences de cette nouvelle organisation ?

2. L'interview d'Yves Chauvin
• Quelle est l'opinion du prix Nobel de chimie sur le réchauffement de la planète ?
• Qu'en pensez-vous ?

Choisissez votre scénario pour le futur

1. À partir des documents des p. 126 et 127, imaginez votre scénario personnel pour le futur (lieu d'habitation, métier, etc.).

2. Présentez votre scénario et vos projets à la classe.

Décrire un changement

• changer (un changement) – se modifier (une modification)
Le climat va changer (se modifier).
Marie a changé (modifié) sa façon de vivre.
• devenir – se transformer (une transformation)
Le climat deviendra plus chaud. La région méditerranéenne se transformera en désert.
• évoluer (une évolution) – se développer (un développement) – augmenter (une augmentation) / diminuer (une diminution) – baisser (une baisse)
Le paysage va évoluer. Les forêts se développeront près des pôles. La température augmentera.

▶ **Indiquer des étapes dans le futur**

Quand nous aurons fait cette navette spatiale, nous organiserons des voyages sur la Lune.

Nous aurons fini les plans **d'ici à** la fin décembre. Nous aurons construit le lanceur **en** 3 ans. Pour la navette, il faudra 2 ans de plus. **Dans** 6 ans, vous pourrez acheter votre billet.

FUTURS VOYAGES DANS L'ESPACE

RÉSERVEZ DÈS MAINTENANT

Ça prendra beaucoup de temps ?

J'économiserai **jusqu'à ce que** je puisse acheter le billet.

1 **Notez les étapes de la construction de la navette spatiale.**

a. Relevez les actions futures qui se passent avant d'autres actions futures. Observez le temps des verbes.
b. Qu'expriment les expressions en gras ?

2 **Ils disent ce qu'ils auront fait dans un an. Rédigez leurs projets.**

a. les amoureux
« Dans un an j'aurai quitté … »

Dans un an, je quitte mon travail.
Nous louons un appartement.
Nous faisons la fête.

Tu viens vivre avec moi.
Ma société te recrutera.
Tous les copains viendront à la fête.

b. L'architecte présente la future maison.

Dans un mois, j'ai fait les plans.
Dans neuf mois, les maçons ont fini.
Deux mois plus tard, la décoration est faite.
Le 1er janvier, vous vous êtes installés. Votre ancien logement est vendu. Vous buvez le champagne !

3 **Complétez avec un mot pour exprimer la durée.**

L'étudiante ambitieuse
a. … au 15 juin, je prépare le bac.
b. … 16 … 18 juin, je passe le bac.
c. … trois ans, j'aurai ma licence.
d. Après, je ferai un mastère … deux ans.
e. J'enverrai des CV … je trouve du travail.
f. Je pense en trouver … deux mois.

4 **Rédigez vos projets d'avenir ou les projets des personnes suivantes (utilisez les temps du futur et les expressions du tableau).**

• L'ambitieux qui veut faire fortune
• Le futur maire de la ville présente ses projets
« Dans un an, j'aurai fait … »

Le futur antérieur

Il exprime une action future qui se passe avant une autre action future.

Les deux actions peuvent être dans une seule phrase ou dans deux phrases indépendantes.
Quand j'aurai travaillé trois heures, j'irai faire un jogging.
Au bout de deux heures, je me serai détendu. Je rentrerai.

• **Formation**
***avoir* ou *être* au futur + participe passé**

faire	partir
j'aurai fait	je serai parti(e)
tu auras fait	tu seras parti(e)
il/elle aura fait	il/elle sera parti(e)
nous aurons fait	nous serons parti(e)s
vous aurez fait	vous serez parti(e)(s)
ils/elles auront fait	ils/elles seront parti(e)s

La durée dans le futur

• **Pour préciser une date ou un moment**
*La voiture sera réparée **d'ici** le 15 mars.*
*Le garagiste est en vacances **jusqu'à** mardi.*
*Le 15 mars, il travaillera **jusqu'à ce qu'il** ait fini la réparation. (jusqu'à ce que + subjonctif)*

• **Pour indiquer une durée**

→ à partir du moment présent
*L'écrivain aura écrit son roman **dans** trois mois.*

→ à partir d'un moment du futur
*Il le commencera dans deux mois. Il l'aura écrit **au bout de** quatre mois.*

→ sans relation avec un moment
*Le roman aura été écrit **en** quatre mois.*

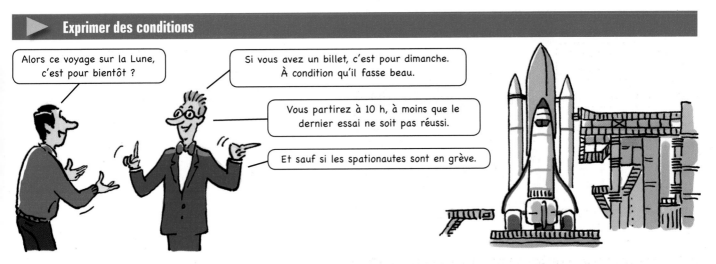

> Alors ce voyage sur la Lune, c'est pour bientôt ?

> Si vous avez un billet, c'est pour dimanche. À condition qu'il fasse beau.

> Vous partirez à 10 h, à moins que le dernier essai ne soit pas réussi.

> Et sauf si les spationautes sont en grève.

▶ Exprimer des conditions

1 **Lisez les phrases ci-dessus.**
Quand doit avoir lieu le départ pour la Lune ?
À quelles conditions ? Relevez les expressions qui introduisent ces conditions.

2 **Imaginez une condition ou une restriction en utilisant le mot entre parenthèses.**

Projets de vacances en famille
L'été prochain, nous partirons en vacances en juillet
(à *condition que* ...)
Nous irons en Inde (*si* ...)
Nous y resterons un mois (à *moins que* ...)
Nous serons là pour le 1er août (*sauf si* ...)
Notre fille qui passe le bac en juin viendra avec nous
(*excepté si* ...)
Nous visiterons le Nord et le Sud (*selon* ...)

3 **Imaginez des conditions et des restrictions.**
Un(e) ami(e) vous demande :
a. de lui prêter votre voiture ;
b. de loger un(e) de ses ami(e)s dans votre appartement pendant que vous êtes en vacances.

> Je suis d'accord à condition que ...

4 **Dialoguez avec votre voisin(e). Feriez-vous les choses suivantes ? À quelles conditions ?**
a. Un metteur en scène vous propose de jouer dans un film.

Conditions et restrictions

1. Exprimer des conditions

• Tu réussiras à ton examen ...
... **si** tu travailles régulièrement.
... **à condition de** ne pas sortir le soir. (à *condition de* + infinitif)
... **à condition que** tu prennes des cours particuliers. (à *condition que* + subjonctif)

• Tu réussiras mais **ça dépend de** ton travail.
C'est **selon (suivant)** le temps que tu y passeras.
C'est **fonction de** ton travail.

2. Exprimer des restrictions

• Tu réussiras ...
... **sauf si (excepté si)** tu continues à passer trois heures par jour à jouer aux jeux vidéo.
... **à moins que** tu sortes tous les soirs.
(à *moins que* + subjonctif)

N.B. – On peut trouver « à moins que tu **ne** sortes ... ».
Ce « ne » n'a pas de valeur négative.

• Il **n'**y a **qu'**en travaillant que tu réussiras.
C'est **seulement** en travaillant que tu réussiras.

b. Un(e) ami(e) vous propose de l'accompagner dans une expédition en Amazonie.
c. Un(e) ami(e) vous demande de lui prêter une grosse somme d'argent.

▶ 🎧 La grammaire sans réfléchir

1 **Emploi du futur antérieur**
Vous êtes d'accord sur le programme. Confirmez comme dans l'exemple.
Programme du samedi
• On fait les courses puis on déjeune ?
– Oui, on déjeunera quand on aura fait les courses.

2 **Exprimer des conditions**
Le fils de 16 ans demande la permission à ses parents.
L'un des parents répond. Confirmez sa réponse.
• Je pourrais sortir ce soir ?
– Si tu fais ton travail cet après-midi.
– Oui, à condition que tu fasses ton travail cet après-midi.

Vent de révolte

La baie de Somme

À deux heures de Paris, à l'endroit où la Somme rejoint la mer, s'étend une région de terre et d'eau qui, jusqu'à présent, a été épargnée par l'urbanisme et le tourisme de masse.

Au XIXe siècle, des peintres comme Toulouse-Lautrec, des écrivains comme Victor Hugo ou Colette ont été charmés par la beauté sauvage de ces lieux.

Ils n'ont pas beaucoup changé. Il faut découvrir à pied ou à vélo ces paysages de prairies et d'étangs, ces petits ports, ces côtes où viennent jouer les phoques et admirer dans la lumière du soir les oiseaux du parc naturel.

1- Une commune de la baie de Somme

Un soir d'avril, au Crayeux, petit village de la baie de Somme, dans le restaurant de Loïc Bertrand.

Le maire : S'il vous plaît. Je vous demande une seconde d'attention. Je voudrais lever mon verre en l'honneur de Loïc Bertrand, notre sympathique et talentueux cuisinier, qui vient d'avoir sa première étoile au guide Michelin...

Plus tard.

Le maire : Vous connaissez Gaëlle Lejeune, la nouvelle directrice du parc naturel ?
Loïc : J'ai entendu parler de vous. Bienvenue dans notre belle région !
Le maire : Excusez-moi, je vous laisse. J'ai quelqu'un à saluer...
Gaëlle : Alors vous voilà dans le club des grands cuisiniers ?
Loïc : Oh, vous savez, mon but, ce n'est pas la conquête des étoiles.
Gaëlle : Et c'est quoi ?
Loïc : Je voudrais développer mon hôtel-restaurant avec des activités de loisirs, de découverte de la région.
Gaëlle : Mais c'est trop petit ici !
Loïc : Justement, j'ai l'intention d'acheter la grande propriété sur la route de Saint-Martin. Quand je l'aurai rénovée, ça fera une magnifique résidence. Et puis, ça fera venir les touristes. Vous n'avez rien contre les touristes ?
Gaëlle : Ça dépend desquels. Je les aime bien à condition qu'ils respectent l'environnement.

Au parc naturel, un journaliste interroge la directrice Gaëlle Lejeune.

Le journaliste : Vous venez d'être nommée directrice du parc. Quels sont vos projets ?

Gaëlle : Continuer le travail de mon prédécesseur : l'extension du parc.

Le journaliste : À condition que vous puissiez le faire. Votre prédécesseur avait eu des problèmes. On dit que c'est pour cela qu'il est parti.

Gaëlle : Eh bien moi, je ne renoncerai pas.

Le journaliste : En face de vous, vous aurez des promoteurs immobiliers, des...

➤ *Transcription*

3

À la mairie du Crayeux

Le maire : Bonjour, monsieur Labrousse. Qu'est-ce que je peux faire pour vous ?

M. Labrousse : C'est au sujet de mes ordinateurs.

Le maire : Les ordinateurs pour votre classe ?

M. Labrousse : Oui, et le téléprojecteur. Vous avez promis...

Le maire : Écoutez, monsieur Labrousse, je crois que cette année, il faut y renoncer. Sauf si nous avons une aide du département.

M. Labrousse : Mais à Abbeville, mon collègue, il en a dix.

Le maire : À Abbeville, oui. Mais ici, nous sommes au Crayeux. C'est une commune pauvre : pas d'entreprise, très peu de touristes... Mais vous allez voir, monsieur Labrousse, ça va bientôt changer.

Compréhension et simulations

1. Lisez la publicité sur la baie de Somme.

Vous avez décidé d'aller visiter cette région. Votre voisin(e) vous demande pourquoi. Dialoguez.

2. *Scène 1.*

Identifiez les personnages. Quels sont les projets de Loïc ?

3. *Scène 2.* Écoutez l'interview en entier. Notez :

a. Quels sont les projets de Gaëlle ?

b. Qui va s'opposer à ses projets ?

c. Que va faire Gaëlle pour réussir ?
Transcrivez la fin de la scène.

4. *Scène 3.*

Qui est M. Labrousse ?
Écoutez et jouez la scène avec votre voisin(e).

5. Jouez la scène.

Vous avez un projet (partir à l'étranger, acheter un appartement ou une belle voiture, obtenir l'emploi dont vous rêviez, etc.).
Vous avez dû y renoncer.
Vous en parlez à votre voisin(e) qui vous pose des questions.

But – Intention – Renoncement

• **Buts et intentions**
Pierre **a l'intention** de faire le tour du monde
Son **but**, son **intention**, son **projet**, c'est de construire lui-même son bateau.
Il construit un bateau **pour** faire le tour du monde.
Je l'aide **pour qu'**il puisse le faire vite. (***pour que** + subjonctif*)
Il **a décidé** de m'emmener. **Tant mieux.**

• **Renoncements**
Pierre abandonne son projet. Il renonce à partir.
Tant pis pour moi.
Je ne peux rien y faire. Je n'y peux rien.

Prononciation

Distinguez [œ], [ø], [ɔ], [o].

Météo en folie
C'est la chaleur au pôle Nord
On n'y peut rien.
C'est la fraîcheur sur l'Amazone
Et c'est tant mieux.
Il pleut des seaux sur le désert
Ah, quel bonheur !
Les consommateurs sont heureux
Et les pollueurs généreux.

ENTREPRISES

Veolia : la mer à boire

[...] **Q**uatre mois à peine après avoir inauguré la plus grosse usine mondiale de dessalement d'eau de mer [...] située à Ashkelon, en Israël (pour 167 millions d'euros), Veolia Environnement a remporté au début d'avril, à Bahreïn, un autre très gros morceau : l'usine de dessalement par distillation la plus importante du monde, d'une valeur de 275 millions d'euros. L'entreprise dirigée par Henri Proglio a ainsi détrôné Degrémont,

Le site de dessalement de l'usine Veolia située à Ashkelon, en Israël. L'eau salée représente plus de 95 % des réserves de la planète.

filiale du groupe Suez, qui se targuait, jusque-là, d'être le champion du secteur, avec son énorme centrale de Fujairah, dans les Émirats arabes unis.

La course à la mer est loin d'être finie. Le dessalement a de très beaux jours devant lui. D'ores et déjà, 40 % de la population du globe habite à moins de 70 kilomètres d'une côte et l'avenir est au développement des mégalopoles. Or l'eau salée représente plus de 95 % des réserves de la planète. Déjà, d'ici à 2010, la capacité mondiale de production d'eau de mer dessalée devrait passer de 53 à 85 millions de mètres cubes par jour. De quoi alimenter 350 millions de personnes à travers le monde.

Les États-Unis et les pays du golfe Arabique resteront les premiers clients des industriels du dessalement. Mais d'autres terrains de chasse pourraient s'ouvrir dans des régions fortement peuplées et confrontées à des problèmes croissants d'approvisionnement, comme la Chine, l'Inde ou encore les États du pourtour de la Méditerranée.

Nul doute : sur ce marché estimé à 100 milliards de dollars, la compétition sera âpre. Les Français, aujourd'hui leaders mondiaux, doivent se colleter avec de solides challengers, tels l'américain General Electric ou le coréen Doosan, mais également avec une dizaine de petites sociétés d'origine chinoise, israélienne ou espagnole.

Georges Dupuy, *L'Express*, 15/05/2006.

▶ Lecture guidée du texte

1. Observez l'origine de l'article, son titre, la photo et la légende.

Quel est d'après vous le sujet de l'article ?

2. Lisez le 1er paragraphe.

a. Mettez en fiche les informations qu'il donne.

• L'entreprise : ......   • Son directeur : ......
• Les réussites de l'entreprise (donnez des précisions : date, etc.)
(1) ......
(2) ......
• Les concurrents de l'entreprise : ......

b. Trouvez le sens des mots nouveaux sans dictionnaire.

le dessalement (pensez à « sel » et au préfixe « dé- »)
la distillation (d'après le contexte et le titre « boire la mer »)
détrôner (vous connaissez le mot « trône »)
se targuer : quand on dit sa fierté d'avoir réussi.

3. Lisez le 2e paragraphe.

a. Complétez ce résumé des informations.

« Dans les années qui viennent, les usines de dessalement ......
En effet, la population de la planète aura besoin ......
Elle trouvera cette eau ......
D'ici à 2010, on pourra ...... »

b. Trouvez dans le texte les mots qui signifient :
avoir un bel avenir – dès maintenant – la Terre – une très grande ville.

4. Lisez les 3e et 4e paragraphes.
a. Relevez les informations sur les sujets suivants :
(1) le marché des entreprises de dessalement
(2) les différentes entreprises de dessalement

b. Trouvez dans le texte les mots qui signifient :
• un marché (pour une entreprise) – qui doit faire face à... – en augmentation – ce dont on a besoin
• dure, difficile – se battre avec

Les produits France

- Ariane
- Alcatel
- Chanel
- Château Yquem
- Christian Lacroix
- Christofle
- Citroën
- Danone
- Dom Pérignon
- Hachette
- Hermès
- La vache qui rit
- Lacoste
- Lu
- Michelin
- Perrier
- Peugeot
- Roche
- Roquefort
- Spot
- Thomson
- Vuitton

La France qui produit

⇒ Une économie mondialisée

L'économie française s'est aujourd'hui largement mondialisée. Les avions Airbus sont le fruit d'une coopération entre l'Allemagne, l'Espagne, la France et le Royaume-Uni. Près de la moitié de l'industrie française est contrôlée par des groupes américains et européens. Dans de nombreux secteurs, une part importante de la production est délocalisée dans le reste du monde et les entreprises françaises disposent de 20 000 filiales à l'étranger.

⇒ Une agriculture modernisée

Près d'un million d'agriculteurs et d'employés de l'industrie agroalimentaire font de la France un pays de grande production agricole. Celle-ci s'est spécialisée et concentrée : produits laitiers en Normandie, Bretagne et Pays de la Loire, céréales dans les grandes plaines autour de Paris et dans le Sud-Ouest, élevage en Bretagne et dans le Centre, vignes, fruits et légumes dans le Sud-Est. L'agriculteur est un entrepreneur qui doit affronter la concurrence mondiale et satisfaire les exigences des consommateurs qui veulent des produits naturels et sains. Mais l'industrie agricole n'a pas abouti à l'uniformisation des produits. La France est encore le pays des 365 sortes de fromages, des vins variés et les spécialités régionales se maintiennent (le nougat de Montélimar, le Roquefort...).

⇒ Des besoins en énergie

La France est presque totalement dépendante de l'étranger pour ses approvisionnements en pétrole et en gaz mais elle couvre 50 % de ses besoins en électricité grâce en particulier à ses centrales nucléaires (Areva, Électricité de France). Le pays semble aujourd'hui prêt à entrer dans le siècle des énergies renouvelables et des économies d'énergie.

⇒ Une industrie en mutation

Les industries qui nécessitent beaucoup de main-d'œuvre sont aujourd'hui en partie délocalisées (le textile) ou robotisées (l'automobile). Le bâtiment et les travaux publics (Bouygues, Vinci) restent cependant des secteurs très dynamiques et demandeurs de main-d'œuvre.

La France est plus compétitive dans les secteurs à haute compétence technologique : la construction automobile (Renault, PSA), aéronautique (EADS qui produit les Airbus), ferroviaire (Alstom qui fabrique les trains à grande vitesse), l'industrie chimique et pharmaceutique (Sanofi-Aventis), les télécommunications (Safran), l'électronique (Thales) et l'armement (Dassault).

À côté des grandes entreprises, de nombreuses PME (petites et moyennes entreprises) restent très dynamiques car elles ont su se spécialiser.

La France qui produit

1. Relevez les différents secteurs de l'économie.

Pour chaque secteur, trouvez les types de production. Pour chaque production, cherchez des marques de produits dans la liste ci-dessus.

Exemple :
secteur agroalimentaire → biscuits → marque Lu
Complétez avec d'autres produits.

2. Quelles sont les particularités de la production agricole et industrielle française ? Comparez avec votre pays.

🌐 Interview d'un agriculteur

Écoutez. Rémy, un agriculteur du sud de la France, parle de son métier. Complétez la fiche ci-dessous.

- Situation géographique de la propriété : ......
- Importance : ......
- Productions :
  – aujourd'hui : ......
  – il y a dix ans : ......
- Difficultés : ......
- Aides : ......
- Conditions de vie :
  – Avantages : ......
  – Inconvénients : ......

Menu des questions

- Vie quotidienne
- Cuisine
- Éducation
- Relations sociales
- Vie pratique
- Histoire
- Voyage
- Sciences
- Langue française
- Cinéma
- Arts et littérature

Est-il vrai que Victor Hugo écrivait debout ? Quelle était la taille de Marylin Monroe ? Pourquoi dit-on « À vos souhaits ! » à quelqu'un qui vient d'éternuer ?

Vous avez essayé le Larousse, le Robert, le Quid, Google et Wikipédia... sans succès.

Envoyez-nous vos questions. Il y a probablement quelque part quelqu'un qui connaît la réponse.

Si vous connaissez une réponse, écrivez-nous ou laissez-nous un message sur le répondeur.

QUID : le site des pourquoi
Toutes les questions que vous vous posez

Les dernières réponses

■ **Quelle est l'origine du mot « bug » en informatique ? (***Izzo***)**

Un bug est un arrêt imprévu dans un programme informatique. Le mot vient de l'anglais et signifie « insecte ». Attirés par la chaleur des premiers gros ordinateurs, les insectes se collaient aux circuits et empêchaient le bon fonctionnement des appareils.

En fait, l'origine du mot est plus ancienne. Au XIXe siècle, Thomas Edison l'utilisait déjà pour parler d'un problème sur une ligne téléphonique.

Les dictionnaires français proposent de traduire « bug » par « bogue ».

(*J. 007*)

■ **Pourquoi la barbe revient-elle à la mode ? (***Ewann***)**

C'est vrai. Regardez nos acteurs : de Clovis Cornillac à Gérard Jugnot. Ils se laissent tous pousser la barbe. Pas la barbe sauvage des années 68. La barbe propre et courte.

Cette mode serait due à un besoin de retour à des valeurs traditionnelles. Grâce à la barbe, on paraît plus mûr, plus expérimenté, plus courageux.

(*Géraldine*)

■ **Mais pourquoi donc les emballages des CD et des cartouches d'encre d'imprimante sont-ils si difficiles à ouvrir ? (***Brice***)**

Il y a plusieurs raisons. Les emballages doivent être solides car les produits sont de plus en plus vendus par correspondance. En même temps, sur les rayons des supermarchés, les produits doivent se voir sans qu'on puisse les toucher. D'où ces emballages transparents très résistants.

(*Oly*)

Les questions qui attendent vos réponses

- Pourquoi les Britanniques sont-ils si attachés à leur reine ? (*Virginie*)
- Pourquoi l'emblème de la France est-il le coq ? (*Érik*)
- Pourquoi les Français sont-ils les plus gros consommateurs d'eau minérale du monde ? (*Peg*)
- Quelle est l'origine du drapeau français ? (*Liz*)

■ **Est-il vrai qu'à l'école les filles sont meilleures que les garçons ?** (*Pierjean*)

Voici la réponse que j'ai trouvée dans un article du *Journal du dimanche.* (Elena)

[...] Pères et mères de France, vous pouvez en tout cas être fiers de vos filles ! Une étude commandée par le ministère de l'Éducation nationale montre à quel point les garçons sont en permanence à la traîne à l'école.

Déjà les filles entrent au CP avec des niveaux de compétence plus élevés. Au collège, elles sont 82 % à réussir le brevet contre 79 % des garçons. Au lycée ensuite, elles réussissent mieux quel que soit le bac, technologique, professionnel ou général ; 84 % des candidates obtiennent ce dernier, cinq points de plus que les jeunes mâles. Mais le triomphe féminin ne s'arrête pas là : les jeunes femmes brillent encore plus à l'université où elles sont 69 % à décrocher leur licence du premier coup contre 59 % seulement pour les étudiants.

Et pourtant... Fabienne Rosenwald, l'auteur de l'étude, relève que « les filles se retrouvent dans des filières moins rentables à la fois scolairement et économiquement ». Les derniers chiffres du chômage sont sans appel : 8,8 % des hommes sont aujourd'hui sans emploi, contre 10,6 % des femmes. Les salariées sont également moins bien rémunérées, victimes d'une réelle discrimination. [...]

Les filles optent aussi souvent pour la branche « service » où le diplôme est plus difficile à obtenir qu'en « production », une filière préférée des garçons. Les bacheliers poursuivent également plus souvent leurs études en classes préparatoires aux grandes écoles et en IUT que les bachelières, qui privilégient l'université ou des formations très fortement féminisées, comme les écoles paramédicales ou l'enseignement. Avec, au bout du compte, des métiers nettement moins bien rémunérés que ceux d'ingénieurs ou de cadres supérieurs.

Alexandre Duyck, *Le Journal du dimanche*, 05/03/2006.

Entrez sur le site des pourquoi

1. Choisissez une des questions de la page 134 ou tirez-la au sort.
Essayez d'y répondre avec l'aide du groupe.

2. Lisez les réponses écrites.

3. Écoutez les réponses qui sont sur le répondeur.

Les filles meilleures que les garçons

1. Lisez le premier paragraphe de la réponse à la question de la page 135. Que veut montrer cet article ?

2. Lisez le deuxième paragraphe. Complétez le tableau. Retrouvez l'organisation du système éducatif français que vous avez étudié dans *Écho 1*.

Niveaux scolaires	Performances des filles	Performances des garçons
CP (1re année de l'école élémentaire)	Plus élevées	
Collège		

3. Recherchez en groupe les raisons des meilleurs résultats des filles.

4. Lisez la fin de l'article.

a. Quelle est la situation des femmes dans la vie active ?

b. Recherchez dans le texte les causes de cette situation. Pouvez-vous donner d'autres causes ?

Posez vos questions

1. Sur un petit papier, chaque étudiant rédige une question correspondant à une des entrées du menu du site.

2. Les papiers sont tirés au sort. Les réponses peuvent être immédiates ou préparées pour la séance suivante.

> **Présenter des causes**

1 Observez les phrases ci-dessus. Notez dans le tableau les formes qui servent à exprimer la cause. Complétez le tableau.

Pour demander une cause	Pour exprimer une relation de cause
Pourquoi	Elles sont grosses en raison des produits ...

2 Complétez en utilisant : car – comme – grâce à – parce que – puisque.

Déménagement

Léa : Ce week-end, je fais une fête. Tu viens ?

Luc : Non, je ne suis pas libre ...... je déménage.

Léa : Tu déménages ? Pourquoi ?

Luc : ...... c'est trop petit chez moi. Hélène et moi, on a décidé de vivre ensemble. Alors ...... elle a deux enfants, il faut qu'on trouve un logement plus grand.

Léa : Et tu as trouvé ?

Luc : Oui, ... à l'agence immobilière Alpha. Ils sont très efficaces.

Léa : Mais au fait, ... tu quittes ton appartement, il va être libre.

Luc : Oui, et alors ?

Léa : Il m'intéresse ...... j'en cherche un.

3 Exprimez la cause par un verbe. Reliez les phrases en employant « être dû à ... » – « être causé par ... » – « s'expliquer par ... ».

Exemple : **a.** Ses mauvaises notes s'expliquent par ses absences.

a. Jean a eu de mauvaises notes à l'école. Il a été souvent absent.

b. Il a échoué à l'examen. Son travail était insuffisant.

c. Il n'avait pas assez travaillé. Il n'était pas intéressé par l'école.

d. Il manquait d'intérêt pour l'école. Il avait choisi la mauvaise filière.

La relation de cause

1. Demander / dire la cause

• **Pourquoi ? – Parce que**
Pourquoi *n'a-t-il pas fini son travail ? –* **Parce qu'***il est malade.*

• **Car.** *Il n'a pas fini* **car** *il est malade.*

• **La cause ... (la raison).** *Quelle est* **la cause (la raison)** *de son retard ? – Il est en retard* **à cause (en raison) de** *sa maladie.*

• **Être causé par – être dû à – s'expliquer par**
Le retard **est causé par (est dû à) (s'explique par)** *un problème d'ordinateur.*

2. Demander / dire l'origine

• ***D'où vient*** *la panne ? Quelle est son* **origine** *? –* ***Ça vient de*** *la carte mémoire. C'est la carte mémoire qui est* **à l'origine de** *la panne.*

3. Quand la cause est évidente : *comme*
Comme *il va pleuvoir, je ne sortirai pas.*

4. Quand la cause est connue de l'interlocuteur : *puisque*
– Mon ordinateur est en panne.
– Alors tu ne vas pas pouvoir travailler.
– Ben non, **puisqu'***il est en panne !*

5. Quand la cause est positive : *grâce à*
Grâce à *ce médicament, il a pu guérir très vite.*

4 Distinguez « parce que », « pour », « puisque ». Complétez.

Léa : Pierre va au Pakistan.

Luc : Pourquoi ? ... son travail ?

Léa : Non, ... il adore ce pays.

Luc : ... il va au Pakistan, dis-lui de te rapporter un châle en cachemire. Ils sont superbes.

Léa : Dis-moi, tu peux me remplacer une heure à l'heure du déjeuner ?

Luc : Non, ... je déjeune avec Hélène.

Léa : ... tu déjeunes avec Hélène, rappelle-lui la réunion de demain.

► **Présenter des conséquences**

1 Observez les phrases ci-dessus. Faites la liste des conséquences de l'utilisation des graines OGM.

Conséquences positives	Conséquences négatives
... elles permettront une meilleure production	

Classez les mots qui servent à exprimer la conséquence.

2 Reliez la cause et la conséquence en utilisant l'expression entre parenthèses.

Exemple : Duval est un homme de gauche, il va **donc** augmenter les impôts.

Discussion avant les élections
• Duval est un homme de gauche. Il va augmenter les impôts. (*donc*)
– Bernier-Lissac est une femme de droite. Elle va supprimer des postes de fonctionnaires. (*par conséquent*)
• Duval est un ancien prof. Il s'intéressera aux écoles. (*de sorte que*)
– Bernier-Lissac est directrice de supermarché. Elle devrait s'intéresser aux petites entreprises. (*en conséquence*)
• La politique de Duval : des créations d'emplois (*permettre*)
– La politique de Bernier-Lissac : la ville sera plus belle. (*rendre*)

3 Recherchez les causes et les conséquences.
(travail à faire à deux)

Un(e) de vos ami(e)s abandonne ses études de médecine pour être actrice de cinéma.
Dialogue avec votre voisin(e) pour parler de la situation de votre ami(e) :

La relation de conséquence

1. La conséquence introduite par un mot grammatical

Le climat de la Terre se réchauffe...

Donc
Par conséquent
C'est pourquoi ⎤ la glace des pôles fond.
De sorte que ⎦

La conséquence peut être exprimée dans la même phrase ou dans une phrase indépendante.
Il pleut donc je reste chez moi.
Il pleut. Donc je reste chez moi.

2. La conséquence est exprimée par un verbe.

• Conséquences négatives : *causer – provoquer*
Le réchauffement du climat causera (provoquera) des catastrophes.

• Conséquences positives : *permettre*
Les économies d'énergie permettront de développer l'économie.

• Conséquences positives ou négatives : *créer – produire – entraîner – rendre + adjectif*
La construction de l'aéroport créera (produira) des emplois. Elle entraînera aussi des problèmes de bruit.
Le manque d'eau rendra la région désertique.

« Tu connais la nouvelle ? Lydia abandonne ses études de médecine.
– Pourquoi ? ... »

► **La grammaire sans réfléchir**

1 Exprimez la cause avec « grâce à ». Vous avez trouvé une amie extraordinaire. Confirmez comme dans l'exemple.

• C'est avec elle que tu as trouvé ton appartement ?
– Oui, je l'ai trouvé grâce à elle.

2 Utilisez « puisque ». Répondez aux propositions de votre ami.

• Je vais en ville. Tu veux venir ?
– Puisque tu y vas. Je viens.

Vent de révolte — 2- Avis de tempête

Le maire du Crayeux et son adjoint reçoivent Yasmina Belkacem qui représente la Société pour les énergies nouvelles (SPEN).

Le maire : Alors, ce serait possible ?
Yasmina : Tout à fait, vous avez le vent, l'espace... Vous pouvez faire un parc d'éoliennes... Et grâce à ce parc, vous aurez des revenus importants.
M. Duval : Ça rapportera combien ?
Yasmina : Une éolienne rapporte 25 000 € par an. 20 000 à la mairie et 5 000 au propriétaire du terrain.
Le maire : Et il n'y a pas de frais ?
Yasmina : Non, puisque nous nous occupons de tout.
Le maire : J'ai entendu dire que ça faisait beaucoup de bruit.
Yasmina : Ah, ce n'est pas silencieux. Mais vous n'entendrez rien puisque les éoliennes seront à 3 km du village...

Fin mai, le conseil municipal du Crayeux vient de se réunir.

Le maire : 18 voix pour, 6 contre, le projet d'installation des éoliennes est adopté. (*applaudissements*)
G. Labrousse : Je vous préviens. On ne se laissera pas faire. Dès ce soir, je crée un comité anti-éoliennes !
Le maire : Il ne sera pas gros, votre comité. Une partie de vos amis écologistes restent avec nous. Ils sont pour les éoliennes.
G. Labrousse : Je les mettrai en garde. Ce projet va provoquer une catastrophe écologique. C'est la mort des oiseaux du parc naturel.
Le maire : Nous avons voté, Labrousse. Respectez la démocratie.
G. Labrousse : Vous savez bien qu'il manque l'accord du préfet.
Le maire : Il dira oui.
G. Labrousse : Eh bien, nous avertirons la presse et on saura que les éoliennes sont construites sur les terrains de quatre conseillers municipaux.
Le maire : Au lieu de nous menacer, Labrousse, faites quelque chose pour le développement de la commune. Tout ce que vous savez faire, c'est demander de l'argent !

Par 18 voix contre 6, le conseil municipal du Crayeux a adopté un projet d'installation de 20 éoliennes.
Pour devenir réalité, le projet doit encore avoir l'autorisation du préfet mais une forêt d'éoliennes va peut-être bientôt pousser sur le plat pays de la baie de Somme.

Deux jours plus tard, sur le marché du Crayeux.

Gaëlle : Pétition contre les éoliennes... Madame, vous ne voulez pas signer la pétition ?

La dame : Mon mari dit que ça va rapporter de l'argent à la commune.

Gaëlle : Ça va surtout rapporter de l'argent à la société qui les installe.

La dame : Je n'y comprends rien, moi !

Gaëlle : Je vous explique. D'abord, ça va causer beaucoup de bruit.

La dame : Ça ne me dérangera pas beaucoup. Je suis à moitié sourde.

Gaëlle : Mais non, vous m'entendez très bien. Et puis, ça ne va pas faire beau dans le paysage. Vous ne trouvez pas ?

La dame : Je ne sais pas, moi.

Gaëlle : Et puis, ça va provoquer le départ des oiseaux.

La dame : Ah ça, ça va pas faire plaisir à mon mari.

Gaëlle : Vous voyez. Il a envie que les oiseaux restent, votre mari.

La dame : Ben oui, il est chasseur.

Vers 18 h, le téléphone sonne au restaurant de Loïc Bertrand.

Loïc : Allô, hôtel-restaurant de la Baie...

Gaëlle : Bonsoir, c'est Gaëlle Lejeune... du parc naturel. Excusez-moi de vous déranger.

Loïc : C'est bon. Les premiers clients n'arrivent qu'à 19h30. Vous allez bien ?

Gaëlle : Oui, ça va, merci. Je voulais vous dire... Je ne vous ai pas vu ce matin à la manifestation...

Loïc : Oh, vous savez, moi, je ne veux me fâcher avec personne.

Gaëlle : Je comprends mais...

▲ **Transcription**

Compréhension et simulations

1. Scène 1.

Qui est Yasmina Belkacem ? Que propose-t-elle ?

Faites la liste de ses arguments.

2. Scène 2.

a. Racontez ce qui s'est passé avant la scène.

b. Relevez les arguments du maire et ceux de G. Labrousse.

Les arguments du maire	Les arguments de G. Labrousse
le conseil municipal a voté	...

3. Scène 3.

a. Observez le dessin et lisez la première réplique.

b. Imaginez le dialogue entre Gaëlle et la dame.

c. Écoutez l'enregistrement. Comparez avec votre production. Notez les arguments de Gaëlle.

4. Scène 4.

a. Lisez la partie transcrite et imaginez la suite.

b. Écoutez et transcrivez la fin de la scène.

5. Jouez la scène (à deux).

Inspirez-vous de la scène 2 et utilisez le vocabulaire du tableau.

Le voisin qui habite au-dessus de votre appartement organise tous les soirs des fêtes bruyantes. Vous allez le voir et vous vous expliquez.

Mettre en garde – Menacer

• **Vous avez intérêt à ne rien dire –**
Vous feriez mieux de ne rien dire
Ne vous laissez pas faire

• **Je vous préviens...**
Je vous avertis... ⎤
Je vous mets en garde...⎦ Ne dites rien !

• **Menacer quelqu'un**
Je l'ai menacé de porter plainte à la police.

Prononciation

Différenciez [ã], [na], [an].

L'invité

On attend un ami... On entend tous les bruits.

On n'attend pas l'ennui... On n'entend que la vie.

Il a juste vingt ans... Il en a de la chance.

Il n'a pas d'ennemis... Il n'en sait rien encore.

Ça s'est passé récemment

Fonctionnaires
Grèves le 20 novembre : l'Éducation rejoint la Fonction publique

Les cinq fédérations de l'Éducation ont appelé mardi à la grève, le 20 novembre, pour « dénoncer la politique gouvernementale des 11 200 suppressions de postes dans l'Éducation », ont déclaré la FSU et l'Unsa-Éducation à l'AFP.

Cet appel intervient en effet au lendemain de l'appel lancé lundi soir par les sept fédérations de fonctionnaires (CGT, CFDT, FO, FSU, Unsa, Solidaires et CFTC) pour une journée de grève dans la Fonction publique le 20 novembre pour les salaires et l'emploi.

Les organisations signataires « ont constaté que leurs deux revendications prioritaires, le pouvoir d'achat et l'emploi public, ne sont toujours pas prises en compte par le gouvernement ».

Site du Nouvel Observateur, 25/10/2007.

Société
Le général de Gaulle, « plus grand Français de tous les temps »

Paris (AP) – Après Winston Churchill, en Grande-Bretagne, et Conrad Adenauer, en Allemagne, le général de Gaulle a été désigné lundi soir « plus grand Français de tous les temps ».

Lors d'une émission diffusée en direct du Sénat sur France 2, les téléspectateurs étaient invités à désigner le « plus grand Français de tous les temps » parmi une liste de dix personnalités. Le général de Gaulle a devancé Louis Pasteur et l'abbé Pierre. Viennent ensuite Marie Curie, Coluche, Victor Hugo, Bourvil, Molière, Jacques-Yves Cousteau et Édith Piaf. [...]

Site du Nouvel Observateur, 18/04/2005.

Des élèves voilées sont renvoyées
Mulhouse, 20 octobre 2004

Le conseil de discipline du lycée Louis-Armand a tranché : M., Française d'origine algérienne, élève de Première, est renvoyée, comme sa sœur D. l'avait été hier du collège Jean-Macé, en application de la loi sur le port de signes religieux. La phase de dialogue prévue par le texte n'a pas permis de trouver un « modus vivendi », toutes deux refusant d'ôter leur bandana considéré comme « ostensible ». Elles entendent faire appel de cette décision auprès du rectorat – puis, le cas échéant, devant le tribunal administratif. [...] Cela porte à cinq le nombre de renvois découlant de la nouvelle loi, tandis que 62 autres cas sont en phase de dialogue.

Chronique de l'année 2004, © éditions Chroniques/Dargaud.

Votre avis
Un projet de loi prévoit l'autonomie des universités françaises. Comprenez-vous la colère des étudiants ?

« Oui. Où va-t-on si on fait appel à des financements privés ? On fera la pub de telle fac, de telle filière et pas des autres ? L'éducation a une valeur nationale. Les diplômes sont délivrés par la nation, c'est donc l'État qui doit financer les universités. » *Angélique D. Narbonne*

« Oui, car à force on va arriver à une barrière financière à l'entrée de l'université pour les moins aisés. Mais je trouve que ce n'est pas une bonne idée de bloquer les amphis ou d'interdire les cours. Je pense qu'il faudrait faire autrement. » *Benjamin B. Mende*

Midi Libre, 9/11/2007

La France dit non à la Constitution européenne
France, 29 mai 2005

[...] La question posée était celle-ci : « Approuvez-vous le projet de loi qui autorise la ratification du traité établissant une Constitution pour l'Europe ? » La réponse fut la suivante : 54,68 % des électeurs français ont dit non, contre 45,32 % pour le oui. Avec un taux de participation de 69,34 %. Jeudi, le président de la République avait lancé à la télévision un appel de la dernière chance : « Nous ne devons pas nous tromper de question... Il ne s'agit pas de dire oui ou non au gouvernement. Il s'agit de votre avenir et de celui de vos enfants, de l'avenir de la France et de l'Europe. » [...] Ce sont les inquiétudes et les attentes [des Français] qui ont fait échouer le référendum.

Chronique de l'année 2005, © éditions Chroniques/Dargaud.

CLÉS POUR COMPRENDRE LA FRANCE

◆ La Constitution de 1958

Article 1 : « La France est une République indivisible, laïque, démocratique et sociale. Elle assure l'égalité devant la loi de tous les citoyens sans distinction d'origine, de race ou de religion. Elle respecte toutes les croyances. Son organisation est décentralisée. »

Article 2 : « La langue de la République est le français. L'emblème national est le drapeau tricolore bleu, blanc, rouge. L'hymne national est *La Marseillaise*. La devise de la République est Liberté, Égalité, Fraternité. Son principe est : gouvernement du peuple, par le peuple, pour le peuple. »

◆ Le principe de laïcité

La France est un pays **laïque**. Les religions peuvent s'exercer librement mais elles sont exclues de l'espace public. Les signes religieux « ostensibles » (très visibles) sont donc interdits dans les écoles publiques.

Ce principe de laïcité peut poser des problèmes aujourd'hui car la composition religieuse du pays a changé. 67 % des Français se disent **catholiques** mais 6 % seulement sont des catholiques pratiquants. L'islam est la deuxième religion de France avec 5 millions de **musulmans**. Les **protestants** représentent 2 % de la population, les **juifs** 1 %, les **bouddhistes** 0,6 %.

◆ L'État providence et ses fonctionnaires

La France compte 6 millions de **fonctionnaires** (employés de l'État). C'est le quart de la population active. Ils sont enseignants, policiers, juges, employés des hôpitaux.

Ils travaillent pour La Poste, la SNCF et les grandes entreprises publiques.

Les Français sont très attachés à **la fonction publique**. Pas seulement parce que « fonctionnaire » est synonyme de sécurité de l'emploi et des salaires mais aussi parce qu'ils considèrent que **l'État** doit assurer **un service public** dans les domaines essentiels (éducation, police, transport, énergie, santé, etc.). Ce service public garantit le respect du principe de justice et d'égalité.

Quel que soit le problème : chômage, inondation, absence d'animation dans la ville, manque d'autorité des parents, on se tourne vers l'État protecteur.

L'école publique (de l'école primaire jusqu'à l'université) qui scolarise 80 % des jeunes est le reflet des conceptions républicaines et des aspirations des Français.

◆ Une figure emblématique : Charles de Gaulle

À trois moments de l'histoire, le général de Gaulle a eu un rôle capital pour l'avenir de la France. En 1940, il prend la tête de la résistance contre l'armée allemande de Hitler qui avait envahi le pays. En 1944, quand la France est libérée par les armées alliées (américaine, anglaise, canadienne, etc.), il est chargé de la réorganisation du pays. En 1958, il est rappelé au pouvoir pour résoudre le problème de la guerre d'Algérie. Grâce à lui, la France aura une Constitution stable, les pays de l'ancien empire colonial obtiendront leur indépendance, la France retrouvera une place importante dans le monde.

Les événements et leur explication

1. Lisez les deux premiers articles de la constitution de 1958. Quelle est la conséquence de chaque mot ?

Exemple : République → les dirigeants sont élus par le peuple

2. Faites une lecture rapide de la suite du texte « Clés pour comprendre la France ».

3. Partagez-vous la lecture des cinq articles de presse.
a. Relevez les informations essentielles de l'article que vous avez choisi : que s'est-il passé ? Où ? Quand ? Etc.
b. Recherchez l'explication de l'événement dans « Clés pour comprendre la France ».
c. Complétez votre information grâce à Internet ou en demandant au professeur.
d. Présentez votre travail à la classe.

La politique
(Voir aussi le vocabulaire de l'histoire, p. 109.)

• l'État – les pouvoirs (exécutif, législatif, judiciaire) – l'administration – la fonction publique – un fonctionnaire le gouvernement – le Premier ministre – un ministre – un secrétaire d'État
L'Assemblée législative (les députés) – le Sénat (les sénateurs) – voter une loi – ratifier un traité

• les élections (un électeur) – voter – élire – une élection – un référendum – une voix pour / contre

• Les syndicats – une fédération de syndicats adhérer à un syndicat – une grève – appeler à la grève – faire grève – revendiquer (une revendication)

15 À vous de juger

Réagissez !

➜ **A-t-on le droit de désobéir ?**

Nouvelles destructions de champs de maïs

Malgré la présence de pro OGM, plusieurs centaines de militants du Collectif des faucheurs volontaires ont détruit samedi après-midi deux parcelles de maïs transgénique dans le Puy-de-Dôme et le Loiret. À Marsat (Puy-de-Dôme), près de Riom, les militants (500 selon les organisateurs, 300 selon la police) ont entièrement détruit un champ de 5 hectares de maïs dont 1,5 de plants génétiquement modifiés, sous les yeux d'environ 90 gendarmes mobiles et les insultes de presque autant de chercheurs et d'agriculteurs venus défendre leurs cultures. [...]

« C'est une défaite de la démocratie et de l'État de droit. Ce qui s'est passé est gravissime pour la recherche et cela fait le jeu de nos concurrents américains », expliquait Alain Toppan, responsable des essais en plein champ chez Biogemma.

Sacrés Français, Drôles de Français,
Direction Jacques Riquier,
© éditions Pharos/Jean-Marie Laffont, 2005.

❯ Vos réactions

• Je suis d'accord avec le Collectif. Avant que ces maïs OGM soient cultivés dans le champ, il faut qu'ils aient été expérimentés. Il faut qu'on ait prouvé qu'ils ne sont pas dangereux pour notre santé et notre environnement. (Rolando)

• Bien que je sois contre les OGM, je trouve regrettable que les manifestants aient employé ces moyens. (Liza)

• Ils savaient qu'ils prenaient des risques en détruisant le champ devant les gendarmes. Ils l'ont fait quand même. C'est très courageux. Cela montre qu'ils sont sûrs d'avoir raison. (Feelou)

• Moi, je regrette que les gendarmes ne soient pas intervenus. Il y a tout de même d'autres moyens pour faire connaître ses idées. Au lieu de détruire, on écrit des articles. On s'explique à la télévision. (Kazan 34)

➜ **Peut-on laisser faire la dictature de la mode ?**

Après Madrid, qui a surpris en interdisant aux mannequins jugées trop maigres de défiler, c'est maintenant en Inde que ces mêmes mannequins ne peuvent pas défiler.

Les autorités estiment que pour une certaine taille les jeunes filles doivent avoir un poids minimum. Elles veulent interdire l'image de mannequins filiformes qui selon elles seraient responsables de bon nombre de cas d'anorexie chez les jeunes filles.

En Angleterre, le débat est lancé. Les créateurs de mode protestent contre cette décision affirmant qu'il est beaucoup plus facile de faire des vêtements pour des filles très minces. Ces vêtements tombent parfaitement bien et peuvent être portés par n'importe quel mannequin sans trop de retouches.

Kate Moss, la top model britannique qui a lancé la mode du mannequin filiforme, a déclaré que les autorités ne pouvaient pas empêcher les mannequins de défiler sur un simple critère de poids.

D'après actualité-de-stars.com (2007).

❯ Vos réactions

•

Ils l'ont écrit ...

→ Chasse aux fumeurs. Jusqu'où ira-t-on ?

Après l'interdiction de fumer dans tous les lieux publics, les entreprises pourraient refuser d'employer un fumeur.

> ### Vos réactions
• _____

→ Les chiens d'abord

Départ de Paris le vendredi soir, dans un minibus de luxe avec chauffeur. Première nuit sur des matelas confortables dans une maison avec terrain. Samedi, dimanche : jeux de balle, course sur le sable et réoxygénation. Retour et dépôt à domicile le dimanche soir. Tout le monde rêve de ce genre de week-end haut de gamme mais il vous passera sous le nez, car il est destiné... à vos chiens. L'ami des bêtes à l'origine de ces séjours s'appelle Jacques Calvez. Il y a deux ans, il a créé « Escapattes », un genre de centre aéré canin. Le week-end : plage pour la modique somme de 170 €, nourriture non comprise. De quoi déstresser l'animal. Surfant sur l'amour fou porté par les Français à leurs 8,5 millions de chiens, certains débordent d'imagination : pâtisseries, colliers de diamants, parfum (« Oh My Dog »), jouets, centres aérés pour chiens, film avec 43 acteurs canins... jusqu'à un musicien qui a composé un album que le maître et son chien peuvent écouter à deux. [...]

D'après Élise Dohant, *L'Express*, 30/03/06.

> ### Vos réactions
• _____

→ Peut-on télécharger ?

Un enseignant a été condamné mercredi 2 février à 10 200 € de dommages-intérêts pour le téléchargement illégal de musique sur Internet, alors qu'au même moment des musiciens et des chanteurs appelaient dans *Le Nouvel Observateur* à l'arrêt des poursuites contre les internautes pirates.

Âgé de 28 ans, l'enseignant était accusé devant le tribunal correctionnel de Pontoise (Val d'Oise) d'avoir téléchargé sur Internet et mis à disposition d'autres internautes, via un logiciel d'échange, 30 giga-octets de musique, soit l'équivalent de 614 albums ou 10 000 chansons.

Le Monde.fr, 02/02/2005.

> ### Vos réactions
• _____

Lecture de l'article « Nouvelles destructions... »

1. Quel passage de l'article donne :
– une information ?
– une opinion ?

2. Trouvez les mots qui ont le sens suivant :
(a) un organisme génétiquement modifié – (b) les défenseurs d'une idée politique – (c) un coupeur de céréales – (d) un champ – (e) une céréale produite artificiellement

3. Présentez le fait divers :
– le lieu
– les différents acteurs présents sur le lieu
– ce qui s'est passé
– les causes du fait divers
– ses conséquences

4. Reformulez l'opinion d'Alain Toppan en continuant les phrases suivantes :
« Dans une démocratie, on ne doit pas ...
Les lois de la République n'ont pas été ...
Les chercheurs français vont être ...
Les fabricants américains de graines OGM ... »

5. Lisez et classez les réactions des internautes.
Pour le Collectif : ......
Contre : ......
Opinion nuancée : ......

6. Dans ces réactions, observez :
a. l'emploi du subjonctif passé (voir forme p. 144) ;
b. les mots qui permettent d'exprimer des oppositions ou des nuances.

Lecture commentaire des autres documents

La classe se partage les autres documents.
1. Chaque groupe prépare une présentation du document en indiquant :
– l'information donnée par le document ;
– les réactions du groupe.

2. Chaque groupe présente ses réflexions à la classe.

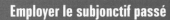

▶ **Employer le subjonctif passé**

1 ■ **Observez les phrases ci-dessus. Écrivez-les dans le tableau.**
Remarquez le temps et le mode des verbes.

1er verbe de la phrase	2e verbe
J'ai peur …	que nous n'ayons pas fini…

Dans quel cas emploie-t-on le subjonctif ?
a. après les verbes ……
b. après les expressions ……

2 ■ **Mettez les verbes à la forme qui convient.**

La créatrice de parfums Laura Mirmont va bientôt présenter un nouveau parfum.
« D'ici la fin de la semaine prochaine, il faut que nous (*trouver*) le slogan.
Il faut que nos partenaires (*signer*) le contrat. Tarek, tu vas à Madagascar mais il faut que tu (*rentrer*) samedi.
J'aimerais que les affiches (*être préparées*) pour le mois prochain.
Camille, avant le 15 mars, il faut que vous (*réserver*) une salle.
Je veux que les invités (*recevoir*) leur invitation un mois avant la présentation. »

3 ■ **Imaginez ce qu'ils disent dans les situations suivantes. Utilisez les verbes et expressions entre parenthèses.**

a. Les parents programment l'avenir de leur fils.
« À 18 ans, j'aimerais que tu aies passé le bac. À 20 ans … »
(*j'aimerais, je voudrais, il faudrait – pour que… – jusqu'à ce que…*)
b. Avec un(e) ami(e) vous revenez d'une soirée. Vous échangez vos impressions.
« Je regrette que Paul ne soit pas venu … »
(*j'ai apprécié… je regrette… j'ai peur… il aurait fallu… à condition que…*)

Le subjonctif passé

Le subjonctif passé s'emploie après les mêmes verbes ou expressions que le subjonctif présent quand l'action du verbe est antérieure à une autre action.
Je voudrais que tu fasses la vaisselle (maintenant).
*Je pars. Quand je reviendrai, je voudrais que tu **aies fait** la vaisselle* (action antérieure à celle de « revenir »).

1. Forme du subjonctif passé
avoir ou *être* au subjonctif + participe passé

Il faut…
que j'aie fini
que tu aies fini
qu'il/elle ait fini
que nous ayons fini
que vous ayez fini
qu'ils/elles aient fini

que je sois allé(e)
que tu sois allé(e)
qu'il/elle soit allé(e)
que nous soyons allé(e)s
que vous soyez allé(e)(s)
qu'ils/elles soient allé(e)s

2. Emplois principaux
a. Quand on demande, souhaite par anticipation
Il faut que les enfants aient rangé leur chambre avant midi.

b. Quand on exprime un sentiment, une opinion, un doute sur quelque chose qui a peut-être eu lieu
J'ai peur (1)
Je regrette   *qu'elle soit partie sans m'attendre.*
Je doute

c. Après toutes les expressions qui sont suivies du subjonctif (avant que, pour que, à condition que, bien que, etc.) **quand ces expressions introduisent une action achevée.**
Il a quitté la salle avant que le professeur ait fini son cours.
Pour juger ce film, il faudrait que vous soyez allé le voir.

(1) On peut dire « J'ai peur qu'il **ne** soit parti ». Ce « ne » n'a pas de valeur négative.

Enchaîner des idées

> **Bien que** la forme de cette robe soit belle, je n'aime pas les couleurs.

> **Alors que** l'an dernier sa collection était très colorée.

> C'est très original **mais** c'est **quand même** beau.

> **Au lieu de** chercher l'originalité, il ferait mieux de penser que toutes les femmes ne sont pas des mannequins.

1 **Dans chacune des phrases ci-dessus, notez les idées qui s'opposent.**

Les formes de la robe sont belles / ......

Observez les constructions de ces oppositions.

2 **Reliez les deux phrases en utilisant l'expression entre parenthèses et en faisant les transformations nécessaires.**

Un homme qui a de la chance

a. Il ne joue pas souvent au Loto. Il gagne de temps en temps. (*bien que*)

b. Il n'avait pas travaillé. Il a réussi à son examen. (*alors que*)

c. Il y avait beaucoup de voitures en ville. Il a trouvé une place. (*quand même*)

d. Il n'est pas très sociable. Toutes les filles veulent lui parler. (*pourtant*)

e. Il ne parle pas. Les gens le regardent. (*même si*)

3 **Complétez les enchaînements d'idées en utilisant « or » et « donc ».**

a. J'adore la danse contemporaine ... hier une amie m'a proposé une place ... je suis allée voir le nouveau spectacle de Mathilde Monnier.

b. Interrogé par la police, M. Jo dit qu'il a passé la soirée chez lui ... quelqu'un l'a vu à 22 h dans la rue Rousseau ... il cache quelque chose.

c. Émilie dit qu'elle veut quitter Romain ... elle part en vacances avec lui ... elle n'a pas pris sa décision.

d. Nous devions aller à Paris en train le 20 ... ce jour-là, il y a une grève de la SNCF. Est-ce que nous y allons en voiture ?

L'enchaînement des idées

1. Les deux idées sont opposées (voir p. 73)

Elle n'aime pas l'opéra. En revanche elle adore le cinéma.

2. La suite des actions n'est pas logique

a. *pourtant – quand même – tout de même*

Elle n'aime pas l'opéra ...

***Pourtant** elle est allée voir Carmen.*

*Elle a **quand même** acheté le CD de Roberto Alagna.*

*Elle est **tout de même** allée à la Scala avec sa sœur.*

b. *bien que + subjonctif*

***Bien qu'**elle n'ait pas d'argent, elle a acheté une nouvelle voiture.*

c. *alors que + indicatif* (change l'ordre des idées)

*Elle a acheté une nouvelle voiture **alors qu'**elle n'a pas d'argent.*

d. *même si + indicatif* (en général pour une action future)

***Même s'**il pleut, nous sortirons.*

3. Quand l'action prévue est remplacée par une autre

***Au lieu d'**aller au cinéma, elle est allée à l'opéra.*

4. « Or » introduit une information inattendue qui modifie la suite logique

*Ce soir, je devais rentrer à Marseille par le train. **Or** la SNCF est en grève. Je resterai **donc** ce soir à Paris.*

*Elle avait envie d'acheter la nouvelle Audi. **Or** son salaire a diminué. Donc, elle gardera sa vieille voiture.*

 La grammaire sans réfléchir

1 **Emploi du subjonctif passé. Vous préparez une randonnée avec des amis. Confirmez comme dans l'exemple.**

• Pierre, avant ce soir, tu dois acheter la nourriture.

– Oui, il faut que tu aies acheté la nourriture.

• Moi, je dois avoir trouvé la carte.

– ...

2 **Emploi de « *bien que* + subjonctif ». Confirmez comme dans l'exemple.**

Bavardages autour de la machine à café

• C'est bizarre, Paul a un petit salaire mais il a une grosse voiture.

– C'est vrai, bien qu'il ait un petit salaire, il a une grosse voiture.

Vent de révolte

3- Le vent tourne

1

Le 30 mai. Au parc naturel de la baie de Somme.

G. Labrousse : Je suis venu vous voir parce qu'on a décidé d'organiser une fête de l'environnement.

Gaëlle : C'est une bonne idée.

G. Labrousse : Et on voudrait savoir si vous nous autoriseriez à la faire ici.

Gaëlle : Ici, dans le parc ? Vous n'y pensez pas. Des centaines de voitures, des vendeurs de saucisses...

G. Labrousse : Mais on observera le règlement. Les voitures resteront sur la route...

Gaëlle : J'ai peur que vous n'ayez pas compris, Gérard. Ici, ce n'est pas mon parc. Je n'ai pas le droit de vous donner cette autorisation. Paris ne le tolérerait pas ! Je suis désolée.

G. Labrousse : Bon, ben, d'ici ce soir, il faut qu'on ait trouvé un endroit...

2

Pendant ce temps, les défenseurs des éoliennes s'activent.

M. Duval : Il faut se dépêcher. Leur fête de l'environnement, c'est dimanche.

Ludivine : Donc il faut qu'on ait distribué nos tracts samedi.

M. Duval : Par conséquent, il faut que vous les ayez préparés aujourd'hui.

Jérémy : Qu'est-ce qu'on met sur le tract, monsieur Duval ?

M. Duval : Il faut des phrases choc !

 Transcription

3

Le samedi 1er juin, vers 10 h, au bord de la mer.

Yasmina : Bonjour. Vous savez si on peut rejoindre le village de Saint-Martin par là ?

Loïc : C'est déconseillé. Ça peut être dangereux. La marée va monter. Vous n'êtes pas d'ici ?

Yasmina : Non, je suis dans la région pour le boulot. Je loge à l'hôtel de Saint-Martin.

Loïc : Il est bien ?

Yasmina : Moyen. Mais ça va. C'est juste pour deux ou trois jours. Qu'est-ce que vous pêchez là ?

Loïc : Des coques.

Yasmina : Ça se mange ?

Loïc : Bien sûr, et c'est même très bon... Mais il faut venir en goûter chez moi. Je suis le patron du restaurant de la Baie.

Yasmina : Ah, j'ai entendu parler de votre restau. Je voulais y aller.

Loïc : Pourquoi pas ce soir ? Je vous invite.

4

Dimanche matin à 8 h, au café du Crayeux.

Un homme : Monsieur le maire, vous êtes au courant ? Il y a eu des dégradations à la mairie.
Le maire : Qu'est-ce que c'est que cette histoire ?
L'homme : Je viens de le voir en passant. On a tagué les murs. On a cassé des vitres et on a peint en vert la statue.
Le maire : Labrousse, vous êtes devenu complètement fou !
Labrousse : Eh, attendez. Je n'y suis pour rien dans cette histoire !
Le maire : Si ce n'est pas vous, ce sont les vôtres. Je vous avertis, je veux qu'avant ce soir vous ayez tout nettoyé et tout réparé.
Labrousse : Alors, écoutez-moi bien, monsieur le maire. Je vais rester calme. Moi et les miens, comme vous dites, on est allé hier soir à Abbeville pour une réunion. On a discuté. On a imprimé des tracts. Ça a duré toute la nuit. À 6 h, on prenait un café dans un bar d'Abbeville et en arrivant au Crayeux, on est venu ici pour en prendre un second. Et ce ne sont pas les témoins qui manquent !

Compréhension et simulations

1. *Scène 1.* Résumez la conversation entre Gaëlle et Gérard Labrousse.

« Gérard Labrousse est allé voir Gaëlle pour … »

2. Jouez la scène. Inspirez-vous de la scène 1 et utilisez le vocabulaire du tableau.

Vous avez l'intention d'organiser une fête dans votre école de langue. Vous demandez l'autorisation au directeur. Il pose des conditions.

3. *Scène 2.*

a. Lisez le début de la scène. D'après vous qui sont Jérémy et ses amis ? Quelles sont leurs idées ?

b. Transcrivez la fin de la scène.

4. *Scène 3.*

a. Écoutez et racontez la scène.

b. Jouez-la à deux en faisant une petite mise en scène.

5. *Scène 4.*

Vous êtes journaliste au journal local de la baie de Somme. Vous avez assisté à cette scène. Vous rédigez un bref article pour votre journal.

Interdiction et autorisation

• une règle – une loi – une consigne
observer… respecter un règlement
obéir à la loi – obéir à quelqu'un
• interdire (Je lui interdis de partir)
déconseiller / conseiller (Je lui déconseille de partir)
tolérer (Je tolère son départ)
permettre (Je lui permets de partir)
autoriser (Je l'autorise à partir)
dispenser (Je le dispense de rester)
• une interdiction – une tolérance – une dispense – une dérogation – une permission – une autorisation
• une épreuve obligatoire / facultative / en option

Prononciation

Différenciation [y] – [i] – [u] – [ø].

Infraction
Deux individus…
Sur un deux-roues… dans cette rue
C'est exclu.
Et si en plus… vous avez bu… de l'alcool de bambou
C'est pas permis… Je punis !

DEMANDES ET RÉCLAMATIONS

Élise MONTIEL
150 West 52th street
NEW YORK 10019
USA

New York, le 10 juillet 2007
Université de Picardie
Service des inscriptions

Madame, Monsieur
Je vous serais reconnaissante de bien vouloir m'envoyer les formulaires d'inscription pour la 2ᵉ année de doctorat.
Je suis actuellement en stage aux États-Unis et je n'ai pas trouvé ces formulaires téléchargeables sur le site de l'université.

❶

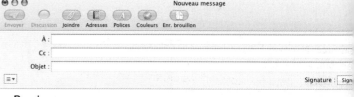

Nouveau message

Envoyer Discussion Joindre Adresses Polices Couleurs Enr. brouillon

À :
Cc :
Objet :

Signature : Sign

Bonjour,
Du vendredi 3 mars à 8 heures jusqu'au mardi 7 à 11 heures, ma ligne téléphonique a été coupée. Je n'ai donc pu utiliser ni ma ligne fixe, ni ma ligne ADSL, ni Internet, et j'ai dû faire un large usage de mon téléphone portable.
L'entretien que j'ai eu le vendredi 3 à 8h30 avec votre service assistance a montré que cette interruption n'était pas due à mon installation et que la réparation était de votre responsabilité.

❷

Objet :

Bonjour Jérémy
Nous avons l'intention de retourner l'été prochain en Bulgarie. Pourrais-tu me rendre le Guide Bleu que je t'ai prêté quand tu es passé nous voir à Noël. J'en ai besoin pour préparer notre voyage.
Merci de nous le faire parvenir assez vite.
J'espère que tu vas bien.
Amitiés
Elsa

❸

Objet :

Chère Lou,
Marie garde un souvenir inoubliable du repas libanais que tu nous as préparé la semaine dernière.
J'ai envie moi aussi de me lancer dans la cuisine orientale pour lui faire une surprise.
Tu nous as parlé d'un magasin où on trouve un excellent tahini. Te serait-il possible de me donner son adresse ?
Merci d'avance.
Bises.
Guillaume

❹

Madame, Monsieur
Il y a cinq ans j'ai souscrit un crédit auprès de votre banque pour l'achat de mon appartement situé 25 rue des Bouchers à Moulins.
Il s'agit d'un crédit à taux fixe avec des remboursements de 400 € mensuels. Ce crédit arrive à échéance dans quinze ans.
Pour des raisons que je vais vous exposer, je sollicite une réduction du montant de ces remboursements entraînant bien entendu un report de l'échéance finale.

Je vous en remercie par avance et vous prie d'agréer, Madame, Monsieur, l'expression de mes salutations distinguées.

❺

Le relevé de mon compte courant que vous venez de m'envoyer comporte me semble-t-il une erreur et le solde ne correspond pas à mes propres calculs.

❻

▶ Compréhension des lettres

Lisez les documents ci-dessus. Pour chacun, complétez le tableau.

Qui écrit ?	
À qui ?	
Objet de la demande	
Type de lettre (familière, administrative)	
La lettre est-elle complète ? Que manque-t-il ?	

▶ Écriture

Complétez les lettres selon les indications suivantes. (Aidez-vous des autres documents.)

1. Document 1. Rédigez la phrase finale et la formule de politesse.
2. Document 6. Imaginez le début de la lettre.
3. Document 2. Rédigez la fin de la lettre.
4. Document 5. Rédigez quelques phrases pour argumenter la demande.

INFOS PRATIQUES

Sites utiles

service-public.fr (tous types de renseignements administratifs)

diplomatie.gouv.fr (informations générales sur la France)

cidj.com

cned.fr (Centre national d'éducation à distance)

cnous.fr (logement étudiant et restaurant universitaire)

education.gouv.fr

etudiant.gouv.fr

Lettres de demande

• Pour demander

Je souhaiterais recevoir une documentation sur...

Je vous serais très reconnaissant...

... de bien vouloir m'envoyer (me faire parvenir) une documentation sur...

... s'il vous était possible de m'accorder un entretien (un congé, une bourse)...

• Pour réclamer

Je vous prie de... (Je vous serais reconnaissant de bien vouloir...)

... vérifier (me rembourser, etc.).

Où se renseigner ?

• **Internet.** C'est aujourd'hui la façon la plus pratique et la plus rapide pour se renseigner. Selon l'information que vous recherchez, tapez le nom de la ville, de l'entreprise, de l'administration ou de l'association concernée.

Mais attention, vérifiez que le site est à jour.

• **Les annuaires téléphoniques.** Dans les **Pages Jaunes**, vous trouverez les magasins, services et administrations classés par thème.

Dans les **Pages Blanches** figurent non seulement le nom des abonnés au téléphone mais aussi des pages d'informations pratiques très complètes. Comment faire pour demander une bourse, une naturalisation, se marier, déclarer une naissance, obtenir une aide au logement, chercher un emploi, créer une association, etc.

• **Le téléphone.** Les services d'urgence seront toujours à votre écoute. Vous en trouverez la liste dans les journaux locaux. Gardez en mémoire les trois numéros principaux : la police (17), les pompiers (18), le SAMU (service d'aide médicale urgente ; 15).

Les services publics (Sécurité sociale, mairie, impôts) sont en général à l'écoute et disponibles mais, en cas de demandes trop spécifiques, vous n'accéderez pas à la personne qui peut vous renseigner. Il est alors préférable d'envoyer un courrier électronique.

• **Les services accueil.** Les **mairies** accueillent et renseignent les nouveaux résidents. Vous y trouverez la liste des associations culturelles et sportives ainsi que des renseignements administratifs. N'oubliez pas qu'à Paris il y a une mairie dans chaque arrondissement. En région, il y a souvent deux **offices du tourisme** (ou syndicat d'initiative), celui de la ville et celui du département. À Paris, le **CIDJ** (Centre information et documentation jeunesse) répond aux questions spécifiques des jeunes.

Faire valoir ses droits

• Le site www.vosdroits.service-public.fr vous renseignera sur vos droits. Les compagnies d'assurances disposent aussi d'un service d'aide juridique.

• En cas de problème grave (coups et blessures, agressions, vols, etc.), il faut se rendre au **commissariat** de police (dans les villes) ou à la **gendarmerie** (en milieu rural) pour porter plainte.

• S'il s'agit d'un problème avec une administration qui ne donne pas suite à votre demande, vous pouvez vous adresser au service du **Médiateur de la République**.

• Dans les autres cas (problèmes avec un commerçant qui refuse de vous rembourser un objet défectueux, avec un voisin désagréable, avec un hôtelier malhonnête), adressez-vous au **tribunal** qui vous orientera vers **un conciliateur de justice** (gratuit) ou vers un **avocat**.

🎧 Demandes orales

1. Lisez les « Infos pratiques » ci-dessus. Comparez avec les moyens d'information dans votre pays.

2. Écoutez. Ils demandent des informations. Complétez le tableau.

Document	1
À quel organisme la personne s'adresse ?	La préfecture
Quelle est la demande ?	Comment obtenir la carte grise d'une voiture
Quelle est la réponse ?	......

La boîte à idées

Association « J'aime ma ville »
Ville de Châteauneuf

→ Circulation, pollution, bruit, manque d'espaces verts sont des problèmes auxquels notre ville doit faire face.
→ Manque de solidarité, solitude, insécurité sont aussi des difficultés pour lesquelles il est difficile de trouver des solutions.

Pourtant, ici et là, **des municipalités et des associations agissent** pour rendre leur ville plus agréable.
C'est aussi le but de notre association.

Voici des réalisations dont Châteauneuf pourrait s'inspirer. Ajoutez vos idées. Envoyez-les-nous par courriel ou laissez-les-nous sur le répondeur tél. : ...

☞ Villeneuve-d'Ascq (Nord-Pas-de-Calais)
Un système d'échanges de services

À Villeneuve-d'Ascq s'est développé un système d'échanges locaux. Les membres de cette association s'échangent des services. Un exemple : vous êtes informaticien et vous avez besoin que quelqu'un garde votre chien pendant vos vacances. C'est un travail dont se chargera gratuitement un autre membre de l'association en échange d'une intervention sur son ordinateur en panne.

☞ Besançon (Franche-Comté)
Plus on jette plus on paie

[...] Pour faire face au coût croissant des déchets, le Grand Besançon a décidé, courant 1999, de responsabiliser les usagers en les taxant non plus selon la dimension de leur foyer et de leur maison mais en fonction de ce qu'ils rejettent réellement. La taxe d'enlèvement des ordures ménagères (TEOM) est devenue une redevance (REOM) calculée au volume de la poubelle grise (déchets non recyclables). Elle augmente si vous réclamez une poubelle plus grande et double s'il vous en faut une seconde.

Ça m'intéresse, septembre 2007.

☞ Suresnes (Île-de-France)
Permis contre travail

Pour tenter d'enrayer la progression du nombre de jeunes qui conduisent sans permis, la ville de Suresnes a trouvé une idée originale. Elle prend à sa charge jusqu'à 80 % du coût de l'examen (qui revient à 1 200 € environ). En échange, les 18-25 ans doivent proposer un projet à caractère humanitaire ou social. [...] « Nous leur demandons de s'engager pour trente heures, explique Jean-Loup Dujardin, chargé de mission à la politique de la ville et à la prévention. Il peut s'agir aussi bien d'encadrer des activités sportives que d'aider au soutien scolaire, ou encore de faire les courses pour une personne âgée. »

L'Express, 02/02/2006.

☞ Angers (Pays de la Loire)
Un théâtre durable

« Le Quai », le nouveau théâtre d'Angers est un exemple de réalisation durable. Tout a été conçu pour ne pas dépenser d'énergie et ne pas polluer : grande ouverture orientée vers le sud avec volets mobiles pour l'été, murs épais de béton qui garde la chaleur et isole du bruit. Circulation de l'air qui évite une grande partie de l'année l'utilisation de la climatisation.

☞ À Strasbourg (Alsace)
Vive le vélo !

Plus de 400 km de pistes cyclables. Des points Vélocation pour louer un vélo quand on arrive à la gare ou au parking. Plus de 1 600 places de stationnements pour vélos. Strasbourg est en France la pionnière de ce moyen de transport.

À l'exemple de sa voisine allemande Fribourg dans laquelle le vélo est parfaitement intégré.

☞ Toulouse (Midi-Pyrénées)
Un quartier autonome

C'est un record en Europe. Toulouse accueille chaque année 15 000 nouveaux résidents pour lesquels il faut trouver un logement.

Près de l'usine de construction de l'Airbus A380, la ville est en train de réaliser le plus grand quartier durable de France. Pas question de refaire les erreurs des « villes nouvelles » des années 60 avec leurs tours trop éloignées des centres-villes et coupées des activités commerciales et professionnelles.

Andromède est un quartier dans lequel maisons individuelles et petits immeubles s'élèvent au milieu de grands espaces naturels (un tiers de la superficie du quartier). Tous les équipements sont prévus (commerces, écoles, installations sportives) et la ville construit 14 000 m² de bureaux qui doivent créer 6 000 emplois auxquels s'ajouteront les emplois de service et de commerce.

Une ville autonome à quelques minutes du centre de Toulouse où l'on pourra aller grâce au tramway ou au métro.

▶ Découverte du document

1. Quelle est l'origine du document ? À qui s'adresse-t-il ? Que propose-t-il ?

2. Travail en petits groupes. La classe se partage les articles du document. Pour chaque article, complétez la fiche de présentation.

a. Nom de la réalisation ou de l'initiative : …

b. Lieu : …

c. À quel besoin correspond-elle ? …

d. Description rapide : …

e. Originalité et nouveauté : …

f. Opinions du groupe sur l'initiative : …

3. Présentez votre initiative à la classe.

🎧 Écoute du répondeur

a. Lisez le tableau de vocabulaire ci-dessous.

b. Écoutez les messages du répondeur. Complétez le tableau.

Message	Problème posé	Suggestion du correspondant

▶ Projet : une idée pour votre ville

1. Recherche d'idées en groupe
a. Faites la liste des défauts de votre ville.
b. Recherchez des idées pour les améliorer.

2. Développez et rédigez une idée pour améliorer la vie dans votre ville (individuellement ou en petits groupes).

3. Présentez vos idées et discutez.

La ville

• une ville – une agglomération (l'agglo) – le centre – la périphérie – la banlieue
• les déplacements – une voie piétonne – un espace piétonnier – le bus (un couloir de bus) – une piste cyclable – le métro – le tramway (une station, un arrêt)
• les services (crèches, écoles, etc., cliniques, hôpitaux – banques, assurances – poste)
• les équipements sportifs (stade, piscine, etc.), culturels (bibliothèque, théâtre, etc.)
• la qualité de vie : la qualité de l'air – le bruit – la propreté – le tri des déchets – la sécurité- les espaces verts

▶ **Caractériser, ajouter une information**

Voici l'armoire **où vous rangerez vos affaires,** le règlement **auquel nous sommes très attachés.** Le service **dont vous faites partie** est ici.

Voici le bureau **dans lequel vous serez** et l'ordinateur **sur lequel vous allez travailler.**

Et voici votre collègue, celui **avec qui vous allez faire équipe.** C'est Marc Jollis **qui a beaucoup d'expérience** et **que vous apprécierez.**

1 ■ **Observez les phrases ci-dessus. Quel mot caractérise chaque groupe en gras ?**

Réécrivez les phrases sans utiliser les pronoms relatifs.
Exemple : Voici une armoire. Vous rangerez vos affaires dans cette armoire.

2 ■ **Combinez les deux phrases en une seule.**

a. En utilisant « auquel, à laquelle, etc. »
• Samedi soir, je fais une petite fête. Tu es invitée à cette fête.
• Il y aura Paul et Lucie. Tu leur as parlé la dernière fois.
• J'ai prévu des activités. Tu t'intéresseras à ces activités.
• On fera un concours de danse. Tu participeras à ce concours.

b. En utilisant « préposition + lequel, laquelle, etc. »
• Fanny a une maison de campagne. Elle peut loger dix personnes dans cette maison de campagne.
• Elle a deux amies brésiliennes. J'ai fait une expédition en Amazonie avec elles.

• Elle a écrit un livre. Elle a eu le prix Femina pour ce livre.
• Elle est entourée d'animaux. Elle ne peut pas vivre sans ses animaux.

3 ■ **Complétez avec un pronom relatif.**

Un maire présente sa ville à des visiteurs.
a. Voici le terrain ... nous allons construire une piscine olympique.
b. Ici, vous voyez le Centre culturel ... nous avons inauguré l'an dernier. C'est un projet ... l'État a participé.
c. La pollution est un problème ... je suis très sensible. Ces bâtiments ... nous avons utilisé de nouveaux matériaux permettront de faire des économies d'énergie.
d. Voici le jardin public près ... se trouve le lycée.

4 ■ **Imitez le texte ci-dessus. Présentez votre logement et les objets intéressants qu'il contient.**

Voici le dictionnaire de français avec lequel j'ai passé mon examen.

LES PRONOMS RELATIFS COMPOSÉS

Grâce aux pronoms relatifs, on peut ajouter des informations à propos d'un nom ou d'un pronom.
*Je connais un restaurant [**qui** n'est pas cher] et [**que** les artistes fréquentent].*
1re information   2e information   3e information

Le pronom relatif représente le nom ou le pronom qui le précède.
*Voici votre collègue, **celle** avec qui vous ferez équipe.*

Le choix du pronom relatif dépend de la fonction grammaticale du mot qu'il remplace (pour les pronoms relatifs déjà étudiés voir page 171)

1. Le pronom relatif représente une personne ou une chose complément indirect introduite par la préposition « à »
• **préposition + à qui** (seulement pour les personnes)
*J'ai rencontré la personne **à qui** tu as vendu ta maison*

• **auquel** (à laquelle, auxquels, auxquelles)
*J'habite le XIIe arrondissement, un quartier **auquel** je suis habitué. (Je suis habitué à ce quartier)*
*L'association **à laquelle** j'appartiens...*
*Les sujets **auxquels** je m'intéresse...*
*Les amies **auxquelles** tu penses...*

2. Le pronom relatif représente un complément indirect introduit par une préposition autre que « à » et « de »

• **préposition + lequel** (laquelle, lesquels)
*Voici l'immeuble **dans lequel** se trouve mon bureau.*
*La thèse **sur laquelle** il a travaillé cinq ans est terminée.*

3. Le pronom relatif représente un complément introduit par une expression du type « à côté de », « près de », etc.
• **duquel** (de laquelle, desquels, desquelles)
*Voici le square **à côté duquel** j'habite.*

▶ **Utiliser les pronoms compléments**

Elle est célibataire ? Tu le lui as demandé ?

Oui, elle me l'a dit.

Tu lui as donné du travail ?

Oui, je lui en ai donné.

J'ai reçu des chocolats d'un client.

Offre-m'en un !

1 ■ **Observez les constructions ci-dessus. Trouvez ce que représente chaque pronom en gras.**

le → Est-ce qu'elle est célibataire ?

lui ...

Repérez les différents types de constructions.

2 ■ **Répondez en utilisant la construction avec deux pronoms.**

Deux amies parlent de leurs compagnons

• Est-ce que François te présente ses copains ?

– Oui, il me les présente.

• Et toi, tu lui présentes tes amis ?

– Oui, je ...

• Est-ce qu'il te fait des cadeaux ?

– Oui, ...

• Est-ce qu'il te prête sa voiture ?

– Non, ...

• Et toi, tu lui prêtes la tienne ?

– Oui, ...

• Est-ce qu'il te demande de l'argent quelquefois ?

– Oui, ... souvent

• Et dans ce cas, qu'est-ce que tu fais ?

– Je ...

3 ■ **Répondez en utilisant la construction avec deux pronoms.**

Luc admire une chanteuse célèbre. Il est allé la voir dans sa loge.

• Tu lui avais apporté des fleurs ? – Oui, je ...

• Elle t'a dédicacé sa photo ? – Oui, elle ...

• Tu lui as donné ton numéro de téléphone ? – Oui, ...

• Elle t'a donné le sien ? – Non, ...

Construction avec deux pronoms

1. Objet indirect + objet direct (avec les 1re et 2e personnes du verbe)

– *Marie **te** raconte **sa vie** ?*

– *Elle **me la** raconte.*

Elle	me	vous		+	le	la		+ verbe
	te	nous				les		

2. Objet direct + objet indirect (avec la 3e personne)

– *Marie raconte **sa vie** à **Pierre.***

– *Elle **la lui** raconte*

Elle	le	la		+	lui		+ verbe
		les			leur		

3. Objet indirect + pronom « en »

– *Marie fait **des cadeaux** à **tes enfants** ?*

– *Elle **leur en** fait.*

Elle	me	tu	lui		+ en	+ verbe
	nous	vous	leur			

4. Au passé composé

*Sa vie... Elle **me l'**a racontée.*

*Elle ne **la lui** a pas racontée.*

*Des cadeaux... Elle **leur en** a fait.*

*Elle ne **m'en** a pas fait.*

N.B. *me, te, le, la devant voyelle → m', t', l'.*

5. À l'impératif

• **Construction fréquente à l'impératif négatif**

*Ton histoire, ne **la lui** raconte pas.*

*Des cadeaux, ne **leur en** fais pas.*

• **Moins fréquent à l'impératif**

*Raconte-**la-moi**. Donne-**m'en**.*

▶ 🎧 **La grammaire sans réfléchir**

Préparez vos réponses. Elles sont très souvent utilisées dans la conversation.

1 ■ **Au passé composé**

• Tu as dit à Marie de venir ?

– Je le lui ai dit.

2 ■ **Au futur**

• Il te prêtera son appartement.

– Il me le prêtera.

Vent de révolte

4 - Bon vent, les éoliennes

1

Le dimanche matin.

Yasmina : Allô, Loïc ?
Loïc : Bonjour, Yasmina, tu as bien dormi ?

Transcription

Yasmina : Je voulais aussi te dire... Tu es au courant des dégradations à la mairie ?
Loïc : Oui, on m'en a parlé.
Yasmina : Eh bien, je les ai vus.
Loïc : Ceux qui ont fait le coup ?
Yasmina : Oui.
Loïc : Quand ça ?

Yasmina : En revenant de chez toi. C'était... quoi ? 2 heures ?
Loïc : Oui, à peu près.
Yasmina : Pour rentrer à Saint-Martin, j'ai pris la route qui traverse Le Crayeux. En passant devant la mairie, j'ai vu trois jeunes et un plus âgé... et celui-là, je l'ai reconnu.
Loïc : Ce n'était pas Labrousse ?
Yasmina : Non, j'hésite à te le dire... C'était Duval.
Loïc : Ah, l'ordure... J'ai compris. Il a fait ça pour casser Labrousse et son association... Alors qu'est-ce que tu vas faire ?
Yasmina : Rien. Duval, c'est mon meilleur allié, c'est grâce à lui que je vais vendre mes éoliennes. Mais je ne suis pas d'accord avec ses méthodes. Alors toi, tu peux peut-être en parler au maire.
Loïc : C'est ce que je vais faire.
Yasmina : Mais ce n'est pas moi qui te l'ai dit, d'accord ? Tu ne me mêles pas à cette affaire ?
Loïc : Je te le promets.

2

Le 15 juin, à la préfecture d'Amiens.

La préfète : Avant de commencer je vais faire les présentations bien que la plupart d'entre vous se connaissent. Alors, à ma droite...

Transcription

La préfète : Donc, je vous ai réunis pour faire le point sur les éoliennes, un sujet sur lequel on a dit beaucoup de choses dans les journaux et ailleurs... Sur cette question, je tiens à le préciser, les intérêts de la collectivité doivent passer avant les intérêts particuliers. D'un côté, il est impossible de construire les éoliennes sur la commune du Crayeux en raison du parc naturel ; la loi est très précise sur ce point. Mais d'un autre côté, nous ne pouvons pas laisser Le Crayeux sans ressources. Je propose donc que toutes les communes de la région se regroupent dans une communauté de communes et que les grandes questions soient réglées au niveau de la communauté.

Je donne un exemple. Les éoliennes pourraient être installées sur la commune de Saint-Martin, loin du parc naturel, mais les revenus de cette activité iraient à la communauté. Et la communauté recevrait aussi les revenus touristiques du Crayeux...

3

Deux heures après, dans les jardins de la préfecture.

G. Labrousse : C'est étonnant, votre adjoint Duval n'est pas là ?
Le maire : Duval a démissionné. Vous ne le saviez pas ?
G. Labrousse : Ça alors. Duval qui donne sa démission !
Le maire : Oui, il n'est pas très en forme en ce moment, Duval.

La préfète : Et alors, dites-moi, cette affaire de dégradations dans votre mairie, où ça en est ?
Le maire : On a trouvé les coupables.
La préfète : Mais je n'en ai rien su.
Le maire : Vous savez, au Crayeux, on lave son linge sale en famille.

Gaëlle : Elles sont délicieuses, ces tapas. Je ne sais pas ce que c'est.
Loïc : Des coques.
Gaëlle : Qu'est-ce que c'est bon !
Loïc : Il y en a plein la baie. Il suffit de baisser les yeux. Mais c'est vrai que vous, vous regardez les oiseaux.
Gaëlle : Les oiseaux se posent quelquefois pour manger des coquillages.
Loïc : C'est la spécialité de mon restau. Il faut venir les goûter.
Gaëlle : Je ne dis pas non.
Loïc : Pourquoi pas ce soir ? Je vous invite.

Compréhension et simulations

 1. *Scène 1.*

a. Transcrivez le début de la scène.

b. Écoutez la fin de la scène. Reconstituez l'emploi du temps de Yasmina depuis la scène 3 de la page 146.

c. Quelle information apporte Yasmina ? Pourquoi donne-t-elle cette information à Loïc ?

 2. Scène 2.

a. Écoutez la première partie de la scène (non transcrite). Faites la liste des personnes présentes à la réunion.

Nom	Titre
Mme Richer-Lanson ...	Députée d'Abbeville

b. Écoutez la suite de la scène. Quelle solution propose la préfète ?

 3. *Scène 3.*

a. Que s'est-il passé entre Duval et le maire ?

b. Imaginez une suite à l'histoire.

Enchaîner des idées

- **Succession d'idées**
D'abord (premièrement) ... Ensuite (après) ... Enfin (pour finir) ...
Premièrement ... Deuxièmement ...
- **Idée complémentaire**
De plus ... Par ailleurs
- **Idées parallèles ou opposées**
D'un côté ... De l'autre – D'une part ... D'autre part
- **Pour insister**
J'insiste sur un point ... J'attire votre attention sur ... Je pense que ...

 ## Prononciation

Enchaînement des constructions avec deux pronoms.

Secret
Je lui en ai parlé. Je le lui ai montré.
Elle me l'a demandé. Je le lui ai prêté.
Elle me l'a rendu en me disant tout bas
Ne le leur dites pas. Ne leur en parlez pas.
Ou bien je suis perdue !

C'est tellement mieux ailleurs

« L'herbe est toujours plus verte dans le pré du voisin », dit le proverbe. Les Français, depuis quelques années, semblent fascinés par l'étranger. Dans la liste de leurs plats préférés, le steak-frites n'arrive qu'en 3ᵉ position derrière le couscous et les spaghettis bolognaise. Les jeunes rêvent de travailler en Irlande ou en Australie et dans tous les débats politiques, on cite en exemple le modèle social suédois ou les choix écologiques allemands.

**Pourrait-on vivre mieux en prenant un peu partout ce qu'il y a de meilleur ?
Voici quelques-uns de nos choix que chacun complétera selon son expérience.**

Rythmes de vie, suivez l'Espagne

Voici plus ou moins comment se passe une journée en Espagne. Plus on va vers le sud et plus le rythme tend à être lent : petit déj' vers 10 heures pour les plus courageux, apéro tapas sur les coups de 14 heures et à 15 heures on passe à table pour reprendre l'après-midi vers 17 heures. Le soir, on dîne vers 22 heures pour sortir vers minuit faire un tour, boire un pot ou aller écouter de la musique et danser. Aux heures d'apéritif et la nuit, on croise les jeunes dans les bars qui offrent des tapas, petites assiettes d'amuse-gueule qui sont souvent extraordinairement bonnes et très méditerranéennes (à base d'huile d'olive). L'ambiance est souvent à la fête et le contact humain chaleureux.

C'est donc un rythme qu'il faut prendre pour réellement profiter de l'Espagne. Si on passe à côté, on loupe sans doute ce qui fait l'âme de l'Espagne.

Par l'équipe de Zetud.Net.

Petit déjeuner, préférez la Pologne

Le petit déjeuner polonais est riche et varié.
Il se compose généralement :
– d'un verre de jus de fruit
– de charcuteries diverses (jambon, saucisson, pâté)
– de tranches fines de fromages
– d'un œuf dur
– de tranches de tomates
– de radis, de concombre
– de miel ou de confitures
– de différentes sortes de pains noirs ou blancs.
– de « zupa mieczna », soupe au lait avec des céréales.

www.toutleurope.fr (actualités européennes)

Prendre son bain... à Budapest

Budapest compte plus d'une centaine de sources thermales riches en calcium, magnésium, sulfates... Un bon cocktail pour rhumatisants, cardiaques et autres stressés et tout ça dans des décors magiques, ottoman ou Art déco. Certaines sources datent des Romains, d'autres ont été découvertes par les Turcs.
Variez votre menu comme vous l'entendez : piscine froide, puis bain thermal chaud (hmm !) suivi d'un massage. Vous en sortirez rajeuni de dix ans.
Les bains Gellért. L'établissement le plus célèbre, le plus cher et le plus touristique. Superbe décor Art nouveau, intérieur et extérieur. Magnifique piscine intérieure aux murs couverts de mosaïques, une autre dans le jardin, avec, toutes les heures, de fausses vagues en été (ce fut la première piscine à vagues d'Europe !).

Le Guide du routard, 2004-2005.

Veiller... au Québec

« Imaginez quelques maisons autour d'un lac, dans une forêt de Mauricie au Québec, à deux heures de voiture du premier village. C'est là que nous avons acheté notre maison de campagne, il y a trois ans. Nous y avons trouvé le calme, la nature et bizarrement aussi la convivialité.

J'aime les soirs d'été... Après le souper – c'est le dîner au Québec et on le prend tôt –, il y a toujours quelqu'un pour faire un grand feu de bois et pour inviter les voisins de manière improvisée. Chacun arrive avec quelque chose : de la bière, une tarte aux bleuets (1)... On discute : les dernières nouvelles, les résultats du concours de pêche, les histoires qui se sont passées dans le pays... et on chante des chansons québécoises ou de vieilles chansons françaises.

Catherine, Avignon.

(1) Sortes de myrtilles.

Se marier... à Tahiti

Descendant de la pirogue à balancier au Tiki Village, les futurs époux accostent sur la plage, accueillis par les villageois au son des ukulélés. On conduit la mariée dans le faré bambou pour y être apprêtée par les femmes du village. Massée à l'huile de monoï, on l'habille ensuite en princesse tahitienne. Son fiancé, emmené en pirogue sur une plage à proximité du village, y est tatoué (au feutre) et habillé en grand chef. On l'accompagne au village où la mariée, le grand prêtre et les villageois, tous vêtus de costumes de fête traditionnels, le reçoivent en musique.

Après les présentations, le grand prêtre invite les futurs époux à pénétrer sur le marae, temple tahitien de pierre, face au lagon, où il va les unir. La cérémonie se déroule en tahitien et est traduite par un interprète. Les mariés sont bénis puis reçoivent leurs noms tahitiens et ceux de leurs futurs enfants. Ils se dirigent ensuite vers la chaise royale, et fleuris de couronnes et de colliers, ils sont portés par quatre guerriers pour obtenir leur certificat de mariage traditionnel en tapa (écorce de l'arbre à pain).

On leur sert le champagne tandis que les jeunes filles du village leur offrent un spectacle de danse et les invitent à se joindre à elles avant qu'ils n'embarquent sur la pirogue royale pour une promenade romantique au son des ukulélés et des guitares.

Les jeunes mariés rejoignent alors un somptueux faré royal flottant.

Geneviève Mansion, *Tant de choses à faire avant de mourir*,
© Agence Serendipity, 2005

Lecture des quatre premiers documents

1. Lisez le titre. Cherchez l'explication de ce titre dans l'introduction.

2. Partagez-vous les quatre articles. Lisez chaque article en vous aidant d'un dictionnaire. Notez les particularités. Comparez-les aux habitudes françaises et à celles de votre pays.

3. Présentez l'article à la classe et discutez.

Lecture de « Se marier... à Tahiti »

(Travail collectif ou en petits groupes)

1. Lisez le texte. Classez le vocabulaire.

Les actions des personnes	Les objets	Les personnages	Les lieux
Arrivée en pirogue	Une pirogue à balancier	Les futurs époux	La plage de Tiki Village

2. Faites la liste des étapes du mariage.

3. Notez les différences avec une cérémonie de mariage dans votre pays.

▶ Continuez le dossier « C'est tellement mieux ailleurs »

1. Quel mode de vie aimeriez-vous importer dans votre pays ou en France ?
Rédigez un petit texte pour le présenter.

2. Exposez-le à la classe.

Évaluez-vous

1 Vos compétences et vos connaissances faciliteront votre adaptation à la société française. .../10

Répondez « oui » ou « non ». Comptez les « oui » et notez-vous.

a. Vous connaissez un peu l'organisation politique et administrative d'une ville et d'une région française. ...

b. Vous pouvez comprendre des textes et des conversations qui portent sur une ville ou une région. ...

c. Vous connaissez un peu l'organisation politique et administrative de la France. ...

d. Vous pouvez citer les noms du président de la République, du Premier ministre, des principaux partis politiques, des principaux syndicats. ...

e. Vous connaissez les emblèmes de la République (drapeau, hymne, etc.). ...

f. Vous pouvez comprendre le sujet d'un article ou d'une conversation portant sur l'économie. ...

g. Vous savez repérer ce qui est interdit, toléré, autorisé. ...

h. Vous savez demander une autorisation. ...

i. Vous savez comment vous informer. ...

j. Vous savez comment faire valoir vos droits en cas de problème. ...

2 Vous connaissez la vie publique en France. .../10

Dites si les phrases suivantes sont vraies ou fausses.

a. En France, le président de la République est le chef du parti qui a gagné les élections. ....

b. Il y a 21 régions en France. Chaque région a une grande autonomie dans les domaines culturel, éducatif et économique. ....

c. En France, il y a beaucoup de fonctionnaires. ....

d. La devise de la France est Liberté, Égalité, Prospérité. ....

e. En France, l'agriculture et l'industrie alimentaire sont des secteurs importants de l'économie. ....

f. La France produit du pétrole. ....

g. L'énergie nucléaire compense une partie des besoins en électricité. ....

h. La plupart des enfants français vont à l'école publique. ....

i. La gendarmerie est la police des campagnes. ....

j. Plus de la moitié des Français sont des catholiques pratiquants. ....

3 🎧 Vous comprenez une explication. .../10

Pierre Norois, petit industriel installé à Port-Camargue, est interviewé pour l'émission de radio « Réussites ». Écoutez et cochez les bonnes cases.

Pierre Norois s'est installé

☐ au bord de l'Atlantique   ☐ il y a quelques années

☐ au bord de la Méditerranée   ☐ récemment

Il fabrique

☐ des toiles de tentes   ☐ des voiles de bateaux   ☐ des drapeaux   ☐ des rideaux

☐ Il a continué l'activité de ses parents en se spécialisant.

☐ Il a choisi une activité totalement différente.

Il fait fabriquer

☐ en France   ☐ parce qu'on ne trouve pas d'ouvriers

☐ à l'étranger   ☐ parce que le travail coûte moins cher

Quels sont les avantages pour lui ?

☐ À Port Camargue, il y a beaucoup de bateaux.   ☐ Ses clients sont contents de venir le voir.

☐ Il peut inviter ses amis.   ☐ Il peut faire de la planche à voile.

☐ Le climat est agréable.   ☐ Il vend beaucoup de planches à voile.

4 **Vous comprenez un texte sur la politique de la ville.** .../10

L'auteur parle de la ville de Fribourg en Allemagne.

À peine débarqué du train, le visiteur se retrouve dans une ambiance qui évoque les villes flamandes, danoises ou hollandaises. Partout le vélo est roi : le réseau de pistes cyclables dépasse les 500 kilomètres alors qu'il n'atteint pas les 100 kilomètres dans la plupart de nos villes.

Les habitants de Fribourg se plaisent à souligner que pour deux habitants on ne dénombre pas moins de trois bicyclettes. Tout près de la gare, voici la maison du Vélo, inaugurée en 1999 : un bâtiment tout rond en bois, avec éclairage solaire et toit végétalisé. Dans cette sorte de Roissy de la bicyclette, on trouve un parking pour les voitures d'une entreprise de carsharing (entendez « auto-partage »). Ces voitures sont mises à la disposition des habitants vingt-quatre heures sur vingt-quatre, dans tous les quartiers, avec une accessibilité plus facile et plus rapide que les traditionnels systèmes de location. Au premier étage de la maison du Vélo, un garage gardé jour et nuit, d'une capacité de mille bicyclettes, et au deuxième étage les services offerts aux cyclistes : réparations, pièces de rechange, location d'équipements comme sièges pour enfants ou remorques, agence de voyages, spécialisée dans les excursions à deux roues, etc. Ce parking à vélo est très bon marché et permet l'accès direct des habitants au train, au bus et au tram.

Bref, à Fribourg, le vélo a fini par supplanter la voiture. Mais la municipalité a tout fait pour cela : la quasi-totalité des quartiers est en zone « 30 kilomètres à l'heure », les places de stationnement ont été réduites, les tarifs des parkings automobiles augmentés. Alors que les déplacements urbains ont crû de 30 % en trente ans, la part des voitures est tombée de 60 % à 37 %.

Jean-Marie Pelt, *C'est vert et ça marche*, © Fayard, 2007

Lisez le texte ci-contre. Dites si les affirmations suivantes sont vraies ou fausses. Indiquez la phrase du texte qui le prouve.

a. À Fribourg, circuler à vélo est plus facile que dans une ville française.
b. Chaque Fribourgeois a plusieurs vélos.
c. La maison du Vélo a été construite selon les normes écologiques.
d. On peut facilement passer des transports en commun au vélo.
e. Quand on a besoin d'une voiture, il est facile d'en louer une.
f. Dans la maison du Vélo, on peut garer sa voiture.
g. La municipalité de Fribourg a développé les transports en commun.
h. Elle encourage les trajets à plusieurs dans une même voiture.
i. Il est facile de se garer dans le centre-ville.
j. On ne peut pas rouler à plus de trente kilomètres à l'heure.

5 **Vous savez formuler une interdiction, une autorisation, un avertissement.** .../10

Préparez le dialogue entre l'automobiliste et l'ouvrier. Lisez-le ou jouez-le devant la classe. Décidez ensemble d'une note.

« C'est interdit ! »

« À vos risques et périls ! »

« Je vous l'avais bien dit ! »

6 **Vous savez rédiger un projet.**
.../10

Vous avez une passion (le sport, la lecture, la musique) ou vous voulez défendre une cause (pour l'amélioration de votre ville, pour l'éducation des enfants en difficulté).
Pour regrouper des personnes qui ont la même passion ou qui défendent la même cause, vous voulez créer une association.
Vous allez rédiger votre projet d'association (10 lignes maximum). Vous indiquerez :

(1) pourquoi cette association sera utile
(2) les actions futures de l'association
(3) la date et le lieu de la première réunion pour les personnes intéressées
(4) comment vous contacter

Lisez votre projet à la classe et décidez ensemble d'une note.

7 **Vous comprenez des informations à la radio.**
.../10

Écoutez ces informations extraites d'un journal à la radio.
Pour chaque nouvelle, complétez le tableau.

	Événement	Date	Lieu	Causes de l'événement	Conséquences
1	Grève des cours par les étudiants				
2					

Corrigez ensemble et notez-vous.

8 **Vous comprenez et vous pouvez donner une explication.**
.../10

a. Lisez l'article ci-contre. Relevez les ressemblances et les différences entre la situation des immigrés et des non-immigrés. Quelles explications pouvez-vous donner de ces différences ?

b. Si vous deviez aujourd'hui vivre en France ou dans un pays francophone, pensez-vous qu'il vous serait facile ou difficile de vous adapter ? Expliquez pourquoi en quelques lignes.

Le point sur l'intégration des immigrés en France

Les modes de vie familiaux se rapprochent...
Au cours des dernières décennies, la vie familiale des immigrés a connu les mêmes évolutions que celle de l'ensemble de la population, avec notamment un accroissement du nombre de personnes seules et de familles monoparentales, des ruptures et remises en couple plus fréquentes [...]. Comme l'ensemble de la population, les immigrés commencent leur vie de couple sans être mariés, mais ce mode d'entrée en union reste encore peu fréquent pour ceux venus du Maghreb ou de Turquie.

... mais l'intégration économique et sociale des immigrés est difficile
Compte tenu d'une structure d'âge différente, 78 % des hommes immigrés avaient un emploi ou en cherchaient un en 2004, contre 75 % des non-immigrés. Le taux d'activité des hommes est supérieur de 21 points à celui des femmes, contre 10 points pour les non-immigrés. La répartition professionnelle des actifs étrangers est très différente de la population française d'origine. On compte parmi eux beaucoup plus d'ouvriers, d'artisans et de commerçants. Ils sont au contraire sous-représentés parmi les employés, les cadres et les professions intellectuelles supérieures.

Rachida Dati, Garde des Sceaux, ministre de la Justice, et Rama Yade, secrétaire d'État auprès du ministre des Affaires étrangères, en 2007, toutes deux issues de l'immigration, exemples d'une réussite sociale.

Gérard Mermet, *Francoscopie 2007* © Larousse 2006.

9 **Vous utilisez correctement le français.** .../10

a. Mettez les verbes au futur antérieur.

L'anniversaire

Ce soir, c'est l'anniversaire de ma copine Julie. Je veux lui faire une surprise. À 19 heures, j'(*préparer*) un bon repas. Une amie (*venir*) m'aider. Nous (*décorer*) le salon et nous (*mettre*) la table. À 20 heures, quand Julie rentrera du travail, je (*s'habiller*), tous ses amis (*arriver*). Les cadeaux (*être placés*) sur une petite table. Le champagne (*être mis*) au frais. Tout le monde (*se regrouper*) pour chanter « Bon anniversaire ».

b. Condition et restriction. Vous êtes d'accord mais vous posez vos conditions. Continuez la réponse en utilisant l'expression entre parenthèses.

• Tu peux me prêter de l'argent ?
– Oui... (à *condition que...*)
• On fait une balade dimanche ?
– D'accord... (*ça dépend...*)
• Tu peux me prêter ta voiture ?
– Oui... (à *moins que...*)
• Je déménage le week-end prochain. Tu peux venir m'aider ?
– Pas de problème... (*sauf si...*)

c. Expression de la cause. Lisez ces titres de presse et leur sous-titre. Rédigez une phrase pour expliquer la cause de l'événement. Utilisez les expressions données une seule fois.

à *cause de – car – être causé par – grâce à – venir de*
• **Loi sur les universités**. Les étudiants en grève
• **Fête du 14 juillet**. Circulation interdite sur les Champs-Élysées
• **Victoire de l'équipe de Marseille**. Deux buts de Ribéry
• **La sécheresse dure depuis six mois**. Mauvaise récolte de blé
• **Reprise de l'immigration**. Manque de main-d'œuvre.

d. Voici deux projets de loi et leurs conséquences. Rédigez ces notes en n'utilisant qu'une fois les verbes suivants.

causer – créer – entraîner – permettre – provoquer
• Suppression du baccalauréat
→ économies réalisées
→ diminution de la motivation des étudiants
• Ouverture des magasins le dimanche
→ nouveaux emplois
→ relance de l'économie
→ difficultés d'organisation pour les employés

e. Le subjonctif passé. Mettez le verbe entre parenthèses au temps qui convient.

Un cadre ambitieux

Dans six mois, il faut que nous (*gagner*) le marché asiatique.

L'année prochaine, je veux que l'entreprise (*doubler*) son chiffre d'affaires et que nous (*arriver*) en tête des entreprises du secteur.

J'aimerais que le directeur général (*démissionner*) avant la fin de l'année.

Il faut qu'avant le 1er janvier le conseil d'administration m'(*élire*) directeur général.

f. Les propositions relatives. Continuez les deux phrases en utilisant un pronom relatif (*dont, auquel, lequel*, etc.).

Au Centre Georges-Pompidou
• Voici un tableau de Matisse. Ses couleurs sont éclatantes.
• Pour cette œuvre, César a ressemblé des objets. Avec ces objets, il a fait une sculpture.
• Ici Yves Klein a exposé une toile blanche. Au milieu de cette toile, il a peint un point bleu.
• Marcel Duchamp a fait une copie de *La Joconde*. Il a rajouté des moustaches à *La Joconde*.
• Ce sont des œuvres étranges. J'ai du mal à m'habituer à ces œuvres.

Évaluez vos compétences		
	Test	Total
• Votre compréhension de l'oral	3 + 7	... / 20
• Votre expression orale	1 + 5	... / 20
• Votre compréhension de l'écrit	2 + 4	... / 20
• Votre expression écrite	6 + 8	... / 20
• La correction de votre français	9	... / 20
	Total	**.../100**

... dans l'écriture

Projet : ma vie est un roman

« Un roman est un miroir qui se promène le long d'une route », fait dire l'écrivain Stendhal à l'un des personnages du roman *Le Rouge et le Noir*.

Il y a dans les romans beaucoup de scènes que nous aurions pu vivre ou qui nous rappellent des souvenirs. Les scènes suivantes vous montreront que la réalité n'est jamais loin de la fiction.

Inversement, il y a dans notre vie des moments qui pourraient devenir des scènes de roman. N'avez-vous jamais dit à propos de certains événements : « On pourrait en faire un roman » ?

Choisissez un de ces moments et rédigez-le sous forme d'un petit récit.

Lisez le récit à la classe et rassemblez les différents récits dans un recueil.

► Une situation embarrassante

Malavita, **Tonino Benacquista**

> **1. Lisez l'extrait de Malavita. Relevez : a. les mensonges de Blake ; b. les situations embarrassantes ; c. comment Blake cherche à sortir de la situation.**
>
> **2. Recherchez quelques situations embarrassantes que vous avez vécues ou dont vous avez été le témoin.**

Frédéric Blake (Fred) est un ancien membre de la mafia new-yorkaise, en fuite parce qu'il a trahi les siens.
Avec sa femme et ses deux enfants, il est condamné à changer souvent de logement mais aussi à s'inventer chaque fois un nouveau nom et un nouveau métier.
Dans la scène suivante, les Blake viennent de s'installer à Cholong-sur-Avre, en Normandie. Ils ont loué une maison. Fred décide de faire la connaissance de son voisin qui travaille dans son jardin.

– Nous sommes américains et nous avons emménagé hier.

– ... Américains ?

– C'est une bonne ou une mauvaise nouvelle ?

– Vous avez choisi la France ?

– Ma famille et moi, nous voyageons beaucoup à cause de mon métier.

Voilà où Frédéric voulait en venir depuis le début, il s'était aventuré dans le jardin à seule fin de prononcer un mot, un seul. Depuis la découverte de la Brother 900[1], il lui tardait de présenter au monde son nouveau personnage de Frédéric Blake.

– C'est quoi votre métier ?

– Je suis écrivain.

– ... Écrivain ?

La seconde qui suivit fut délicieuse.

– C'est passionnant, ça, écrivain... plutôt des romans ?

Fred avait anticipé la question :

– Oh non, peut-être plus tard, pour l'instant j'écris sur l'Histoire. On m'a commandé un bouquin sur le Débarquement[2], raison de ma présence ici [...].

– Ah, ce Débarquement... Est-ce qu'on se lassera un jour de raconter ces journées-là ? Nous, à Cholong, on est un peu loin du théâtre des opérations.

– Ce bouquin sera une sorte d'hommage à nos Marines, dit Fred pour écourter la conversation. Et puis, j'y pense, ma femme et moi allons organiser un barbecue, pour lier connaissance, faites passer le mot aux gens du quartier.

– Des Marines ? Je pensais que seuls les GI avaient débarqué ?

– ... J'aimerais parler de tous les corps d'armée, à commencer par la flotte. Bon, vous n'oubliez pas pour le barbecue, hein ?

– Vous allez sans doute consacrer un chapitre à l'opération Overlord[2] ?

– ... ?

– On comptait comme sept cents vaisseaux de guerre, non ?

– Un vendredi, ce serait parfait, celui de la semaine prochaine, ou celle d'après, je compte sur vous.

En filant vers la véranda, Fred se mit à regretter de ne pas écrire de romans.

© Éditions Gallimard, 2004.

1. *Brother 900* : ancienne machine à écrire.

2. En 1944, la France est occupée par l'Allemagne de Hitler. Les Alliés (Anglais, Américains, Canadiens, etc.) décident de débarquer en Normandie. Cette opération avait pour nom de code « Overlord ».

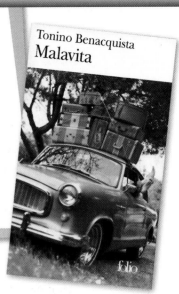

Tonino Benacquista
Malavita

folio

▶ Une situation tendue

Le Gone[1] du Chaâba, **Azouz Begag**

1. Lisez l'extrait du *Gone du Chaâba*. Relevez les détails qui montrent :
a. qu'on est dans un quartier pauvre des années 1960 ;
b. qu'il s'agit d'une population d'immigrés.
2. Comment peut-on expliquer le comportement des deux femmes ?
3. Recherchez en petits groupes des situations de conflits, de disputes, etc., que vous avez vécues ou dont vous avez été témoin.

Azouz **Begag**
Le gone du Chaâba

Fils d'immigrés algériens, Azouz Begag raconte son enfance dans un bidonville[2] de Lyon : le Chaâba. L'histoire se passe dans les années 1960.

Zidouma fait une lessive ce matin. Elle s'est levée tôt pour occuper le seul point d'eau du bidonville : une pompe manuelle qui tire de l'eau potable du Rhône, l'bomba (la pompe) [...]. Elle n'en finit pas de répéter les opérations. Le temps passe. Elle sait bien qu'au *Chaâba* il n'y a qu'un seul puits, mais son comportement indique une volonté précise. Elle tient à prendre son temps, beaucoup de temps. Et que quelqu'un s'aventure à lui faire la moindre remarque, il va comprendre sa douleur ! Justement ce quelqu'un attend à quelques mètres. C'est la voisine de Zidouma qui habite dans le baraquement collé au sien. Des deux mains, elle tient un seau dans lequel s'amoncellent[3] des draps sales, des vêtements pour enfants, des torchons... Elle patiente, elle patiente... Zidouma infatigable ne daigne[4] même pas tourner les yeux, bien qu'elle ait senti depuis quelques minutes déjà une présence dans son dos qui marque des signes d'énervement. Elle ralentit même ses mouvements.

Et la voisine patiente toujours, elle pati... non, elle ne patiente plus. Laissant tomber son seau, elle charge, tel un bouc, sur sa rivale. Le choc est terrible. Les deux femmes s'empoignent dans des cris de guerre sortis du tréfonds des gorges.

Attirées par l'agitation, les autres femmes sortent des baraques...

© Éditions du Seuil, 1986.

1. Gone : un enfant dans la langue régionale de Lyon.

2. *Bidonville* : quartier où la population très pauvre a construit elle-même des baraquements (habitation faite avec des objets trouvés çà et là). Les derniers bidonvilles ont disparu au début des années 1970.

3. *S'amonceler* : former un tas ; s'entasser.

4. Zidouma ne se retourne pas, par mépris pour sa voisine.

Une situation étrange

Et si c'était vrai..., **Marc Lévy**

Arthur vient de rentrer chez lui. Il prend une douche en écoutant la radio. Tout à coup il entend un claquement de doigts qui accompagne la musique. Mais le bruit ne vient pas de la radio...

À bien entendre, il semblait que le claquement de doigts qui accompagne la mélodie provenait de la penderie. Intrigué, il sortit de l'eau, et marcha à pas de loup vers les portes du placard, pour mieux entendre. Le bruit était de plus en plus précis. Il hésita, prit son souffle et ouvrit brusquement les deux battants. Ses yeux s'écarquillèrent, il fit un mouvement de recul. Cachée entre les cintres, il y avait une femme, les yeux clos, apparemment envoûtée par le rythme de la chanson, faisant claquer son pouce contre son index, elle fredonnait.

– Qui êtes–vous, qu'est-ce que vous faites là ? questionna-t-il.

La femme sursauta et ouvrit ses yeux en grand.

– Vous me voyez ?

– Bien sûr que je vous vois.

Elle semblait totalement surprise qu'il la regarde [...].

Elle prit Arthur par le poignet et lui demanda s'il la sentait quand elle le touchait. L'air excédé, il confirma avec fermeté qu'il avait senti quand elle l'avait touché, qu'il la voyait et l'entendait parfaitement [...].

[*La jeune femme refuse de dire qui elle est. Elle semble seulement heureuse.*]

– Soyez gentille, prenez vos affaires et rentrez chez vous, et puis sortez de ce placard à la fin.

– Doucement, ce n'est pas si facile que ça, je ne suis pas d'une précision absolue, quoique ça s'améliore ces derniers jours.

– Qu'est-ce qui s'améliore depuis quelques jours ?

– Fermez les yeux, j'essaie.

– Vous essayez quoi ?

– De sortir de la penderie, c'est ce que vous voulez, non ? Alors fermez les yeux, il faut que je me concentre, et taisez-vous deux minutes.

– Vous êtes folle à lier !

– Oh, ça suffit d'être désagréable, taisez-vous et fermez les yeux, on ne va pas y passer la nuit.

Décontenancé, Arthur obéit. Deux secondes plus tard il entendit une voix qui provenait du salon.

– Pas mal, juste à côté du canapé mais pas mal.

Il sortit précipitamment de la salle de bains et vit la jeune femme assise par terre au centre de la pièce.

© Éditions Robert Laffont, 2000.

---

1. Lisez l'extrait de *Et si c'était vrai*.

a. Relevez tout ce qui est bizarre

b. Imaginez qui est cette femme. D'où vient-elle ?

2. Recherchez en petits groupes des situations étranges que vous avez vécues ou dont vous avez été témoin.

Les noms et les déterminants

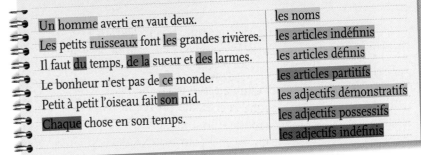

Un homme averti en vaut deux.	les noms
Les petits ruisseaux font **les** grandes rivières.	les articles indéfinis
Il faut **du** temps, **de la** sueur et **des** larmes.	les articles définis
Le bonheur n'est pas de **ce** monde.	les articles partitifs
Petit à petit l'oiseau fait **son** nid.	les adjectifs démonstratifs
Chaque chose en son temps.	les adjectifs possessifs
	les adjectifs indéfinis

▶ La formation des noms

■ À partir d'un verbe

→ pour nommer une action ou un état

-tion (noms féminins) : produire → *une production*

-sion (noms féminins) : permettre → *une permission*

-(e)ment (noms masculins) : établir → *un établissement*

-ture (noms féminins) fermer → *la fermeture*

-age (noms masculins) : hériter → *un héritage*

→ pour nommer la personne ou la chose qui fait l'action

-eur / -euse : servir → *un serveur / une serveuse*

-teur / -trice : produire → *un producteur / une productrice*

-ant / -ante : habiter → *un habitant / une habitante*

■ À partir d'un nom

→ pour nommer une profession ou un habitant

-ien / -ienne : une pharmacie → *un pharmacien / une pharmacienne*
l'Inde → *un Indien / une Indienne*

-ain / -aine : l'Afrique → *un Africain / une Africaine*

-ais / -aise : le Portugal → *un Portugais / une Portugaise*

-ier / -ière : la cuisine → *un cuisinier / une cuisinière*

→ pour nommer un arbre

-ier (noms masculins) : une cerise → *un cerisier*

→ pour nommer un système d'idées ou la personne qui a ces idées

-isme : social → *le socialisme*

-iste : le passé → *un passéiste*

■ À partir d'un adjectif

→ pour nommer une qualité ou un état

-(i)té (noms féminins) : beau → *la beauté*

-eur (noms féminins) : doux → *la douceur*

-ise (noms féminins) : gourmand → *la gourmandise*

-ie (noms féminins) : jaloux → *la jalousie*

-erie (noms féminins) : étourdi → *l'étourderie*

-esse (noms féminins) : poli → *la politesse*

-ude (noms féminins) : inquiet → *l'inquiétude*

▶ Les articles

	masculin singulier	féminin singulier	pluriel
Les articles indéfinis sont utilisés pour identifier une personne, une chose, une idée.	un *Je voudrais un dictionnaire.*	une *Voici une étudiante.*	des *J'ai des amis à Paris.* de (devant adjectif + nom) *Elle a de beaux bijoux.*
Les articles définis sont utilisés pour préciser, pour nommer une personne, une chose unique ou pour généraliser.	le *Je voudrais le dictionnaire de Pierre.*	la *Voici la sœur de Marie.*	les *Je connais les amis de Pierre.*
	l' (devant une voyelle ou « h ») *Voici l'amie de Pierre.*		
à + article défini	au *Je vais au théâtre.*	à la *Elle est à la gare.*	aux *Il écrit aux amis de Pierre.*
	à l' (devant une voyelle ou « h ») *Elle est à l'hôpital.*		
de + article défini	du *Il revient du cinéma.*	de la *Voici l'amie de la secrétaire.*	des *Voici la liste des étudiants.*
	de l' *Elle arrive de l'école.*		
Les articles partitifs sont utilisés avec les noms de choses ou de personnes qu'on perçoit comme indifférenciées ou non comptables.	du *Je prends du sucre.*	de la *Elle boit de la bière.*	
	de l' *Il voudrait de l'eau.*		

L'absence d'article

On ne met pas d'article :
- devant un nom de personne (*François Martin*) ou de ville (*Madrid*)
- quand on fait une liste (*départ : 8 heures – visite du château – etc.*)

- sur une enseigne : *Pharmacie – Boulangerie*
- dans les constructions avec préposition quand le nom a une valeur générale : *une artiste de cinéma – une cuillère à café*
- dans certains titres : *Guerre et Paix* (Tolstoï)

▶ Les adjectifs démonstratifs

	masculin	féminin
singulier	ce *ce restaurant*	cette *cette photo*
	cet (devant une voyelle ou « h ») *cet hôtel*	
pluriel	ces *ces livres*	

Ils sont utilisés pour désigner ou montrer.
Regarde ce beau manteau.
Dans un texte, il permet de faire référence à un autre mot proche.
Elle a acheté un manteau. Ce manteau lui va très bien.

▶ Les adjectifs indéfinis

La langue française peut représenter la quantité de deux manières :
- **comptable :** on se représente des personnes ou des choses différenciées ;
- **non comptable :** on se représente des personnes ou des choses comme des masses indifférenciées.

■ Représentation comptable

- **Articles définis et indéfinis** – **Adjectifs démonstratifs et possessifs** – **Adjectifs numéraux** (**un, deux, trois, quatre**, etc.)

- **Certains adjectifs indéfinis**

quelques – *Il a invité quelques amis.*
peu de – *Peu de personnes ont refusé.*
chaque – *Chaque personne a reçu une invitation.*

plusieurs – *Plusieurs personnes étaient malades.*
certain(e)(s) – *Certains couples ont dansé.*
la plupart – *La plupart des gens étaient contents.*

tous (**toutes**) – *Ils ont promis de refaire une fête* **tous** *les ans.*
aucun – *Il n'a goûté à* **aucun** *plat.*
pas un – ***Pas un*** *invité n'a trop bu.*

■ **Représentation non comptable**

• **Articles partitifs : du – de la – de l'**

• **Certains pronoms indéfinis**
peu de (pas beaucoup) – *Elle boit* **peu de** *vin.*
un peu de (une petite quantité) – *Je prends* **un peu de** *lait dans mon thé.*
beaucoup de – *Il boit* **beaucoup d'***eau.*
tout (**toute**) – *Il a mangé* **tout** *le gâteau.*

► Les adjectifs possessifs

Ils sont utilisés pour indiquer une appartenance.
Il a invité **son** *frère,* **sa** *sœur et* **ses** *amis.*
La construction « être + à + moi (toi, lui, elle, etc.) » indique l'appartenance à une personne.
Ce livre est **à moi**. *C'est* **à moi**.

	masculin singulier	féminin singulier		pluriel masculin ou féminin
à moi	mon *mon frère*	ma *ma sœur*	mon (devant voyelle) *mon amie*	mes *mes sœurs*
à toi	ton *ton livre*	ta *ta maison*	ton (devant voyelle) *ton idée*	tes *tes frères*
à lui, à elle	son *son père*	sa *sa mère*	son (devant voyelle) *son écharpe*	ses *ses parents*
à nous	notre *notre cousin* *notre cousine*			nos *nos cousins*
à vous	votre *votre oncle* *votre tante*			vos *vos enfants*
à eux, à elles	leur *leur fils* *leur fille*			leurs *leurs enfants*

► Le féminin des noms et des adjectifs

1. La marque du féminin est en général « e » : un joli portrait / une *jolie* image.
Ce « e » n'est pas prononcé après une voyelle.

2. Quand le nom ou l'adjectif est terminé par une consonne, le passage au féminin
s'accompagne souvent de modifications d'orthographe et de prononciation.
• Prononciation de la consonne finale : court → *courte* – grand → *grande*
• Prononciation et doublement de la consonne finale : un chien → *une chienne* – bon → *bonne* – bas → *basse*
• Modification de la fin du mot :

-er → -ère :   un boucher → *une bouchère* – léger → *légère*

-f → -ve :   sauf → *sauve* – naïf → *naïve*

-eur → -euse :   un vendeur → *une vendeuse*

-teur → -trice :   un lecteur → *une lectrice*

-eux → -euse :   sérieux → *sérieuse* – heureux → *heureuse*

-teur → -teuse :   un menteur → *une menteuse*

-c → -que :   public → *publique* – turc → *turque*

3. Cas difficiles
beau (*bel* devant une voyelle) → *belle* – nouveau (*nouvel* devant une voyelle) → *nouvelle*
vieux (*vieil* devant une voyelle) → *vieille* – mou (*mol* devant une voyelle) → *molle*

► **Le pluriel des noms et des adjectifs**

1. La marque du pluriel est en général « s ». Ce « s » n'est pas prononcé sauf :
– entre l'article pluriel et le nom ou l'adjectif commençant par une voyelle : *les autres amis*
– entre l'adjectif et le nom commençant par une voyelle : *de jolies images*

2. Cas particuliers
- Finales **-s**, **-x**, **-z** inchangées : le gros nez → *les gros nez*
- Finales **-al** → **-aux** (sauf les noms *bal, carnaval, festival, récital,* et les adjectifs *fatal, final, natal*) :
un journal régional → *des journaux régionaux*
- Finales **-au**, **-eau**, **-eu** → ajout de **« x »** (sauf *bleu*) : un beau feu → *de beaux feux*

Les mots qui représentent les noms (les pronoms)

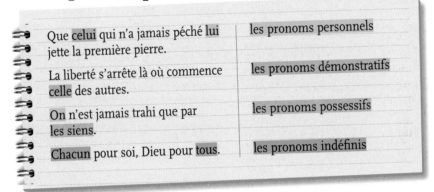

Que **celui** qui n'a jamais péché **lui** jette la première pierre.	les pronoms personnels
La liberté s'arrête là où commence **celle** des autres.	les pronoms démonstratifs
On n'est jamais trahi que par **les siens**.	les pronoms possessifs
Chacun pour soi, Dieu pour **tous**.	les pronoms indéfinis

► **Les pronoms personnels**

Les pronoms représentent les personnes ou les choses.

		je	tu	il – elle	nous	vous	ils – elles
Le nom représenté est introduit sans préposition.	*personnes*	me	te	le – la l' (devant voyelle)	nous	vous	les
	choses			le – la – l'			les
Le nom représenté est introduit par la préposition « à » (au, à la, aux).	*personnes*	me	te	lui	nous	vous	leur
	choses			y			y
Le nom représenté est introduit par la préposition « de » ou un mot de quantité.	*choses*			en			en
	personnes	moi	toi	lui – elle – en	nous	vous	eux – elles – en
Le nom représenté est précédé d'une préposition autre que « à » et « de ».	*personnes*	moi	toi	lui – elle	nous	vous	eux – elles

■ Remarques

1. Le pronom se place avant le verbe sauf dans les cas suivants :

a. Le pronom représente un nom de personne précédé d'une préposition autre que « à ».

*J'ai besoin de Pierre. – J'ai besoin de **lui**.*

*Je pars avec Marie. – Je pars avec **elle**.*

b. Le verbe est à l'impératif affirmatif.

*Nos amis sont seuls ce week-end. Invitons-**les**. Ne **les** laissons pas seuls.*

2. Cas des noms de personnes compléments indirects précédés de la préposition « à ».

a. Si le verbe exprime une idée de communication et d'échange.

*Tu as écrit à Marie ? – Oui, je **lui** ai écrit.*

b. Dans les autres cas.

*Tu penses à Marie ? – Oui, je pense à **elle**.*

3. Quand le nom représenté est introduit par « un (une) » ou un mot de quantité.

*Tu as un frère ? – Oui, j'**en** ai un.*

*Il a beaucoup de temps libre ? – Il **en** a beaucoup.*

▶ Les pronoms démonstratifs

Ils servent à désigner une chose déjà nommée.

*Quelle chemise préférez-vous ? **Celle-ci** ou **celle-là** ?*

(« ci » indique le plus proche ou ce qu'on désigne en premier)

Ils servent aussi à faire référence à un mot dans un texte.

*Ni Pierre ni Paul ne sont venus. **Celui-ci** (Paul) était malade. **Celui-là** (Pierre) en voyage.*

	masc. sing.	fém. sing.	masc. plur.	fém. plur.	neutre
Construction sans complément	**celui-ci** / **celui-là**	**celle-ci** / **celle-là**	**ceux-ci** / **ceux-là**	**celles-ci** / **celles-là**	**ça**
Construction avec compl. de nom ou proposition relative	**celui** de Pierre **celui** que je préfère	**celle** de… **celle** que…	**ceux** de… **ceux** que…	**celles** de… **celles** que…	**ce** que

---

▶ Les pronoms possessifs

Ils représentent un nom et indique une idée d'appartenance.

*C'est la voiture de Marie ? – Oui, c'est **la sienne** (sa voiture).*

La chose possédée est...	masculin singulier	féminin singulier	masculin pluriel	féminin pluriel
à moi	**le mien**	**la mienne**	**les miens**	**les miennes**
à toi	**le tien**	**la tienne**	**les tiens**	**les tiennes**
à lui / à elle	**le sien**	**la sienne**	**les siens**	**les siennes**
à nous	**le nôtre**	**la nôtre**	**les nôtres**	**les nôtres**
à vous	**le vôtre**	**la vôtre**	**les vôtres**	**les vôtres**
à eux / à elles	**le leur**	**la leur**	**les leurs**	**les leurs**

Les mots qui servent à caractériser les noms

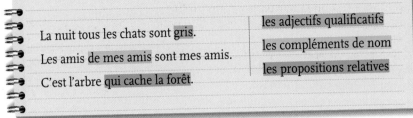

La nuit tous les chats sont gris.

Les amis de mes amis sont mes amis.

C'est l'arbre qui cache la forêt.

les adjectifs qualificatifs

les compléments de nom

les propositions relatives

▶ La place de l'adjectif

■ L'adjectif qualificatif se place en général après le nom : *un film* **policier**

■ Quelques adjectifs courts et très fréquents se placent avant le nom :
bon – meilleur – mauvais – grand – petit – vieux – jeune – beau – joli – demi – dernier – prochain
un **bon** *livre – un très* **vieux** *film*

■ L'adjectif qualificatif peut se construire avec des verbes comme « être », « paraître », « sembler ».
Elle est **fatiguée**. *– Elle semble* **malade**.

▶ Le complément du nom

La forme « préposition + nom » permet de préciser le sens d'un nom.

■ La préposition **« à » (au, à la, aux)** est utilisée :
• pour préciser une fonction : *une cuillère à café – une boîte aux lettres – une machine à laver*
• pour décrire ou indiquer une composition : *une robe à fleurs – une tarte aux pommes*

■ La préposition **« de » (du, de la, des)** est utilisée :
• pour indiquer une appartenance : *le portefeuille de Pierre*
• pour indiquer une origine : *un tableau de Picasso*
• pour préciser la matière : *un pantalon de velours*
• pour indiquer un lieu : *la salle de bains*

■ La préposition **« en »** est utilisée :
• pour préciser la matière : *un immeuble en pierre (un immeuble de pierre)*
• pour préciser la forme ou la manière : *du sucre en poudre – les transports en commun
– des vêtements en solde*

Les propositions relatives

Elles sont introduites par un pronom relatif.
Le choix du pronom relatif dépend de la fonction du mot qu'il représente.

Fonctions du pronom relatif	Pronoms relatifs	Exemples
Sujet	qui	*Daniel Auteuil est un acteur **qui** peut jouer tous les rôles.*
Complément d'objet direct	que – qu'	*En Corse, il y a un village **que** j'aime beaucoup.*
Complément indirect introduit par « à »	à qui (pour les personnes) auquel – à laquelle auxquels – auxquelles (plutôt pour les choses) à quoi (chose indéterminée)	*Caroline est une amie **à qui** je me confie.* *L'éducation est un sujet **auquel** je m'intéresse beaucoup.* *Je sais **à quoi** tu penses.*
Complément indirect introduit par « de »	dont	*Caroline est l'amie **dont** je t'ai parlé.* *Le Larousse est un dictionnaire **dont** je me sers souvent.*
Complément introduit par un groupe prepositionnel terminé par « de » (à cause de, auprès de, à côté de, etc.)	de qui (personnes) duquel – de laquelle desquelles – desquelles	*Caroline est une amie **auprès de qui** je me sens bien.* *Comment s'appelle le parc **à côté duquel** vous habitez ?*
Complément indirect introduit par une préposition autre que « à » et « de »	avec (pour...) qui (personnes) avec (pour...) lequel - laquelle lesquels - lesquelles	*Pierre est le garçon **avec qui** je m'entends le mieux.* *Voici la société **pour laquelle** je travaille.*
Complément d'un nom ou d'un adjectif	dont	*Nous allons dans un restaurant **dont** le chef est marseillais comme moi.* *Le XIIᵉ arrondissement est un quartier **dont** je suis amoureuse.*
Complément de lieu	où (peut être précédé d'une préposition)	*La Bourgogne est la région **où** il passe ses vacances.* *C'est la région **par où** je passe quand je vais dans le Jura.*

Les mots et les constructions qui caractérisent les actions

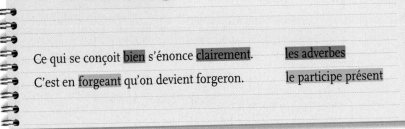

Ce qui se conçoit bien s'énonce clairement.   les adverbes

C'est en forgeant qu'on devient forgeron.   le participe présent

▶ Les adverbes

a. Formation des adverbes en -(e)ment à partir d'un adjectif

– adjectifs terminés par « e » : simple →
simplement

– adjectifs terminés par une consonne :
pur → *purement*

– adjectifs terminés par une voyelle autre
que « e » : joli → *joliment*

– adjectifs terminés par -ent ou -ant :
prudent → *prudemment*
suffisant → *suffisamment*

b. Place des adverbes

• L'adverbe qui caractérise un adjectif ou
un autre adverbe se place devant ce mot.
*Il est **très** courageux.*

• L'adverbe qui caractérise un verbe se place :
– après le verbe conjugué à un temps simple :
*Elle travaille **énormément**.*
– entre l'auxiliaire et le participe passé si l'adverbe
est court : *Elle a **bien** travaillé.*
– après le participe si l'adverbe est long :
*Elle a travaillé **courageusement**, **avec ténacité**.*

• Les adverbes qui indiquent d'autres circonstances
(temps, lieu, cause, conséquence, etc.)
ne suivent pas cette règle.
***Autrefois**, les gens ne partaient pas souvent en
vacances.*

▶ Le participe présent et le participe passé

1. Forme « en + participe présent » (gérondif)
*Il travaille **en écoutant** la radio (en même temps).*
***En tombant**, il s'est cassé la jambe (parce que).*

2. La proposition participe passé
***Construit au XVIIe siècle**, le château de Versailles est à 15 km de Paris.*

Les constructions interrogatives, négatives, comparatives

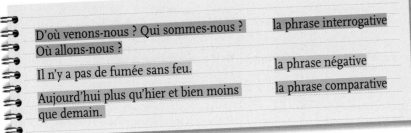

D'où venons-nous ? Qui sommes-nous ? Où allons-nous ? — la phrase interrogative

Il n'y a pas de fumée sans feu. — la phrase négative

Aujourd'hui plus qu'hier et bien moins que demain. — la phrase comparative

▶ L'interrogation

1. L'interrogation porte sur toute la phrase
- Intonation : *Tu viens ?*
- Forme « Est-ce que » : ***Est-ce que** tu viens ?*
- Inversion du pronom sujet : *Viens-tu ? – Pierre vient-il ?*
- Interrogation négative : *Ne viens-tu pas ?*

2. L'interrogation porte sur le sujet
- Personnes (qui – qui est-ce qui) ***Qui** veut venir avec nous ?*
- Choses (qu'est-ce qui) ***Qu'est-ce qui** fait ce bruit ?*

3. L'interrogation porte sur le complément
→ direct
- Personnes (qui) ***Qui** invitez-vous ? – Vous invitez **qui** ?*
- Choses (que – qu'est-ce que – quoi) ***Que** faites-vous ? – **Qu'est-ce que** vous faites ?*
*Vous faites **quoi** ?*
→ indirect
- Personnes (à qui – de qui – avec qui – etc.) ***À qui** parlez-vous ?*
- Choses (à quoi – de quoi – avec quoi – etc.) ***De quoi** avez-vous besoin ?*

4. L'interrogation porte sur un choix
- Quel (quelle – quels – quelles) *Quel acteur préférez-vous ? – **Dans quel** film ?*
- ***Lequel** (laquelle, lesquels, lesquelles) préférez-vous ?*
- De quel livre avez-vous besoin ?
- *Duquel avez-vous besoin ?*
- À quels sujets vous intéressez-vous ?
- *Auxquels vous vous intéressez ?*
- Avec lequel, pour lequel, etc.

5. L'interrogation porte sur un lieu
***Où** allez-vous ? – **D'où** venez-vous ?*
***Jusqu'où** va la ligne de métro ?*
***Par où** passez-vous ? – **Chez qui** allez-vous ?*
***À côté de qui / quoi** habitez-vous ?*

6. L'interrogation porte sur le moment ou la durée
- sur le moment
Quand... À quel moment...
En quelle année... En quelle saison...
- sur la durée
– ***Il y a combien de temps (Ça fait combien de temps)** que vous habitez ici ?*
– ***Combien de temps (d'années, de mois, etc.)** avez-vous vécu en Australie ?*
***Depuis combien de temps** habitez-vous ici ?*
***Depuis quand (quel jour)** est-il parti ?*

▶ **La négation**

Cas général	**ne (n') ... pas...** *Elle **ne** sort **pas**. Elle **n'**aime **pas** la pluie.*
La négation porte sur un complément introduit par un article indéfini, un article partitif ou un mot de quantité.	**ne (n') ... pas de (d')** *Pierre **ne** fait **pas de** ski en février.* *Il **ne** prend **pas beaucoup de** vacances.*
Comme dans le cas précédent, la négation porte sur un complément précédé d'un article indéfini ou partitif, mais elle introduit une opposition.	**Ne (n') ... pas un (une, des, du, etc.)** *Ce **n'**est **pas du** vin. C'est **du** jus de fruit.* *Pierre **n'**a **pas un** frère. Il en a **deux**.*
Cas des constructions « verbe + verbe » et « auxiliaire + verbe »	Le « **pas** » se place après le premier verbe ou l'auxiliaire. *Elle **ne** peut **pas** partir en vacances Elle **n'**a **pas** fini son travail.*
Cas des constructions avec un pronom complément	Le « **ne** » se place avant les pronoms. *Il m'a demandé de l'argent. Je **ne** lui en ai **pas** donné.*
La négation porte sur l'infinitif.	« **ne pas** » + infinitif *Mets ce pull pour **ne pas** avoir froid.* *Je te demande de **ne pas** crier.*
La double négation	*Il **n'**aime **ni** le théâtre **ni** le cinéma.* ***Ni** la peinture **ni** la musique ne l'intéressent.*
Pronoms indéfinis négatifs	***Personne n'**est venu. Je **n'**ai vu **personne**.* ***Rien n'**intéresse Pierre. Il **ne** fait **rien**. Il **n'**a **rien** fait de la journée.* *Il a cherché à joindre ses amis au mois d'août.* ***Aucun (pas un) n'**était à Paris.* *Il **n'**en a vu **aucun**. Il **n'**en a **pas** vu un.*

▶ **Les constructions comparatives et appréciatives**

	adjectifs et adverbes	noms	verbes
comparatif	Il est **plus, aussi, moins** grand que moi. Il est **meilleur / aussi bon / moins bon**. Il est **pire / aussi mauvais / moins mauvais**.	Il a **plus de / autant de / moins de** chance **que** moi.	Il parle **plus / autant (que** moi) **/ moins**. Il parle **mieux / aussi** bien **/ moins** bien.
superlatif	Marie est **la plus grande**. Ce plat est **le meilleur**.	C'est Pierre qui a **le plus de** chance.	C'est Marie qui parle **le plus**.
appréciatif	Elle est **tellement** gentille **que** tout le monde l'invite. Elle est **si** gentille **que**...	Il a **tellement de** chance **qu'**il gagne souvent. Il a **tant de** chance **que**...	Elle parle **tellement que** les autres ne l'écoutent plus. Elle parle **tant que**...

La conjugaison des verbes

1. Le présent de l'indicatif
• Les verbes en **-er** se conjuguent comme « regarder »
Cas particuliers
→ verbes en **-yer** (voir *essayer*)
→ verbes en **-ger** : nous mangeons (présent) – je mangeais, tu mangeais, etc. (imparfait)
→ verbes en **-eler** ou **-eter** : certains verbes comme *appeler* (j'appelle, nous appelons) ;
d'autres comme *geler* (je gèle, nous gelons)
• Les autres verbes se terminent en général par : **-s, -s, -t, -ons, -ez, -ent**
Mais il y a des exceptions (*vouloir, pouvoir*).
Le tableau des pages suivantes donne le présent de tous les verbes.

2. Le passé composé
• Formation
avoir + **participe passé** : cas général
Il a dîné.
être + **participe passé** : cas des verbes *aller – arriver – décéder – descendre –
devenir – entrer – monter – mourir – naître – partir – rentrer – retourner – rester –
sortir – tomber – venir*, ainsi que des verbes pronominaux
Il est parti – Il s'est amusé.
• Accord du participe passé
→ avec l'auxiliaire *être* : accord avec le sujet du verbe.
*Les ami**es** de Pierre sont ven**ues**.*
→ avec l'auxiliaire *avoir* : accord avec le complément d'objet direct si celui-ci est placé avant le verbe.
*J'ai vu les amies de Pierre. Je **les** ai appel**ées**.*

3. L'imparfait
Il se forme à partir de la 1re personne du pluriel du présent.
nous faisons → *je faisais, tu faisais, elle faisait*, etc.

4. Le futur
Les verbes en **-er** se conjuguent comme *regarder*.
Pour les autres verbes il faut connaître la 1re personne.

5. Le passé simple
Il faut connaître la 1re personne du singulier.

6. Le futur antérieur
avoir ou *être* au futur + participe passé

7. Le plus-que-parfait
avoir ou *être* à l'imparfait + participe passé

8. Le présent du subjonctif
Pour beaucoup de verbes, il se forme à partir de la 3e personne du pluriel du présent de l'indicatif.
ils finissent → il faut que *je finisse...*
Mais il y a des exceptions.

9. Le subjonctif passé
avoir ou être au subjonctif + participe passé

10. Le présent du conditionnel
Il se forme à partir de la 1re personne du singulier du futur.
j'irai → *j'irais, tu irais, il irait, nous irions*, etc.

11. Le conditionnel passé
avoir ou être au conditionnel + participe passé

12. L'impératif
On utilise les formes du présent de l'indicatif sauf pour *être*, *avoir* et *savoir* qui se forment à partir de la
1re personne du subjonctif.

▶ **avoir – être – regarder – se lever**

	Présent	Passé composé	Imparfait	Futur	Passé simple
avoir	j'ai tu as il / elle a nous avons vous avez ils/ elles ont	j'ai eu tu as eu il / elle a eu nous avons eu vous avez eu ils / elles ont eu	j'avais tu avais il / elle avait nous avions vous aviez ils / elles avaient	j'aurai tu auras il/elle aura nous aurons vous aurez ils/elles auront	j'eus tu eus il / elle eut nous eûmes vous eûtes ils eurent
être	je suis tu es il /elle est nous sommes vous êtes ils/elles sont	j'ai été tu as été il/elle a été nous avons été vous avez été ils/elles ont été	j'étais tu étais il/elle était nous étions vous étiez ils/elles étaient	je serai tu seras il/elle sera nous serons vous serez ils/elles seront	je fus tu fus il/elle fut nous fûmes vous fûtes ils/elles furent
regarder	je regarde tu regardes il/elle regarde nous regardons vous regardez ils/elles regardent	j'ai regardé tu as regardé il/elle a regardé nous avons regardé vous avez regardé ils ont regardé	je regardais tu regardais il/elle regardait nous regardions vous regardiez ils/elles regardaient	je regarderai tu regarderas il/elle regardera nous regarderons vous regarderez ils/elles regarderont	je regardai tu regardas il/elle regarda nous regardâmes vous regardâtes ils/elles regardèrent
se lever	je me lève tu te lèves il se lève nous nous levons vous vous levez ils/elles se lèvent	je me suis levé(e) tu t'es levé (e) il/elle s'est levé(e) nous nous sommes levé(e)s vous vous êtes levé(e)(s) ils/elles se sont levé(e)s	je me levais tu te levais il/elle se levait nous nous levions vous vous leviez ils/elles se levaient	je me lèverai tu te lèveras il/elle se lèvera nous nous lèverons vous vous lèverez ils/elles se lèveront	je me levai tu te levas il/elle se leva nous nous levâmes vous vous levâtes ils/elles se levèrent

	Futur antérieur	Plus-que-parfait	Subjonctif présent	Conditionnel présent	Conditionnel passé	Impératif
avoir	j'aurai eu tu auras eu il/elle aura eu nous aurons eu vous aurez eu ils/elles auront eu	j'avais eu tu avais eu il/elle avait eu nous avions eu vous aviez eu ils/elles avaient eu	que j'aie que tu aies qu'il/elle ait que nous ayons que vous ayez qu'ils/elles aient	j'aurais tu aurais il/elle aurait nous aurions vous auriez ils/elles auraient	j'aurais eu tu aurais eu il/elle aurait eu nous aurions eu vous auriez eu ils/elles auraient eu	aie ayons ayez
être	j'aurai été tu auras été il/elle aura été nous aurons été vous aurez été ils/elles auront été	j'avais été tu avais été il/elle avait été nous avions été vous aviez été ils/elles avaient été	que je sois que tu sois qu'il/elle soit que nous soyons que vous soyez qu'ils/elles soient	je serais tu serais il/elle serait nous serions vous seriez ils/elles seraient	j'aurais été tu aurais été il/elle aurait été nous aurions été vous auriez été ils/elles auraient été	sois soyons soyez
regarder	j'aurai regardé tu auras regardé il/elle aura regardé nous aurons regardé vous aurez regardé ils/elles auront regardé	j'avais regardé tu avais regardé il/elle avait regardé nous avions regardé vous aviez regardé ils/elles avaient regardé	que je regarde que tu regardes qu'il/elle/on regarde que nous regardions que vous regardiez qu'ils/elles regardent	je regarderais tu regarderais il/elle regarderait nous regarderions vous regarderiez ils/elles regarderaient	j'aurais regardé tu aurais regardé il/elle aurait regardé nous aurions regardé vous auriez regardé ils/elles auraient regardé	regarde regardons regardez
se lever	je me serai levé(e) tu te seras levé(e) il/elle se sera levé(e) nous nous serons levé(e)s vous vous serez levé(e)(s) ils/elles se seront levé(e)(s)	je m'étais levé(e) tu t'étais levé(e) il/elle s'était levé(e) nous nous étions levé(e)s vous vous étiez levé(e)(s) ils/elles s'étaient levé(e)s	que je me lève que tu te lèves qu'il/elle se lève que nous nous levions que vous vous leviez qu'ils/elles se lèvent	je me lèverais tu te lèverais il/elle se lèverait nous nous lèverions vous vous lèveriez ils/elles se lèveraient	je me serais levé(e) tu te serais levé(e) il/elle se serait levé(e) nous nous serions levé(e)s vous vous seriez levé(e)(s) ils/elles se seraient levé(e)s	lève-toi levons-nous levez-vous

► Les verbes irréguliers

Les principes généraux que nous venons de présenter et les tableaux suivants vous permettront de trouver la conjugaison de tous les verbes introduits dans cette méthode.

Exemples :

verbe *donner* : c'est un verbe en ***-er*** régulier. Il suit les principes généraux et ne figure donc pas dans les listes suivantes.

verbe *lire* : si on trouve ci-dessous « je lis ... nous lisons », c'est que les autres formes correspondent aux principes généraux : tu lis, il lit, etc.

Infinitif	Présent de l'indicatif	Futur	Passé composé	Subjonctif présent	Passé simple
accueillir	j'accueille, tu accueilles ... nous accueillons ...	j'accueillerai	j'ai accueilli	que j'accueille	il accueillit
agir	j'agis ... nous agissons ...	j'agirai	j'ai agi	que j'agisse	il agit
aller	je vais, tu vas, il va nous allons, vous allez, ils vont	j'irai	je suis allé(e)	que j'aille	il alla
appartenir	j'appartiens ... nous appartenons ...	j'appartiendrai	j'ai appartenu,	que j'appartienne,	il appartint
applaudir	j'applaudis ... nous applaudissons ...	j'applaudirai	j'ai applaudi	que j'applaudisse	il applaudit
apprendre	j'apprends ... il apprend, nous apprenons ... ils apprennent	j'apprendrai	j'ai appris	que j'apprenne	il apprit
asseoir (s')	je m'assieds ... il s'assied, nous nous asseyons ... ils s'asseyent	je m'assiérai	je me suis assis(e)	que je m'asseye	il s'assit
attendre	j'attends ... il attend, nous attendons ... ils attendent	j'attendrai	j'ai attendu	que j'attende	il attendit
avertir	j'avertis ... nous avertissons ...	j'avertirai ... nous avertirons ...	j'ai averti ... nous avons averti ...	que j'avertisse	il avertit
battre	je bats ... nous battons ...	je battrai	j'ai battu	que je batte	il battit
boire	je bois ... nous buvons ... ils boivent	je boirai	j'ai bu	que je boive	il but ... nous bûmes
bouillir	je bous ... nous bouillons ...	je bouillirai	J'ai bouilli	que je bouille	il bouillit
choisir	je choisis ... nous choisissons ...	je choisirai	j'ai choisi	que je choisisse	il choisit
comprendre	je comprends ... nous comprenons ... ils comprennent	je comprendrai	j'ai compris	que je comprenne	il comprit
conduire	je conduis ... nous conduisons ...	je conduirai	j'ai conduit	que je conduise	il conduisit
connaître	je connais ... il connaît ... nous connaissons ...	je connaîtrai	j'ai connu	que je connaisse	il connut
coudre	je couds ... nous cousons ...	je coudrai	j'ai cousu	que je couse	il cousit
courir	je cours ... nous courons ...	je courrai ... nous courrons	j'ai couru	que je coure	il courut
couvrir	je couvre	je couvrirai	j'ai couvert	que je couvre	il couvrit
craindre	je crains ... nous craignons ...	je craindrai	j'ai craint	que je craigne	il craignit
croire	je crois ... nous croyons ... ils croient	je croirai	j'ai cru	que je croie	il crut
cuire	je cuis ... nous cuisons ...	je cuirai	j'ai cuit	que je cuise	il cuisit

Infinitif	Présent de l'indicatif	Futur	Passé composé	Subjonctif présent	Passé simple
découvrir	je découvre ... il découvre... nous découvrons ...	je découvrirai	j'ai découvert	que je découvre	il découvrit
défendre	je défends ... il défend ... nous défendons ... ils défendent	je défendrai	j'ai défendu	que je défende	il défendit
descendre	je descends ... il descend ... nous descendons ... ils descendent	je descendrai	j'ai descendu	que je descende	il descendit
devenir	je deviens ... nous devenons ... ils deviennent	je deviendrai	je suis devenu(e)	que je devienne	il devint ... nous devînmes
devoir	je dois ... nous devons ... ils doivent	je devrai	j'ai dû	que je doive	il dut
dormir	je dors ... nous dormons ...	je dormirai	j'ai dormi	que je dorme	il dormit
écrire	j'écris ... nous écrivons ...	j'écrirai	j'ai écrit	que j'écrive	il écrivit
ennuyer (s')	je m'ennuie ... nous nous ennuyons ... ils s'ennuient	je m'ennuierai	je me suis ennuyé(e)	que je m'ennuie	il s'ennuya ... nous nous ennuyâmes
entendre	j'entends ... il entend ... nous entendons	j'entendrai	j'ai entendu	que j'entende	il entendit
envoyer	j'envoie ... nous envoyons ... ils envoient	j'enverrai	j'ai envoyé	que j'envoie	il envoya
essayer	j'essaie ... nous essayons ... ils essaient	j'essaierai	j'ai essayé	que j'essaie	il essaya
faire	je fais ... nous faisons, vous faites, ils font	je ferai	j'ai fait	que je fasse	il fit
falloir	il faut	il faudra	il a fallu	qu'il faille	il fallut
finir	je finis ... nous finissons ...	je finirai	j'ai fini	que je finisse	il finit ... nous finîmes
guérir	je guéris ... nous guérissons ...	je guérirai	j'ai guéri	que je guérisse	il guérit
joindre	je joins ... nous joignons ...	je joindrai	j'ai joint	que je joigne	il joignit
lire	je lis ... nous lisons ...	je lirai	j'ai lu	que je lise	il lut
mentir	je mens ... nous mentons ...	je mentirai	j'ai menti	que je mente	il mentit
mettre	je mets ... nous mettons ...	je mettrai	j'ai mis	que je mette	il mit
mourir	je meurs ... nous mourons ...	je mourrai	je suis mort	que je meure	il mourut
offrir	j'offre ... nous offrons ...	j'offrirai	j'ai offert	que j'offre	il offrit
ouvrir	j'ouvre ... nous ouvrons ...	j'ouvrirai	j'ai ouvert	que j'ouvre	il ouvrit
paraître	je parais ... il paraît, nous paraissons ... ils paraissent	je paraîtrai	j'ai paru	que je paraisse	il parut
partir	je pars ... nous partons ...	je partirai	je suis parti(e)	que je parte	il partit
payer	je paie ... il paie, nous payons ... ils paient	je paierai	j'ai payé	que je paie	il paya
peindre	je peins ... nous peignons ...	je peindrai	j'ai peint	que je peigne	il peignit
perdre	je perds ... il perd, nous perdons ... ils perdent	je perdrai	j'ai perdu	que je perde	il perdit
pouvoir	je peux, tu peux, il peut, nous pouvons, vous pouvez, ils peuvent	je pourrai	j'ai pu	que je puisse	il put

Infinitif	Présent de l'indicatif	Futur	Passé composé	Subjonctif présent	Passé simple
prendre	je prends ... il prend, nous prenons ... ils prennent	je prendrai	j'ai pris	que je prenne	il prit
prévoir	je prévois ... nous prévoyons ... ils prévoient	je prévoirai	j'ai prévu	que je prévoie	
produire	je produis ... nous produisons ...	je produirai	j'ai produit	que je produise	il produisit
réfléchir	je réfléchis ... nous réfléchissons ...	je réfléchirai	j'ai réfléchi	que je réfléchisse	il réfléchit
remplir	je remplis ... nous remplissons ...	je remplirai	j'ai rempli	que je remplisse	il remplit
rendre	je rends ...il rend, nous rendons ... ils rendent	je rendrai	j'ai rendu	que je rende	il rendit
répondre	je réponds ... il répond, nous répondons ...	je répondrai	j'ai répondu	que je réponde	il répondit
réunir	je réunis ... nous réunissons ...	je réunirai	j'ai réuni	que je réunisse	il réunit
réussir	je réussis ... nous réussissons ...	je réussirai	j'ai réussi	que je réussisse	il réussit
revenir	je reviens ... nous revenons ... ils reviennent	je reviendrai	je suis revenu(e)	que je revienne	il revint ... nous revînmes
salir	je salis ... nous salissons ...	je salirai	j'ai sali	que je salisse	il salit ... nous salîmes
savoir	je sais ... nous savons ... ils savent	je saurai	j'ai su	que je sache	il sut
sentir	je sens ... nous sentons ...	je sentirai	j'ai senti	que je sente	il sentit
servir	je sers ... nous servons ...	je servirai	j'ai servi	que je serve	il servit
sortir	je sors ... nous sortons ...	je sortirai	je suis sorti(e)	que je sorte	il sortit
souscrire	je souscris ... nous souscrivons ...	je souscrirai	j'ai souscrit	que je souscrive	il souscrivit
souvenir (se)	je me souviens ... nous nous souvenons ... ils se souviennent	je me souviendrai	je me suis souvenu	que je me souvienne	il se souvint ... nous nous souvînmes
suivre	je suis ... nous suivons ...	je suivrai	j'ai suivi	que je suive	il suivit
taire (se)	je me tais ... nous nous taisons ...	je me tairai	je me suis tu (e)	que je me taise	il se tut
tenir	je tiens ... nous tenons ... ils tiennent	je tiendrai	j'ai tenu	que je tienne	il tint ... nous tînmes
traduire	je traduis ... nous traduisons ...	je traduirai	j'ai traduit	que je traduise	il traduisit
valoir	je vaux ... nous valons ...	je vaudrai	j'ai valu	que je vaille	il valut
vendre	je vends ... il vend, nous vendons ...	je vendrai	j'ai vendu	que je vende	il vendit
venir	je viens ... nous venons ... ils viennent	je viendrai	je suis venu(e)	que je vienne	il vint
vivre	je vis ... nous vivons ...	je vivrai	j'ai vécu	que je vive	il vécut
voir	je vois ... nous voyons ... ils voient	je verrai	j'ai vu	que je voie	il vit
vouloir	je veux ... nous voulons ...	je voudrai	j'ai voulu	que je veuille	il voulut

On trouvera ci-dessous les dialogues des pages « Simulations » non transcrits dans les leçons, ainsi que les autres documents sonores.
La transcription des exercices des rubriques « La grammaire sans réfléchir » figure dans le livre du professeur.

▶ Leçon 1

P. 11 – Scène 2

Harry : Alors il y aura qui à cet anniversaire ?
Karine : Bon, il y aura mes trois copines : Anne-Sophie qui habite en Irlande et qui est styliste, Odile qui est agent immobilier et Liza qui est médecin.
Harry : Et côté garçons ? Il n'y aura pas Alex ?
Karine : Ben non, il n'est plus avec Liza. Mais il y aura Patrick, le mari d'Anne-Sophie, et Louis, le copain d'Odile.
Harry : Je les connais ?
Karine : Tu as vu Patrick au mariage de Liza.
Harry : Je ne m'en souviens pas.
Karine : Mais si, il est irlandais. Il est dans l'informatique.
Harry : Et Louis, qu'est-ce qu'il fait ?
Karine : Il est aussi dans l'informatique.
Harry : Quatre jours avec deux informaticiens, tu me vois !
Karine : Tu leur parleras de ton travail de photographe.
Harry : Mais j'y pense... [...]

P. 13 – Micro-trottoir

Le sondeur : Bonjour, c'est pour une enquête sur les rencontres. Je peux vous demander où vous avez rencontré votre ami(e) ou votre compagne ou votre compagnon ?
Première jeune fille : Moi, Corentin, je l'ai rencontré dans une chorale. C'était l'an dernier quand je me suis installée à Paris. J'arrivais de Clermont-Ferrand. Je ne connaissais personne ici. Alors, comme j'aime bien le chant, je me suis inscrite dans une chorale. Après les répétitions, on allait prendre un pot. Et puis un soir, il m'a raccompagnée en voiture...
Premier garçon : Moi, c'est banal. J'ai fait la connaissance d'Alexia chez des amis. On ne s'est pas beaucoup parlé pendant la soirée mais on est sortis au même moment. Alors on a commencé à discuter devant l'ascenseur. On a échangé nos numéros de portable. Le lendemain, je l'ai rappelée...
Deuxième jeune fille : C'était dans le train sur le trajet Paris-Nantes. Il était assis à côté de moi. Tout de suite il m'a plu. On a parlé. Je lui ai dit que j'allais souvent travailler à la bibliothèque universitaire. Deux jours après, j'étais à la bibliothèque, il est passé comme par hasard.
Deuxième garçon : J'ai rencontré ma copine aux sports d'hiver, à Courchevel. J'étais parti seul avec l'agence du tourisme universitaire. Le premier soir, je l'ai repérée. Je l'ai trouvée jolie et je me suis débrouillé pour m'asseoir à table à côté d'elle. Elle était sympa. Le soir, on est allés en boîte et voilà.
Un homme : C'était à une exposition au Louvre. Aux expositions, j'y vais toujours seul car personne ne veut m'accompagner... Et tout le temps il y a des filles seules, elles aussi. Et un jour, je vois une fille qui me plaisait vraiment. Alors je me suis dit : « Qu'est-ce que je risque ? » et ça a marché. Elle était allemande, je parlais un peu allemand. On ne s'est plus quittés.
Troisième jeune fille : Un jour, avec une copine, on s'est inscrites à un *speed dating*. C'était pour rigoler, pas pour rencontrer quelqu'un. Le troisième type que

j'ai vu, j'ai « flashé », et lui aussi. On a décidé d'aller prendre un pot ensemble sans continuer...

▶ Leçon 2

P. 19 – Scène 4

Jean-Philippe : Et voilà le travail : gâteau aux trois chocolats !
Tous : Bravo ! Magnifique !
Harry : Tu es un chef !
Anne-Sophie : Moi, je ne résiste pas au chocolat !
Patrick : Et moi, le chocolat ne me résiste pas.
Harry : Alors bon anniversaire, les filles !
Tous (chantent) : « Joyeux anniversaire... »
Jean-Philippe : Allez, je vous sers.
Liza : Pas pour moi, merci.
Jean-Philippe : Tu n'en veux pas ?
Liza : Excuse-moi mais j'ai horreur du chocolat au lait.
Jean-Philippe : Il y a plein de chocolat noir.
Liza : J'aime mieux un fruit.
Jean-Philippe : Alors ça vous plaît ?
Anne-Sophie : Eh bien, c'est particulier.
Harry : Moi aussi, j'y trouve un goût.
Anne-Sophie : Un goût de salé.
Jean-Philippe : Laissez-moi goûter... Mais c'est vrai, ça, il est salé. Si c'est une plaisanterie elle n'est pas drôle.
Odile : Jean-Philippe, dans le frigo, il y avait deux plaquettes de beurre : du doux et du salé. Tu ne t'es pas trompé ?

P. 21 – Les fêtes en France – Exercice 2

H : Moi, je suis de Metz en Lorraine et une des grandes fêtes là-bas, c'est la Saint-Nicolas.
Ça a lieu le premier samedi ou le premier dimanche de décembre. Il y a un défilé avec des musiques et saint Nicolas sur un char qui distribue des bonbons et des sucreries aux enfants, et derrière saint Nicolas, il y a le Père Fouettard qui donne des coups de bâton aux enfants qui n'ont pas été sages. Enfin, il fait semblant, bien sûr. C'est vraiment la grande fête avec un feu d'artifice et tout... Et puis la tradition, c'est le pain d'épice en forme de saint Nicolas. Les gens s'en offrent.
F : Nous, en février, pour Mardi gras, on fait toujours sauter les crêpes, c'est la tradition. Mes parents le faisaient et je continue avec mes enfants. Ils aiment bien ça. La tradition, c'est qu'on fait sauter la crêpe d'une main en tenant un peu d'or dans l'autre main... une pièce d'or ou un bijou. Comme ça, on a du bonheur toute l'année.
H : Non, on ne fait pas de réveillon pour Noël... Nous, on fête toujours Noël en famille, pour le déjeuner. Et c'est toujours le même menu : des huîtres ou du saumon et une dinde farcie aux marrons. Et puis au dessert, une bûche de Noël... Le réveillon, on le fait le soir du 31 décembre avec les amis avec foie gras au menu et on fait la fête jusqu'à 2 ou 3 heures du matin.

P. 21 – Les fêtes en France – Exercice 3

1. Bonne fête, maman !
– Merci, ma chérie.
2. Bonjour, madame Duval... Au fait, bonne année !
– Bonne année à vous aussi, monsieur Guiraud. Mes meilleurs vœux à Madame.
– Je lui dirai. Merci.
3. Ah, c'est moi qui ai la fève ! C'est moi, la reine.
– Et tu choisis qui comme roi ?

4. Dis-moi, tu sais que demain il y a une grève du métro ?
– Ah non, ce n'est pas vrai !
– Allez, c'est un poisson d'avril !
5. Bon ben, à l'année prochaine. Bonnes vacances et joyeux Noël !

▶ Leçon 3

P. 27 – Scène 4

[...]
Anne-Sophie : Alors, c'est un homme ou une femme ?
Jean-Philippe : Une femme, sans hésitation.
Anne-Sophie : Si c'était un personnage politique ?
Jean-Philippe : Ce serait une reine.
Karine : Une reine autoritaire.
Anne-Sophie : Et si elle avait un amoureux ?
Karine : Il serait étranger.
Anne-Sophie : Si c'était une plante ?
Odile : Une plante carnivore.
Anne-Sophie : Une boisson ?
Patrick : De la bière.
Anne-Sophie : Et un animal ?
Karine : Un serpent.
Liza : Ou un crocodile.
Anne-Sophie : Bon, si c'est comme ça, je préfère aller me coucher... [...]

p. 29 – Écoutez des blagues

F : Tu la connais celles des deux militaires qui discutent. Et il y en a un qui demande à l'autre : « Pourquoi tu es entré dans l'armée ? ». L'autre répond : « Ben parce que je suis célibataire et que j'aime la guerre. » Alors le premier lui dit : « Ben moi, c'est parce que je suis marié et que j'aime la paix. »
H : Quand deux fonctionnaires se rencontrent le matin au bureau à 9 heures, tu sais ce qu'ils se disent ?... « Ah, tiens, toi aussi, tu as des insomnies ? »
F : Tu connais celle du docteur qui appelle son patient : « Bon, j'ai reçu les résultats de vos analyses. J'ai deux nouvelles à vous annoncer. Une mauvaise et une encore plus mauvaise. » Alors le patient complètement assommé dit : « Je vous écoute. » – « Eh bien la mauvaise, c'est qu'il ne vous reste que 24 heures à vivre et la seconde, c'est que j'essaie depuis hier de vous contacter pour vous l'annoncer. »
H : C'est un Belge qui est devant un distributeur de boissons et derrière lui, il y a un Français qui attend son tour. Le Belge met deux euros dans la machine, prend sa bouteille de bière. Puis il remet deux euros et reprend une bouteille, il remet deux euros et comme ça pendant cinq minutes. Alors le Français lui dit : « Vous n'en avez pas assez ? » Alors le Belge : « Ben non, il n'y a pas de raison. Je gagne. Alors je continue à jouer. »
F : Nous, on raconte des blagues sur les Belges. Les Belges, eux, c'est sur les Français... Tu sais pourquoi les autoroutes françaises ne sont pas éclairées ?... Ben il y a pas besoin parce que les Français se prennent toujours pour des lumières... Et tu sais comment on appelle quelqu'un qui parle trois langues ?
H : Un polyglotte.
F : Un trilingue, et quelqu'un qui parle deux langues ?
H : Un bilingue.
F : Et quelqu'un qui parle une seule langue ?...
H : Ben... un monolingue ?
F : Non, un Français.

▶ Leçon 4

P. 34 – Scène 2

Karine : Anne-Sophie, tu peux nous ouvrir ?
Anne-Sophie : Qu'est-ce que vous voulez ?
Karine : On a dit quoi pour te fâcher ?
Anne-Sophie : Que j'étais un serpent, une plante carnivore, je ne sais quoi encore !
Karine : Mais on n'a pas voulu dire ça Anne-Sophie !
Odile : Tu as mal compris. Le personnage du portrait, ce n'était pas toi, c'était Cléopâtre !
Anne-Sophie : Comment Cléopâtre ?
Odile : Ben oui, Cléopâtre, reine d'Égypte, le pays des crocodiles.
Liza : Cléopâtre, amoureuse de César, un étranger. Morte à cause d'un serpent.
Anne-Sophie : Je suis sûre que vous vous moquez de moi.
Karine : Je te fais remarquer que tu te moques souvent de nous.
Odile : Et à la fin, c'est pénible.
Anne-Sophie : Eh bien aujourd'hui, je ne serai pas pénible. Allez-y sans moi dans cette grotte.

P. 34 – Scène 3

Jean-Pierre : Écoutez ! On entend quelque chose... Oh, eh...
Une voix : Oh, eh !
Liza : C'est l'écho.
Harry : Mais non !... On est là !
La voix : Oh, eh !

P. 37 – Les témoignages.

1. Sur le témoignage de David

C'est vrai qu'en France, le petit déjeuner n'est pas considéré comme un repas. En général, dans une famille, chacun a ses habitudes et ses horaires. Mais si on reçoit des amis ou des gens de la famille, là on fait un effort, on va acheter des croissants ou des pains au chocolat et on attend que tout le monde soit prêt pour prendre le petit déjeuner.

2. Sur le témoignage de Sonja

En matière de repas en France, on trouve tous les cas de figures. Ça dépend de l'âge, si on est seul ou en famille... Il n'y a pas vraiment de règle... On peut inviter des amis autour d'un couscous ou d'une choucroute. On y ajoute un dessert et on ne sert pas obligatoirement du fromage. Une chose est sûre, on dîne plus tôt que les Espagnols et plus tard que les Anglais et les Allemands.

3. Sur le témoignage de Karol

C'est vrai pour le pain et la carafe d'eau est obligatoire. Mais il faut quelquefois la demander au serveur... Et même la demander plusieurs fois. C'est curieux, le serveur vous entend toujours quand vous demandez une bouteille d'Évian, jamais quand c'est une carafe d'eau.

4. Sur le témoignage d'Amparo

Ce n'est pas parce qu'on parle plusieurs fois par jour à quelqu'un qu'on va passer du « tu » au « vous ». On ne tutoie pas ses voisins ou sa boulangère. Mais c'est en train de changer. Les jeunes se tutoient plus facilement.

5. Sur le témoignage de William

C'est vrai pour beaucoup de Français : quand on se dit bonjour le matin, on se serre la main. Mais bon, ça dépend aussi des personnalités. Ce qui est sûr, c'est qu'on se fait plus la bise qu'avant. Même les hommes, entre amis, se font la bise.

P. 37 – Une belle table

a. Je mets l'assiette à potage sur l'assiette principale ?
b. Et la serviette, je la mets à côté de l'assiette ?
c. À droite de l'assiette, je mets d'abord le couteau pour les entrées puis l'autre couteau puis la cuillère ?
d. Je pose les fourchettes dents vers le haut ?
e. L'assiette à pain, je la pose à droite de l'assiette ?
f. Le verre à champagne, je le mets à droite ?

▶ Bilan 1

P. 38 – Test 3

A. – Allô, Jérémy, c'est Amandine.
J. – Ah, bonjour, Amandine ! Ça va ?
A. – Oui... Je t'appelais pour te demander... Est-ce que ça te dirait d'aller faire un tour en montgolfière ?
J. – En montgolfière ! C'est génial, ça !
A. – Tu en as déjà fait ?
J. – Non justement.
A. – On s'est décidé avec les copains. On doit faire ça le dimanche 8 avril, de dix heures à seize heures. Et il reste deux places. Ça t'intéresse ?
J. – Évidemment que ça m'intéresse. C'est où le rendez-vous ?
A. – À La Roque-Gageac. C'est à 40 km.
J. – Il y aura qui ? Maéva ?
A. – Non, elle fait un stage à Paris. Mais il y aura Lucas, Jade, Renaud, Flore. Romain devait venir mais il s'est cassé la jambe.
J. – Ah bon. Je ne le savais pas... Ben, écoute, c'est d'accord. Merci pour la proposition. Comment on fait ?
A. – Nous, la voiture sera pleine. Tu peux venir avec ta voiture ?
J. – Sans problème.
A. – Pour y aller, c'est facile. Tu vas jusqu'à Sarlat. Tu traverses Sarlat. À la sortie, tu prends à droite la route de Vézac...
J. – Ça va, je vois.
A. – Après Vézac, tu fais un kilomètre et tu arrives à un croisement. À droite, c'est la direction Castelnaud, à gauche, la direction La Roque-Gageac. Tu longes la Dordogne sur quelques kilomètres et tu vas voir un panneau « Tour en montgolfière ».

P. 40 – Test 5

1. Le feu d'artifice, c'est le 13 au soir ou le 14 ? Je ne sais jamais. – **2.** Un petit brin de muguet, madame ! Ça porte bonheur. – **3.** Je vous présente mes meilleurs vœux pour la nouvelle année. – **4.** Bon, tu as ta liste de fournitures ? Alors, qu'est-ce qu'il faut ? Deux cahiers de 24 cm sur 32... – **5.** Ah, il est très bien décoré, votre sapin. – **6.** Tu as vu ? Cette année, le 1er et le 8 mai tombent un jeudi. Ça va faire deux ponts ! – **7.** Tu sais que le Palais de l'Élysée est ouvert le week-end prochain ? C'est l'occasion d'aller le voir. – **8.** Il y a Jean-Raphaël qui fait une soirée crêpes. Il faut y aller costumé. Je me demande si j'y vais. – **9.** Quelles fleurs on prend pour la tombe de grand-père ? Les jaunes ou les rouges ? – **10.** Il faut acheter des cloches et des œufs en chocolat pour les enfants.

▶ Leçon 5

P. 50 – Scène 2

[...]
Kamel : ... Alors pas de panique, tout ira bien.
La mère : Quand je pense que ton père et moi, on a travaillé comme des dingues pour que tu fasses

ces études d'économie !
Kamel : Je sais, maman, et je vous remercie. Mais j'ai envie de choisir ma vie.
Le père : D'accord, mais ne viens pas nous demander de t'aider !
Kamel : Rassurez-vous, je ne vous demanderai rien.

P. 52 – Exercice 1

Marie : Bon, on va faire le point. Le Téléthon, c'est le samedi 5 décembre. Il faut faire les annonces dans la presse. Alors chaque responsable va me dire ce que son groupe a l'intention de faire. D'accord ?... Tu commences, Aurélien ?
Aurélien : Oui. Donc moi, c'est le groupe des rollers. On sera sur le boulevard Victor-Hugo de 14 h à 16 h et on fera une démonstration en musique avec des figures un peu spectaculaires.
Marie : Bérengère ?
Bérengère : Nous, on a regroupé 50 personnes qui font du jogging et on va faire le tour du centre-ville pendant 24 heures, de samedi midi à dimanche midi.
Aurélien : Tous ensemble ?
Bérengère : Mais non, on va se relayer. Chacun va courir 30 minutes.
Marie : Monsieur Renaud. D'abord, merci d'être venu. On est content d'avoir un prof avec nous.
M. Renaud : Voilà, avec des copains qui sont, comme moi, passionnés de voitures anciennes et qui ont une belle voiture des années 30 ou 40, on va organiser des promenades en ville.
Marie : C'est sympa et c'est quand ?
M. Renaud : Tout le samedi de 10 h à 18 h.
Marie : Julien ?
Julien : Alors moi, je représente le club d'escalade. On va proposer des descentes en rappel de la tour du château. On va faire ça samedi de 14 h à 16 h.
Marie : Tout le monde peut y participer ?
Julien : Oui, tout le monde. Enfin, tous les gens qui se sentent capables.
Marie : C'est parfait. Je vais faire un petit article pour les journaux, la radio et la télé.

▶ Leçon 6

P. 58 – Scène 1

[...]
Loïc : On est arrivé... Entre... Voilà, c'est ici. Je te présente Arthur, le deuxième colocataire.
Arthur : Salut !
Kamel : Salut !
Loïc : Je te fais visiter l'appartement ?
Kamel : D'accord, et puis j'aurais quelques questions à vous poser.
Arthur : Comme quoi ?
Kamel : Par exemple... si vous fumez.
Arthur : Non, ni moi, ni Loïc.
Kamel : Et vos soirées, c'est plutôt copains ou plutôt bouquins ?
Loïc : Attends, on n'est pas des moines !

P. 61 – *Le Couperet*

« Cette semaine, je vous conseille *Le Couperet*, de Costa-Gavras, un suspense policier qui a pour toile de fond un problème de société. Bruno Davert, José Garcia, excellent, est cadre supérieur dans une usine de papier depuis quinze ans. Tout marche bien pour lui. Il habite une jolie maison avec sa femme, Karine Viard, toujours aussi naturelle, et ses deux enfants. Mais un jour, catastrophe, l'entreprise délocalise et supprime du personnel. Bruno Davert se retrouve au chômage.

Il envoie des CV, passe des entretiens, persuadé qu'avec sa qualification il ne tardera pas à trouver du travail. Mais deux ans plus tard, il est toujours sans emploi. C'est alors que naît dans son esprit une horrible idée. Il aura le poste de directeur des produits dans l'entreprise Arcadia. Pour cela, il suffit de tuer celui qui occupe le poste et tous les candidats qui risquent d'être recrutés pour le remplacer.

Il crée une fausse entreprise, une simple boîte postale, fait paraître une offre d'emploi correspondant au poste qu'il souhaite, reçoit des candidatures et sélectionne les meilleures. Il y en a cinq. Davert devra donc tuer six fois.

La police réussira-t-elle à retrouver ce meurtrier en série ? Bien sûr, je ne dévoilerai pas la fin. Je dirai seulement qu'elle est inattendue. »

▶ Leçon 7

P. 66 – Scène 3

Le serveur : Je vous écoute.

Kamel : Qu'est-ce que tu prends ?

Clémentine : Un kebab, des frites... On peut avoir de la salade avec ?

Le serveur : Bien sûr, salade verte et tomates ?

Clémentine : Parfait.

Le serveur : Et comme sauce ? Mayonnaise, pimentée, sauce blanche ?

Clémentine : C'est quoi la sauce blanche ?

Le serveur : C'est du yaourt avec du concombre, de l'ail et de la menthe.

Clémentine : Alors sauce blanche.

Le serveur : Et pour vous ?

Kamel : La même chose.

Le serveur : Et comme boisson ?

Clémentine : Je prendrais bien une bière. C'est la fête aujourd'hui !

Kamel : Moi aussi.

Le serveur : Très bien.

Kamel : Et tu fais beaucoup de castings ? [...]

P. 67 – Scène 4

1. *Kamel :* Allô, le Crédit du Centre ?

Une voix de femme : Ah, je crois que vous faites erreur.

Kamel : Excusez-moi, madame.

2. *Répondeur de la banque :* Bienvenue sur le service accueil du Crédit du Centre. Pour consulter vos comptes tapez 1...

Veuillez composer votre numéro de compte. Vous êtes débiteur de la somme de 50 euros 54 centimes.

3. *Répondeur de la banque :* Bienvenue sur le service accueil du Crédit du Centre. Pour consulter vos comptes, tapez 1, pour être informé sur nos crédits et nos assurances, tapez 2, pour effectuer une opération, tapez 3, pour parler à un conseiller, tapez 4... Vous voulez parler à un conseiller. Tous nos conseillers sont occupés. Le temps d'attente est de – 10 – minutes. Merci de patienter ou de rappeler ultérieurement.

4. *Répondeur de la banque :* ... Pour parler à un conseiller, tapez 4... Béatrice Duval, bonjour.

Kamel : Je voudrais parler à M. Guibert, qui s'occupe de mon compte.

Mme Duval : Ah, il est absent jusqu'à lundi prochain. Je peux vous aider ?

Kamel : Non ça va, merci. Je rappellerai lundi.

P. 69 – Les opérations bancaires – Exercice 2

a. *H :* Je voudrais déposer ce chèque.

F : Vous avez des formulaires sur l'étagère. Vous remplissez le formulaire, vous le mettez dans l'enveloppe avec votre chèque et vous mettez l'enveloppe dans la boîte, là, vous voyez ?

b. *F :* Allô, monsieur Balmel ? C'est Éric Reynaud. Je vous appelle parce que j'ai vu que mon compte était dans le rouge.

H : Vous pouvez me rappeler votre numéro de compte.

c. *H :* Bonjour, je voudrais ouvrir un compte.

F : Vous êtes français ? Vous êtes ressortissant d'un pays d'Europe ?

d. *F :* Je voudrais demander un prêt.

H : Quel type de prêt ? Immobilier, automobile, étudiant ?

e. *H :* Bonjour. Est-ce que je peux retirer de l'argent depuis un compte en banque à l'étranger ? J'ai perdu ma carte bancaire.

F : Quelle est votre banque ? Elle est en zone euro ?

H : Non, je suis à la Banamex, au Mexique.

▶ Leçon 8

P. 74 – Scène 2

Kamel : Voilà, j'ai rempli ma partie. Lisez-la et signez si vous êtes d'accord.

L'automobiliste : Donc... Vous quittiez un stationnement... Vous reculiez... Vous avez heurté l'avant droit de ma voiture... C'est bien ça... Je signe... J'espère que vous n'aurez pas de problème avec votre patron.

Kamel : Ce ne serait pas très grave.

L'automobiliste : Il n'est pas important pour vous, ce boulot ?

Kamel : Je ne fais pas que ça. Je suis surtout comédien.

L'automobiliste : Mais c'est intéressant ça ! Et vous jouez ?

Kamel : Ben oui, j'ai écrit un spectacle et je le joue... Enfin, on est deux sur scène.

L'automobiliste : Et vous le faites où, ce spectacle ? [...]

P. 76 – Récits d'incidents – Exercice 1

1. *F :* Écoute. C'est incroyable ce qui m'est arrivé. J'étais dans ma voiture sur le boulevard Gambetta, au feu rouge qui est devant les marches de la médiathèque... Tu vois où c'est... Donc j'attendais tranquillement et tout à coup j'ai vu un jeune sur un skate sauter sur le capot de ma voiture, traverser le boulevard et disparaître dans une petite rue. Tu sais, il était parti de l'entrée de la médiathèque et au lieu de descendre les marches avec son skate, il a fait un saut sur ma voiture. Je veux dire, j'ai eu mon capot enfoncé et mon pare-brise cassé.

2. *H :* Entre Noël et le jour de l'An, on est allés à Paris pour la semaine. Mais je vous dis pas le retour sur Lyon : une tempête de neige juste comme on traversait le Morvan... J'ai jamais vu ça ! Les voitures, les camions bloqués sur l'autoroute ! Impossible de bouger ! Toute la nuit on a attendu ! On était gelés !

3. *F :* Vous savez pas ce qui est arrivé à mon fils, hier ? Je le vois arriver de l'école pieds nus ! Sans ses chaussures ! Il me dit : « Maman, je me suis fait voler mes Adidas. » Je veux dire, ça s'est passé en plein jour, sur le chemin de l'école. Des grands l'ont entouré et l'ont racketté : « Tu nous donnes tes Adidas et tu ne discutes pas. » Remarquez, je vais vous dire, ça, c'est son oncle. Pour Noël, il lui a offert des Adidas à 200 € ! On n'a pas idée !

▶ Bilan 2

P.78 – Test 3

a. Adrien, range ton étagère, s'il te plaît. – **b.** Damien, tu peux sortir la poubelle ? – **c.** Maman, il faudrait me recoudre ce bouton. – **d.** On doit accrocher ce tableau. – **e.** Allume le four, s'il te plaît. – **f.** Vous pouvez mettre le couvert, les enfants ? – **g.** Il faudrait quelqu'un pour essuyer la poussière. – **h.** François, tu pourrais étendre le linge ? – **i.** Cette ampoule ne marche pas. Il faut la changer. – **j.** Qui c'est qui doit mettre la vaisselle dans le lave-vaisselle aujourd'hui ? C'est toi, Anne-Lise ?

P. 80 – Test 6

Clément : Ça y est. J'ai trouvé un logement.

Une amie : Où ça ?

C. : Dans le XIIe, près du bois de Vincennes.

A. : Il y a de beaux immeubles, par là.

C. : Oui mais ce n'est pas le cas du mien. Il est vieux, pas très propre... et pas d'ascenseur. C'est un peu gênant, tu vois, parce que mon appartement est au 5e étage. Mais bon, j'ai deux pièces, le loyer n'est pas très cher...

A. : Tu paies combien ?

C. : 500 € et seulement, 100 € de charges. Mais le chauffage est individuel.

A. : Tu as de la chance parce qu'à ce prix-là, on ne trouve rien.

C. : Ben oui, c'est une amie de ma mère qui me le loue. Cela dit, quand je compte l'électricité et les impôts, ça fait 800 € par mois à sortir pour le logement.

A. : Tu es toujours dans la boulangerie ?

C. : Ben oui, c'est mon métier. Je travaille pour un boulanger dans le XVIe.

A. : Ce n'est pas près de chez toi.

C. : On ne peut pas tout avoir : un logement pas cher et le boulot à côté. Mais ça va. J'y vais en scooter. À 5 heures du matin, tu sais, ça va vite. J'y suis en 20 minutes.

A. : Tu commences à 5 heures !

C. : Ben oui. Je bosse de 5 heures à midi, 5 jours par semaine. Des fois, c'est le dimanche. Mais bon, ça laisse du temps libre et ce n'est pas trop mal payé.

A. : Et tu gagnes combien ?

C. : 1 400 € net mais souvent, je fais des heures supplémentaires. J'arrive à 1 600.

A. : Donc tu te débrouilles avec ça.

C. : 800 € pour le logement, 200 € pour la nourriture, 200 € pour les autres frais... Il me reste 300, 400 €. Ça va !

▶ Leçon 9

P. 90 - Scène 3

Julie : Tu as vu ça ? C'est encore Zoé qui fait le dossier du dimanche !

Grégory : Et alors ? Tu t'en moques. Ça nous fait moins de travail.

Julie : Le service culturel n'a pas passé un grand article depuis un mois !

Grégory : Moi, ça m'est égal !

Julie : Tu dis ça parce que tu es stagiaire. Moi, je ne trouve pas cela normal... Elle ne pourrait pas prendre des vacances comme tout le monde... ou tomber malade.

Grégory : Ce serait super... La semaine prochaine, je dois faire mon stage avec elle.

P. 93 – Rédigez une nouvelle brève.
Exercice a

a. La photo en haut de la page, c'est celle du nouveau spectacle de Bartabas… Bartabas, c'est un passionné de chevaux qui crée des spectacles équestres très originaux.
C'est différent du cirque. Plus poétique. Il y a un travail sur la musique, les lumières, les mouvements des chevaux qui sont quelquefois seuls sur la piste. C'est vraiment magique. Et donc là, Bartabas a été invité à faire l'ouverture du Festival d'Avignon… et pour ce spectacle il s'est inspiré du folklore des Balkans. Ça a eu un succès fou. Pour la première du spectacle, Bartabas a été applaudi pendant plus d'une heure.
b. L'autre photo, c'est une grève au journal *France-Soir*. Je me souviens, le journal perdait beaucoup d'argent. Ça ne pouvait pas continuer. Donc un financier a proposé de le racheter mais il voulait renvoyer plus de la moitié du personnel, 61 personnes sur 112 ! Et en plus, il voulait changer le journal. Il voulait en faire un journal populaire avec des rubriques « people ». Alors le personnel s'est mis en grève et a occupé les locaux.

▶ Leçon 10

P. 98 – Scène 1

A. Bossard : Alors française ou italienne, la Belle Ferronnière ?
Zoé : Ben, française. C'était une des maîtresses de François Iᵉʳ dont le mari s'appelait Ferron.
A. Bossard : Eh non. La ferronnière, ce n'est pas la dame ! C'est le bijou sur son front.
Zoé : Ah bon ? Et qui est la dame alors ?
A. Bossard : Il est probable que c'est la femme du duc de Milan… Mais il est possible aussi que ce soit sa maîtresse.
Zoé : Donc c'est une Italienne exilée au Louvre.
A. Bossard : Exactement… Au fait, j'ai une information pour vous.
Zoé : Ah, vous m'intéressez !
A. Bossard : Vous venez prendre un verre avec moi ?

P. 101 – Découverte du musée d'Art moderne – Exercice 2

La guide : Vous avez devant vous un tableau de Georges Braque intitulé *Paysage de l'Estaque*. Il a été peint en 1906. C'est une huile sur toile qui appartient à la période fauviste de Braque. Et en le regardant, nous allons très vite comprendre ce qu'est le fauvisme.
Ça représente un chemin dans la forêt méditerranéenne avec à droite l'entrée d'une propriété. C'est à l'Estaque, un village près de Marseille où le peintre s'est installé pendant quelques mois. Quand on regarde ce tableau, il y a deux choses qui frappent. D'abord, ce sont les couleurs. Elles sont vives et surtout elles ne représentent pas la réalité. Pour peindre les feuillages, Braque a utilisé le bleu et le mauve plus que le vert. Ensuite vous remarquerez que les traits du dessin sont épais et qu'ils forment des courbes harmonieuses. Voilà la différence avec les impressionnistes de la fin du XIXᵉ siècle. Eux, ils voulaient représenter la réalité. Pour le fauvisme, la couleur et les formes sont plus importantes que la vérité du paysage…
Pour cette œuvre de Marcel Duchamp, c'est très différent. Et peut-être certains d'entre vous diront : « Pourquoi met-on ça dans un musée ? » Ça s'appelle tout simplement *Roue de bicyclette* et effectivement, c'est une roue de métal fixée sur un tabouret de bois peint.

Ce qui est intéressant, c'est que Marcel Duchamp a fait ça en 1913, pas pour être exposé mais pour l'avoir dans son atelier parce qu'il aimait regarder tourner la roue. Ce n'est que plus tard qu'il a décidé de l'exposer.
Mais vous voyez, on est devant un travail représentatif du mouvement Dada. L'artiste rejette l'art officiel. Il affirme sa volonté de faire ce qui lui plaît. C'est un jeu, une plaisanterie, une provocation…

▶ Leçon 11

P. 106 – Scène 2

Julie : Qu'est-ce qu'il lui arrive ? Elle a l'air bien énervée.
Grégory : Elle m'a dit qu'on lui avait volé un fichier… un article qu'elle préparait.
Julie : Le dossier Vinci, j'en suis sûre ! C'est toi qui as fait le coup ?
Grégory : Tu n'y penses pas ! À quoi ça me servirait ?
Julie : À vendre l'information à un concurrent.
Grégory : Et pourquoi ça ne serait pas toi, l'espionne ?

P. 108 – Rédigez – Exercice 2

Le guide : Ici, vous avez la maison où est né le célèbre Nostradamus. Qui était Nostradamus ? C'était un médecin du XVIᵉ siècle. D'ailleurs, sur la façade, vous pouvez voir une fenêtre qui date du XVIᵉ siècle… Donc Nostradamus avait beaucoup voyagé, en France mais aussi en Italie. Et il avait rapporté de ses voyages des médicaments à base de plantes qui, ô miracle, guérissaient les malades. Alors, bien entendu, ça ne plaisait pas trop aux autres médecins et Nostradamus s'est fait beaucoup d'ennemis… Alors il a abandonné la médecine et il s'est intéressé à l'astrologie. Et là, il est devenu encore plus célèbre, même la reine voulait le consulter ! Et aujourd'hui encore, il y a des gens qui croient à ses prédictions…
Ici, c'est le centre Van Gogh. Pourquoi Van Gogh ? Parce que le peintre a passé deux ans dans la région. En 1888, il s'installe à Arles. Il y reste un an. Mais il va tomber malade et viendra se faire soigner ici, à Saint-Rémy-de-Provence, dans la maison de santé Saint-Paul. Et pendant ces deux années, il va s'inspirer des paysages, des gens et peindra plus de 300 tableaux, des tableaux qui sont devenus célèbres…
Et maintenant, nous allons aller à Glanum. C'est à un kilomètre d'ici. Là-bas, vous allez admirer les vestiges d'une ville romaine qui était très riche dans l'Antiquité. Elle a été détruite au IIIᵉ siècle par une invasion barbare. Mais vous allez voir, il reste de très belles choses…

▶ Leçon 12

P. 115 – Scène 3

[…]
Zoé : J'espère que je pourrais être fière de mon journal s'il ne m'espionne plus !
Le directeur : Oh ! Tout de suite les grands mots ! Bon, je vous présente mes excuses. J'aurais dû vous avertir.
Zoé : Ah, vous le reconnaissez.
Le directeur : Vous avez fait doubler les ventes du journal. Vous n'êtes pas n'importe qui !
Zoé : Ah d'accord, c'est parce que je fais vendre !
Le directeur : Vous n'allez pas recommencer !
[…]

Zoé : Ça me fait plaisir que tu me dises ça. Au fait, ta série d'articles sur Léonard de Vinci, super !
Julie : Tu es sincère ?
Zoé : Tout à fait. Tu as des doutes ?
Julie : Je suis sûre que tu me soupçonnais pour le vol du fichier.
Zoé : Jamais, Julie, jamais !
[…]
A. Bossard : … Je vous ai renvoyé l'ascenseur, c'est tout.
Zoé : Je vous dois un dîner.
A. Bossard : Vous me devez rien, Zoé. Mais ce serait un plaisir de dîner avec vous ! Et puis, dites-moi, on pourrait se dire « tu ».
Zoé : D'accord, je veux bien essayer.

P.116 – Compréhension du message – Exercice 3

Nathan : Et dis-moi, comment va la jambe de Simon ?
Émilie : Beaucoup mieux, il vient de reprendre le jogging la semaine dernière.
N. : Ah, j'aime mieux ça. On était un peu inquiet.
É. : Non, non, tout va bien chez nous, et vous ? J'ai appris une bonne nouvelle. Vous voulez vous installer au Québec.
N. : Pour le moment, ce n'est qu'un projet.
É. : Ben écoute, en attendant, j'ai les quelques renseignements que Lydia m'a demandés dans son message. J'ai interrogé des gens qui sont venus de France pour travailler. D'abord, tu dois demander un certificat de sélection.
N. : Comment tu dis ? Un certificat de sélection ?
É. : C'est ça. Tu dois répondre à des tas de questions, fournir des papiers, passer une visite médicale. Et puis il faudra obtenir les autorisations de travailler de l'ordre des médecins pour toi et de celui des ingénieurs.
N. : Je vois, ce n'est pas si simple.
É. : Non, surtout pour les médecins. Quelquefois il faut repasser des examens ou faire des stages.
N. : Et à supposer que ça marche, ça prendrait combien de temps ?
É. : Ben il faut compter un an à partir du moment où tu fais la demande. En plus, ça va vous coûter environ 5 000 € mais ça peut avoir changé. Le mieux, c'est que vous vous adressiez à l'ambassade du Canada ou à la délégation générale du Québec à Paris. Et puis vous pouvez venir passer un mois ou deux, en touristes, pour voir.
N. : Justement, on se demandait… combien ça coûte pour louer une maison ?
É. : Tu sais, ça dépend beaucoup de la situation. Disons que la vie ici est moins chère qu'en France. De 10 à 20 %.

▶ Bilan 3

P. 120 – Test 6

Marie : Je viens d'écouter une émission sur Maurice Béjart. Je ne savais pas que son vrai nom était Maurice-Jean Berger.
Pierre : Moi non plus. Ils ont dit pourquoi il avait choisi le nom de Béjart ?
Marie : Parce qu'il admirait Molière, que la femme de Molière s'appelait Béjart et que Béjart ressemble un peu à Jean Berger.
Pierre : Et finalement, c'était quoi sa nationalité ?
Marie : Suisse, mais pas depuis longtemps.

En fait, il était né à Marseille.

Pierre : Moi, je croyais qu'il était belge.

Marie : Non, mais il a longtemps travaillé en Belgique... Il a vécu d'abord en France puis en Belgique, puis à l'âge de 60 ans en Suisse...
Tu sais qu'il est devenu danseur un peu par hasard. Quand il était adolescent, il voulait devenir torero... Et puis, un jour, un médecin lui a conseillé de faire de la danse pour se muscler. Et à la même époque, il est allé voir un spectacle d'un célèbre danseur de l'époque : Serge Lifar. Sa vocation est partie de là. Il a étudié la danse et a fait des études de philosophie.

Pierre : Il est devenu célèbre à quel âge ?

Marie : À l'âge de 32 ans avec le ballet « Le Sacre du printemps » de Stravinsky. Puis il y a eu « Le Boléro » de Ravel...

P. 120 – Test 7

« Ici, nous sommes dans la vieille ville. C'est la place Henri-IV. Vous voyez, elle est entourée de maisons qui datent du XVe ou du XVIe siècle avec des façades caractéristiques de l'époque. Pendant longtemps, ici, il y a eu un marché aux oiseaux où les paysans vendaient les oiseaux qu'ils avaient capturés vivants... Et voici la cathédrale Saint-Pierre. Elle date du XIIe siècle mais elle a été en partie reconstruite au XVe. Regardez, cette tour est du XIIe siècle... Et ici, au-dessus de la porte, vous avez la statue de saint Vincent Ferrier avec son bras levé. Et il y a une légende qui dit que quand saint Vincent baissera le bras, ce sera la fin du monde... Nous sommes maintenant sur la place de la Cohue. Attention, la Cohue ça ne veut pas dire qu'il y a beaucoup de monde, ça vient d'un mot breton et ce sont les anciennes halles. Aujourd'hui, c'est devenu un musée avec des salles d'exposition... Nous arrivons sur la place des Lices qui date aussi du Moyen Âge. C'est ici qu'avaient lieu les tournois de chevaliers... Nous sommes maintenant sortis de la vieille ville et en vous retournant vous pouvez voir les remparts avec plusieurs tours de garde. Tout cela date du XVe siècle et a été très bien restauré. Au pied des remparts, vous pourrez vous promener dans ces magnifiques jardins à la française.

▶ Leçon 13

P. 131 – Scène 2

[...]

Le journaliste : En face de vous, vous aurez des promoteurs immobiliers, les agences de tourisme, les chasseurs.

Gaëlle : J'ai l'intention de rencontrer tous ces gens.

Le journaliste : Et qu'est-ce que vous leur direz ?

Gaëlle : Que le parc est une chance pour eux.

Le journaliste : Comment ça ?

Gaëlle : Eh bien, quand les promoteurs auront construit des immeubles partout, les touristes n'auront plus rien à voir et les chasseurs n'auront plus rien à chasser.

Le journaliste : Et vous croyez qu'ils comprendront ?

Gaëlle : Je vous donne rendez-vous dans deux ans. Nous aurons doublé la superficie du parc et nous aurons sauvé cet environnement exceptionnel.

P. 133 – Interview d'un agriculteur

La journaliste : Dans notre série « Les gens d'ici », nous recevons Rémy, qui est agriculteur à Générac. Bonjour, Rémy, vous pouvez me dire où est Générac ?

Rémy : Dans le sud de la France, entre Nîmes et Montpellier.

J. : Et vous avez une grande propriété ?

R. : Elle fait trente hectares. La moitié est plantée en vignes. Sur le reste, j'ai des cerisiers, des abricotiers, j'ai aussi des oliviers et des amandiers. Mais j'appelle pas ça une grande propriété. C'est le minimum qu'il faut, aujourd'hui, pour vivre correctement.

J. : Vous voulez dire qu'il y a dix ou quinze ans, on pouvait vivre sur une propriété plus petite ?

R. : Absolument. Il y a seulement dix ans, j'avais dix hectares de vignes et huit d'arbres fruitiers. Et je vivais aussi bien.

J. : Qu'est-ce qui a changé ?

R. : La concurrence qui est de plus en plus dure. Pour le vin, nous sommes en compétition avec l'Afrique du Sud et l'Australie. Pour les fruits, avec l'Espagne. Notre problème, c'est la commercialisation. Nous faisons de très bons produits mais nous ne savons pas les vendre.

J. : Vous recevez des aides ?

R. : Pour le bio seulement. C'est le cas d'une petite partie de mon exploitation.

J. : Beaucoup d'enfants d'agriculteurs ne reprennent pas l'exploitation familiale. Vous changeriez de métier aujourd'hui ?

R. : Non, parce que j'ai trente-cinq ans et que j'y crois. Il y a des bons côtés : l'indépendance, le plaisir de faire de bons produits.

J. : Mais avec des moments difficiles, quand même ? Je sais, par exemple, que de nos jours la récolte des raisins se fait la nuit.

R. : Oui, mais ce n'est pas le plus embêtant. Le plus difficile à vivre, c'est le risque : la météo, la chute des prix... Vous savez, il m'arrive de laisser la récolte sur l'arbre. Je perds de l'argent, mais si je récoltais, j'en perdrais encore plus.

▶ Leçon 14

P. 135 – Entrez sur le site des pourquoi – Exercice 3

H. : Bonjour, c'est Cédric. Je voudrais répondre à Virginie qui se demande pourquoi les Britanniques sont si attachés à leur reine... J'ai vécu en Angleterre et je crois que pour les Anglais, la reine, c'est le symbole de l'unité du pays. Elle représente la tradition, la stabilité... C'est un peu comme nous, le drapeau, la Constitution...

F. : Bonjour, je suis Hélène, de Clermont-Ferrand. Je crois que je peux répondre à la question d'Éric : pourquoi le coq est l'emblème de la France. Je crois que ça vient de l'Antiquité quand les Romains ont occupé la Gaule, c'est-à-dire le territoire de la France actuelle... En latin, « Gaule », ça se disait *Galus*, mais *gallus*, avec deux « l », ça signifiait aussi « le coq » et les Romains ont pris l'habitude de dire « les coqs » à propos des Gaulois.

H. : Bonjour, c'est Hugo. J'ai une réponse à la question de Peg : « Pourquoi les Français consomment beaucoup d'eau minérale. » D'abord, je connais beaucoup de gens qui pensent que l'eau du robinet n'est pas bonne pour la santé. Ils disent qu'elle a mauvais goût, qu'elle a trop de calcaire, qu'elle n'est pas pure et ils achètent de l'eau minérale... Et puis, il y a tous ceux qui croient ce que racontent les pubs. Que l'eau minérale machin va faire maigrir, qu'elle vous met en pleine forme,
enfin n'importe quoi ! Mais j'ai aussi une autre

explication. Jusque dans les années 1970, la plupart des gens buvaient l'eau du robinet mais y mettaient un peu de vin dedans. Un peu ou un peu plus, ça dépendait. Après, le vin est devenu un produit noble qu'il ne fallait pas mélanger à l'eau. Et on a commencé à boire l'eau et le vin séparément. Et comme l'eau du robinet n'avait pas très bon goût, les gens ont préféré l'eau minérale.

F. : Bonjour, c'est à propos de la question de Liz sur l'origine du drapeau français. Ça vient de la Révolution. En 1789, le peuple de Paris s'est révolté contre le roi. Et quand le roi est allé à l'Hôtel de ville, c'est-à-dire à la mairie de Paris, pour rencontrer les représentants du peuple, on lui a donné une cocarde, c'est-à-dire un insigne avec les couleurs de Paris, le bleu et le rouge, et la couleur du roi, qui était le blanc. Ça symbolisait l'union du peuple de Paris et du roi. Et plus tard, quand on a choisi un drapeau pour la République, on a gardé ces trois couleurs.

P. 139 – Scène 4

[...]

Gaëlle : Je comprends mais le parc d'éoliennes ce n'est pas votre intérêt.

Loïc : Beaucoup de mes clients sont pour !

Gaëlle : Pensez qu'il y aurait moins de touristes. Vous voulez vous développer...

Loïc : Justement, la propriété que je veux acheter est à Duval. C'est le premier défenseur des éoliennes.

Gaëlle : Alors, pensez au parc naturel, aux animaux ! Il faut les défendre. Il faut venir avec nous, Loïc !

▶ Leçon 15

P. 146 – Scène 2

[...]

M. Duval : Il faut des phrases choc !

Jérémy : « La planète se réchauffe. D'ici à 2030, il faut qu'on ait trouvé une énergie non polluante ! »

Duval : C'est trop long !

Ludivine : « Pour une énergie propre ! »

Duval : Ce n'est pas assez fort !

Jérémy : « Demain la fin du pétrole. Préparons-nous ! »

Duval : Ça, c'est mieux.

P. 149 – Demandes orales

a. *H :* Préfecture de l'Aisne, bonjour !

F : Je voudrais savoir... Pour obtenir la carte grise d'une voiture que je viens d'acheter d'occasion... ?

H : Il faut venir avec la carte grise du vendeur. Elle doit être barrée et doit porter la mention « vendue » avec la date et la signature du vendeur. Il faut aussi le certificat de cession signé par vous et le vendeur et votre chéquier pour payer les droits. Il faut aussi le certificat de contrôle technique, une pièce d'identité et un justificatif de domicile. Et vous remplirez la demande d'immatriculation.

b. *H :* L'office du tourisme de Villars-de-Lans ?

F : Oui, bonjour.

H : Est-ce que vous avez la liste des locations saisonnières pour juillet ?

F : Oui. Quel type de logement ?

H : Un chalet pour huit personnes.

F : Oui, nous en avons. Vous voulez que je vous envoie la liste ? Par fax, par courrier ?

H : Par Internet.

F : Ah non, ce n'est pas possible.

H : Alors je vous donne mon numéro de fax.

c. H : Axa Assurances, bonjour !

F : Bonjour, je voudrais le service de l'assistance juridique.

H : Je peux avoir votre numéro de contrat ?

F : YP 86620C

H : Et votre nom ?

F : Carrez, (elle épelle) C.A.R.R.E.Z. Émeline.

H : Je vous passe le service...

H : Bonjour, qu'est-ce que je peux faire pour vous, madame Carrez ?

F : Voilà, je suis locataire d'un appartement qui est assuré chez vous et depuis quinze jours, la chaudière est en panne.

H : Vous avez un contrat d'entretien de votre chaudière ?

F : Oui, Gaz Service. Je les ai fait venir et ils m'ont dit que la chaudière était trop vieille et qu'on ne pouvait pas la réparer. J'ai appelé ma propriétaire qui m'a dit qu'elle ne voulait pas changer la chaudière et qu'elle allait envoyer un réparateur. Personne n'est venu. Je lui ai écrit et je n'ai pas de réponse.

H : Très bien. Je vais vous dicter une lettre que vous allez lui envoyer en recommandé avec accusé de réception.

▶ Leçon 16

P. 151 – Écoute du répondeur

Répondeur : « Bonjour, vous êtes sur la boîte à idées de l'association des habitants de Châteauneuf « J'aime ma ville ». Nous vous remercions de vos suggestions et de vos conseils. Pour nous laisser un message, parlez après le bip. »

H.1 : Bonjour et merci pour vos actions. Je vous appelle au sujet des zones commerciales. Nous en avons deux à Châteauneuf et toutes les deux sont très laides. Ce sont des magasins de styles très différents, construits autour d'un parking. Il n'y a pas d'unité. C'est horrible...
Alors on parle de faire une troisième zone commerciale sur la route de Saint-Étienne. Est-ce qu'on ne pourrait pas demander à un architecte de faire un projet avec des bâtiments de même style, des arbres, des allées couvertes pour aller d'un magasin à l'autre et jusqu' à sa voiture sur le parking, un espace de jeux pour les enfants. Bref, quelque chose qui soit sympathique et esthétique.

F.2 : Bonjour ! Je m'appelle Viviane, je suis retraitée. Je voyage beaucoup et, par conséquent, je visite beaucoup de musées. Et j'ai une suggestion à vous faire au sujet des musées de notre ville. Bon, il y en a quatre : le musée archéologique, le musée de peinture, celui du Vieux Châteauneuf et le musée des cultures et des traditions. Ils sont petits, éloignés les uns des autres, coûteux à entretenir et souvent, il faut bien le dire, vides. Pourquoi ne pas les réunir en un seul musée avec des salles claires, des présentations modernes, des explications, des animations ? Je pense qu'il y aurait plus de visiteurs dans ce musée que dans les quatre autres à la fois. Allez, à bientôt et bravo pour votre boîte à idées.

P. 154 – Scène 1

Loïc : Bonjour, Yasmina. Tu as bien dormi ?

Yasmina : Oui... Merci pour hier soir.

Loïc : Et réciproquement.

Yasmina : Écoute, Loïc, je ne veux pas te déranger...

Loïc : Tu ne me dérangeras jamais.

Yasmina : Oui mais tu vois, je voulais te dire... Je crois que je ne viendrai pas ce soir.

Loïc : C'est comme tu veux.

Yasmina : Tu ne m'en veux pas ?

Loïc : Non, Yasmina. Notre soirée restera un bon souvenir.

Yasmina : Pour moi aussi... Je voulais aussi te dire... tu es au courant des dégradations à la mairie ?

P. 154 – Scène 3

La préfète : [...] Alors à ma droite, madame Richer-Lanson, députée d'Abbeville... Ensuite monsieur Van Loo, conseiller général de Saint-Martin... Puis madame Dubois, maire de Saint-Martin... En face de madame Dubois, monsieur Moret, maire du Crayeux... Madame Lejeune, directeur du parc naturel ou « directrice ». Qu'est-ce que vous préférez ?

Gaëlle : Directrice. Puisqu'il existe un féminin, utilisons-le. [...]

▶ Bilan 4

P. 158 – Test 3

La journaliste : Depuis quand êtes-vous installé à Port-Camargue ?

Pierre Norois : Ça fait dix ans.

J. : Et qu'est-ce que vous faisiez avant ?

P. : Mon père avait une fabrique de toile de tentes à Roubaix et je travaillais avec lui. Mais j'aimais la mer, en particulier la Méditerranée. Je suis venu en vacances ici et je suis tombé amoureux de la région. Alors je me suis dit : pourquoi pas créer mon entreprise ici ?

J. : Et vous vous êtes spécialisé.

P. : Oui, d'abord dans les voiles de bateau puis dans les voiles de planches à voile. Je fais aussi des drapeaux.

J. : Vous fabriquez ici ?

P. : Non, au Maroc. Ça fait six ans. La main-d'œuvre est trop chère ici.

J. : Votre entreprise se porte bien ?

P. : Pas mal. Vous savez, Port-Camargue est un grand port de plaisance. Il y a plus de 5 000 places de bateaux. C'est un marché énorme. Mais j'ai aussi des clients sur l'Atlantique et ailleurs. Et vous savez, ils sont ravis de venir me voir ici. Je les invite pour des petits week-ends au soleil et c'est plus facile après pour avoir les marchés... Et puis, pour moi et ma famille, il n'y a que des bons côtés. Le climat est agréable, la région est sympa...

P. 160 – Test 7 – Infos

Il est 17 heures. Voici les informations.
Aujourd'hui, 13 décembre 2007, sera une date historique. Les 27 pays de l'Union européenne ont signé à Lisbonne un nouveau traité. Depuis un an, la construction de l'Union européenne était bloquée à cause du « non » français et néerlandais au projet de Constitution. Le nouveau traité de Lisbonne va relancer la construction européenne dans les domaines de la défense et de l'énergie...
La grève des étudiants continue dans 15 universités. En grève depuis une semaine, une partie des étudiants réclame la suppression du projet d'autonomie des facultés. Conséquence : les cours n'ont plus lieu mais les anti-grévistes commencent à s'organiser et ont entrepris une action en justice pour la réouverture des cours.
Conséquence de l'arrivée du froid, l'association d'aide aux personnes sans abri, « Les enfants de Don Quichotte », a installé des tentes pour les personnes qui vivent dans la rue. Le nombre de logements pour les sans-abri est, en effet, encore insuffisant. Pour se faire entendre, l'association avait installé les tentes devant la cathédrale Notre-Dame mais la police est intervenue pour les déloger.
Un avion de l'armée française s'est écrasé hier vers 18h30 près de Neuvic, un village de Corrèze. La cause de l'accident reste inconnue.
Enfin, réouverture ce mois-ci de l'Opéra-Comique, le troisième opéra national de Paris après l'Opéra Bastille et l'Opéra Garnier. La salle a été rénovée et le nouveau directeur, Jérôme Deschamps, promet un programme consacré à l'opéra français.

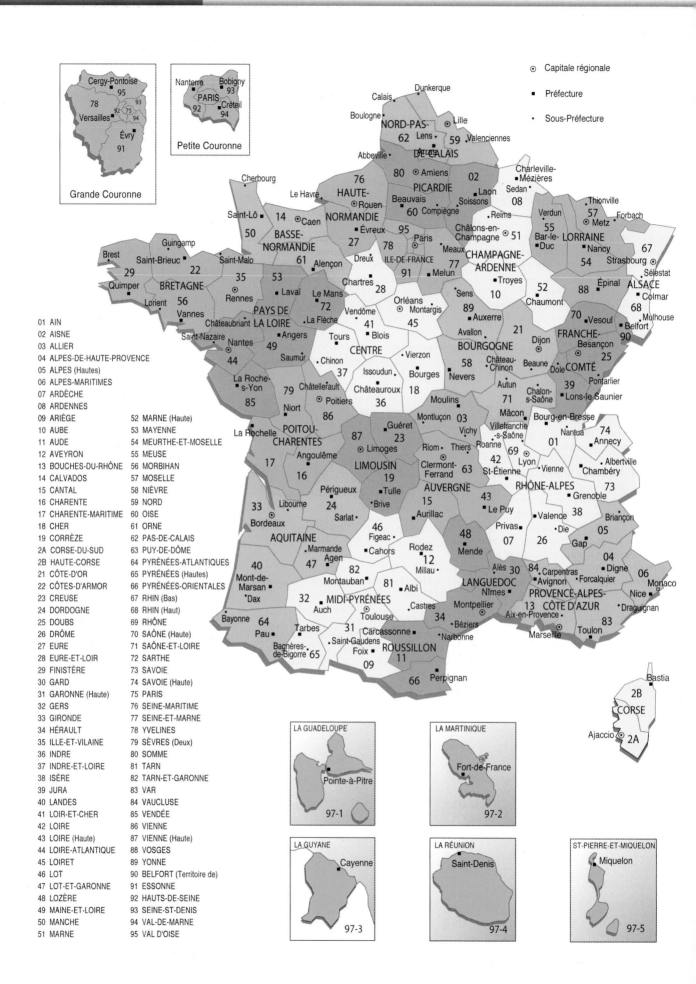

Grande Couronne

Cergy-Pontoise 95
78
Versailles 92 75 93
94
Évry 91

Petite Couronne

Nanterre Bobigny 93
PARIS
92 Créteil
94

⊙ Capitale régionale

■ Préfecture

• Sous-Préfecture

01 AIN
02 AISNE
03 ALLIER
04 ALPES-DE-HAUTE-PROVENCE
05 ALPES (Hautes)
06 ALPES-MARITIMES
07 ARDÈCHE
08 ARDENNES
09 ARIÈGE
10 AUBE
11 AUDE
12 AVEYRON
13 BOUCHES-DU-RHÔNE
14 CALVADOS
15 CANTAL
16 CHARENTE
17 CHARENTE-MARITIME
18 CHER
19 CORRÈZE
2A CORSE-DU-SUD
2B HAUTE-CORSE
21 CÔTE-D'OR
22 CÔTES-D'ARMOR
23 CREUSE
24 DORDOGNE
25 DOUBS
26 DRÔME
27 EURE
28 EURE-ET-LOIR
29 FINISTÈRE
30 GARD
31 GARONNE (Haute)
32 GERS
33 GIRONDE
34 HÉRAULT
35 ILLE-ET-VILAINE
36 INDRE
37 INDRE-ET-LOIRE
38 ISÈRE
39 JURA
40 LANDES
41 LOIR-ET-CHER
42 LOIRE
43 LOIRE (Haute)
44 LOIRE-ATLANTIQUE
45 LOIRET
46 LOT
47 LOT-ET-GARONNE
48 LOZÈRE
49 MAINE-ET-LOIRE
50 MANCHE
51 MARNE

52 MARNE (Haute)
53 MAYENNE
54 MEURTHE-ET-MOSELLE
55 MEUSE
56 MORBIHAN
57 MOSELLE
58 NIÈVRE
59 NORD
60 OISE
61 ORNE
62 PAS-DE-CALAIS
63 PUY-DE-DÔME
64 PYRÉNÉES-ATLANTIQUES
65 PYRÉNÉES (Hautes)
66 PYRÉNÉES-ORIENTALES
67 RHIN (Bas)
68 RHIN (Haut)
69 RHÔNE
70 SAÔNE (Haute)
71 SAÔNE-ET-LOIRE
72 SARTHE
73 SAVOIE
74 SAVOIE (Haute)
75 PARIS
76 SEINE-MARITIME
77 SEINE-ET-MARNE
78 YVELINES
79 SÈVRES (Deux)
80 SOMME
81 TARN
82 TARN-ET-GARONNE
83 VAR
84 VAUCLUSE
85 VENDÉE
86 VIENNE
87 VIENNE (Haute)
88 VOSGES
89 YONNE
90 BELFORT (Territoire de)
91 ESSONNE
92 HAUTS-DE-SEINE
93 SEINE-ST-DENIS
94 VAL-DE-MARNE
95 VAL D'OISE

LA GUADELOUPE
Pointe-à-Pitre
97-1

LA MARTINIQUE
Fort-de-France
97-2

LA GUYANE
Cayenne
97-3

LA RÉUNION
Saint-Denis
97-4

ST-PIERRE-ET-MIQUELON
Miquelon
97-5

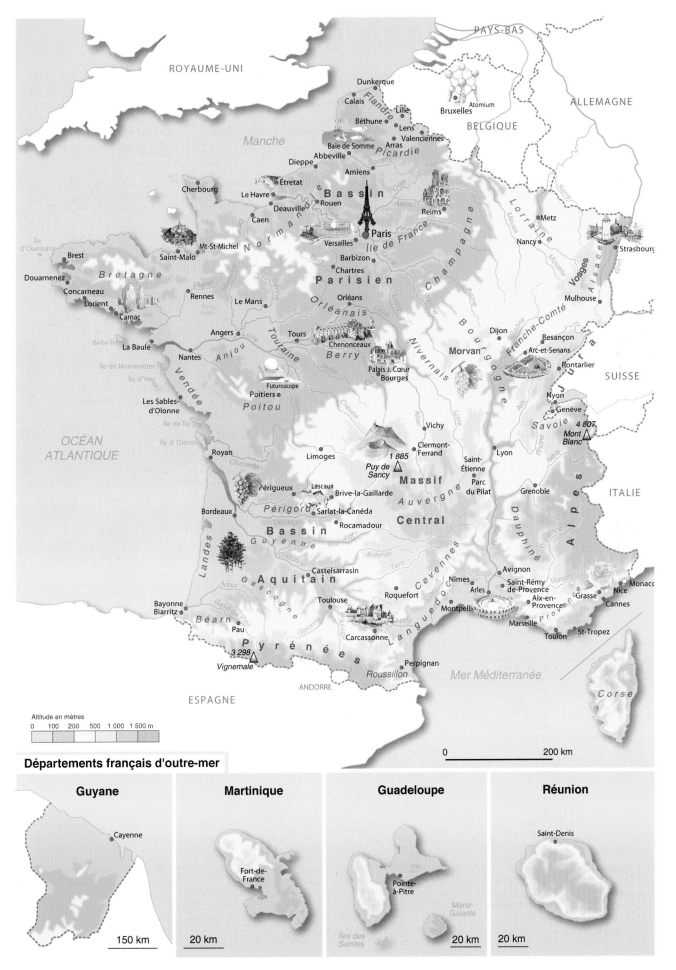

ROYAUME-UNI

Manche

PAYS-BAS

Dunkerque
Calais
Flandre
Lille
Béthune
Lens
Arras
Valenciennes
Baie de Somme
Abbeville
Dieppe
Amiens
Picardie

Bruxelles
Atomium
BELGIQUE

ALLEMAGNE

Cherbourg
Étretat
Le Havre
Deauville
Rouen
Caen
Bassin
Paris
Versailles
Île de France
Barbizon
Chartres
Reims
Champagne
Metz
Nancy
Lorraine
Vosges
Strasbourg

île
d'Ouessant
Brest
Douarnenez
Concarneau
Lorient
Carnac
Belle-Île
La Baule
île de Noirmoitier
île d'Yeu
Bretagne
Mt-St-Michel
Saint-Malo
Normandie
Rennes
Le Mans
Parisien
Orléans
Orléanais
Angers
Anjou
Touraine
Tours
Chenonceaux
Berry
Nantes
Vendée
Palais J. Cœur
Bourges
Futuroscope
Poitiers
Poitou
Nivernais
Morvan
Bourgogne
Dijon
Franche-Comté
Besançon
Arc-et-Senans
Pontarlier
SUISSE
Nyon
Jura
Genève
Savoie
Mont
Blanc
4 807
Mulhouse

OCÉAN
ATLANTIQUE

Les Sables-
d'Olonne
île de Ré
île d'Oléron

Royan
Limoges
Puy de
Sancy
1 885
Clermont-
Ferrand
Vichy
Massif
Auvergne
Saint-
Étienne
Parc
du Pilat
Lyon
Grenoble
Dauphiné
Alpes
ITALIE

Périgueux
Lascaux
Brive-la-Gaillarde
Sarlat-la-Canéda
Périgord
Central
Bordeaux
Rocamadour
Bassin
Guyenne
Landes
Gascogne
Aquitain
Castelsarrasin
Toulouse
Roquefort
Aveyron
Tarn
Cévennes
Languedoc
Nîmes
Arles
Avignon
Saint-Rémy
de-Provence
Aix-en-
Provence
Montpellier
Marseille
Toulon
St-Tropez
Grasse
Nice
Monaco
Cannes
Provence

Bayonne
Biarritz
Béarn
Pau
Carcassonne
Aude
Perpignan
Roussillon
Pyrénées
Vignemale
3 298
ESPAGNE
ANDORRE

Mer Méditerranée

Corse

Altitude en mètres
0 100 200 500 1 000 1 500 m

0   200 km

Départements français d'outre-mer

Guyane

Cayenne

150 km

Martinique

Fort-de-
France

20 km

Guadeloupe

Pointe-
à-Pitre

Marie-
Galante

îles des
Saintes

20 km

Réunion

Saint-Denis

20 km

Unité 1 Entretenir des relations

Leçons	Grammaire	Vocabulaire	Discours en continu
1. On se retrouve p. 6	• Emploi et conjugaison des quatre temps de l'indicatif : présent, passé composé, imparfait et futur	• L'apprentissage d'une langue étrangère • Connaissance et souvenir	• Parler de son apprentissage du français langue étrangère • Raconter une rencontre et ses circonstances
2. C'est la fête ! p. 14	• Les pronoms objets directs • Les pronoms objets indirects	• Les fêtes et les animations locales • La cuisine	• Parler d'une fête • Exposer une recette de cuisine
3. Vous plaisantez ! p. 22	• Le conditionnel présent – expression de l'hypothèse – demandes polies – suggestions et conseils	• Mouvements et déplacements • Rire et plaisanteries • Les jeux	• Commenter une information en faisant des hypothèses • Raconter une anecdote ou une histoire drôle
4. On s'entend bien ! p. 30	• Les constructions du discours rapporté • Les constructions « *faire* + verbe » et « *laisser* + verbe »	• Le caractère et la personnalité • Les relations humaines : sympathie et antipathie	• Décrire le caractère ou le comportement d'une personne • Parler de ses habitudes de vie
Évaluation p. 38	**Évasion :** ...au cinéma p. 42		

Unité 2 Se débrouiller au quotidien

Leçons	Grammaire	Vocabulaire	Discours en continu
5. À vos risques et périls ! p. 46	• Le subjonctif présent après les verbes exprimant : – la volonté – certains sentiments – l'obligation • La construction du pronom complément avec un verbe à l'impératif	• Exploits et aventures : réussites et échecs • Les sports	• Raconter un échec ou une réussite
6. La vie est dure p. 54	• Les pronoms possessifs • Les adjectifs et les pronoms indéfinis	• Les tâches quotidiennes • Les conditions de vie (travail, revenus, difficultés)	• Parler de ses activités quotidiennes • Parler de ses conditions de vie
7. Que choisir ? p. 62	• Les pronoms démonstratifs • Les constructions : – *celui (celle)* + de... – *celui (celle)* + qui/que... • Les constructions comparatives	• Les objets de la maison • La description d'un objet (forme, dimensions, matière, etc.) • L'argent	• Décrire un objet
8. Je sais faire p. 70	• Les formes de l'appréciation : *trop / pas assez – si (tellement, tant) ... que...* • Les constructions « verbe + verbe » • L'opposition des idées (*pourtant, malgré*, etc.)	• Les professions • Les accidents et les incidents	• Parler d'une activité professionnelle • Raconter un accident ou un incident
Évaluation p. 78	**Évasion :** ...dans la publicité p. 82		

Situations orales	Prononciation	Compréhension des textes	Écriture	Civilisation
• Demander et donner des nouvelles de quelqu'un • Dire si on connaît, si on se souvient • Choisir une activité de loisir	• Rythmes de la construction négative • Prononciation des participes passés en [y] • Marques du présent, du passé composé et du futur	• Test sur les façons d'apprendre • Lettres de prise de contact • Récits de rencontres	• Lettres ou messages de prise de contact	• Les rencontres : modes et comportements • La vie de quartier dans les grandes villes • Les relations amicales
• Retrouver quelqu'un • Aborder quelqu'un • Exprimer des goûts et des préférences	• L'enchaînement dans les groupes avec pronoms compléments	• Programmes et descriptifs de fêtes – Célébrations • Recettes de cuisine	• Recettes de cuisine • Projet de fête	• Le calendrier – Temps forts et animation dans la ville de Bourges • Fêtes traditionnelles, importées (Saint-Patrick) ; fêtes francophones • Un repas de fête
• Proposer quelque chose • Réagir à une proposition	• Différenciation du futur et du conditionnel • Les sons [u] et [y]	• Nouvelles brèves de presse • Récit d'une anecdote	• Donner son opinion en faisant des hypothèses (Si j'étais à votre place…)	• L'Art au début du XXᵉ siècle • Un humoriste : Gad Elmaleh • Jeux de mots et blagues en français • Le Périgord
• Exprimer l'incompréhension – S'expliquer • Exprimer l'accord et le désaccord – Se réconcilier • Se dire au revoir	• Différenciation [ɑ̃] - [a] - [ɔ] - [ɔ̃]	• Tests de psychologie et tests à caractère sociologique	• Rédiger des conseils (Comment se comporter dans votre pays)	• Images et expressions verbales liées aux couleurs • Habitudes et interdits en France et dans le monde

Projet : Cérémonie des Césars

Situations orales	Prononciation	Compréhension des textes	Écriture	Civilisation
• Donner des directives – Exprimer la volonté et l'obligation • Exprimer l'inquiétude et la peur – Rassurer	• Différenciation du présent de l'indicatif et du subjonctif • Enchaînement dans les groupes « verbe à l'impératif avec pronom »	• Récits d'aventuriers • Article de presse (Le marathon de Paris)	• Prise de notes et rédaction d'après un document sonore	• L'aventure aujourd'hui : Nicolas Vannier et Jean-Louis Étienne (explorateurs), Maud Fontenoy (navigatrice), Florence Aubenas (journaliste de guerre) • Les Français et le sport • Les jeunes issus de l'immigration
• Prendre contact avec quelqu'un • Avoir un entretien d'embauche • Exprimer l'appartenance • Exprimer la confiance ou la méfiance	• Les sons [j] et [jɛn] • Les sons [v] et [f]	• Sondage sur les tâches ménagères • Chanson de Diam's (extrait)	• Opinion sur un sujet de vie quotidienne	• Les Français et les tâches ménagères • La colocation • La chanteuse Diam's • Le film Le Couperet de Costa-Gavras
• Choisir quelque chose • Exprimer une opinion sur une personne • Se débrouiller dans une banque	• Les sons [s] et [z]	• Site d'achat sur Internet • Distributeurs automatiques (banque, poste, gare)	• Descriptif d'un objet • Instructions	• Comportements et habitudes en matière d'argent (modes de paiement, pourboire, prix, dépenses, etc.)
• Accuser quelqu'un • Dire qu'on est responsable • Réagir en cas d'accident • Défendre quelqu'un – Se défendre	• Le son [ʀ] • Rythmes des constructions appréciatives	• Tests de compétence • Déclaration et constat d'accident • Document d'informations sur les assurances	• Remplir un constat d'accident – Lettre de déclaration de sinistre	• La Sécurité sociale • Les systèmes d'assurances

Projet : Opération publicitaire

Unité 3 S'informer

Leçons	Grammaire	Vocabulaire	Discours en continu
9. Que s'est-il passé ? p. 86	• Les constructions à sens passif (forme passive, forme pronominale) • Situation d'une action dans le temps (la veille, le lendemain, etc.)	• Les faits divers (événements, catastrophes, délits) • L'information et les médias	• Raconter un événement quotidien • Relater une information apprise par la presse • Commenter un sondage d'opinion
10. Vous y croyez ? p. 94	• Les constructions impersonnelles • L'expression de la certitude et du doute • L'expression de la possibilité et de l'impossibilité • Les constructions relatives avec *dont*	• Phénomènes mystérieux • Croyances, vérités, mensonges • Les arts plastiques	• Raconter une histoire réelle ou imaginaire • Argumenter pour expliquer qu'un fait est vrai ou faux
11. C'est toute une histoire ! p. 102	• Le plus-que-parfait • L'expression de l'antériorité • Le récit au passé simple (compréhension des verbes au passé simple et au passé antérieur)	• Édifices et bâtiments • Constructions, rénovations, destructions • Les événements historiques	• Décrire un bâtiment • Décrire un lieu touristique, parler de son histoire
12. Imaginez un peu... p. 110	• Le conditionnel passé • L'expression des sentiments	• Rêves et regrets • La musique et la chanson	• Faire le point sur sa situation personnelle ou professionnelle, exprimer des regrets ou des attentes • Parler de ses goûts en matière de musiques et de chansons

Évaluation p. 118   **Évasion :** ...dans les romans **p. 122**

Unité 4 S'intégrer dans la société

Leçons	Grammaire	Vocabulaire	Discours en continu
13. Mais où va-t-on ? p. 126	• Le futur antérieur • Situation et durée dans le futur • Expression des conditions et des restrictions	• L'avenir et le changement • Le climat • L'économie, le commerce et l'entreprise	• Décrire un changement • Exposer un projet personnel • Parler de son métier
14. Expliquez-moi p. 134	• Expression de la cause • Expression de la conséquence	• Les études • La politique et les institutions • Les mouvements sociaux	• Expliquer un événement ou un fait quotidien • Exposer les conséquences d'un événement quotidien • Parler des études et de l'éducation • Relater brièvement un événement politique ou social
15. À vous de juger p. 142	• Le subjonctif passé • L'enchaînement des idées (*pourtant, quand même, au lieu de, or*, etc.)	• La justice et le droit • Les moyens d'information et de communication	• Porter un jugement de valeur et argumenter son point de vue
16. C'est l'idéal ! p. 150	• Les pronoms relatifs : *auquel, lequel, duquel* • Les constructions avec deux pronoms	• La ville • Habitudes et traditions	• Présenter les avantages et les inconvénients d'un lieu de résidence • Parler des habitudes et des traditions

Évaluation p. 158   **Évasion :** ...dans l'écriture **p. 162**

Situations orales	Prononciation	Compréhension des textes	Écriture	Civilisation
• Demander des informations sur les circonstances d'un événement (lieu, moment, etc.) • Exprimer l'intérêt ou l'indifférence	• Enchaînement des formes verbales passives • Différenciation [k] et [g]	• Brefs articles de presse informatifs et nouvelles brèves • Texte d'opinion sur les médias • Lecture d'un sondage	• Relater un événement et ses circonstances	• Quelques événements qui ont marqué les Français depuis les années 1990 • Les Français et les médias • Bruxelles et la Belgique (dans toute l'unité)
• Faire des hypothèses sur l'identité d'une chose • Faire des promesses, donner des assurances • Exprimer la surprise	• Enchaînement des phrases avec proposition relative • Différenciation [v] - [b] - [p]	• Récits d'événements étranges • Descriptif d'un lieu (guide touristique)	• Rédaction du descriptif d'un objet (œuvre d'art)	• Les superstitions en France • Le Musée national d'art moderne de Paris • Quelques artistes célèbres
• Demander/donner des informations sur un lieu (ville, monument) • Rapporter les paroles de quelqu'un	• Les sons [t] et [d]	• Textes décrivant des lieux (extraits de guide touristique, articles de presse) • Résumés de films (extraits de magazines loisirs)	• Présenter un itinéraire • Présenter un lieu en montrant son intérêt	• La sauvegarde du patrimoine • Promenade dans Saint-Rémy-de-Provence • Repères de l'histoire de la France (à partir de films historiques)
• Demander et donner des explications à propos du comportement de quelqu'un • Exprimer un espoir ou une déception	• Différenciation [ʒ] et [ʃ]	• Lettres familières • Chansons	• Lettres de demandes d'informations • Exprimer une opinion dans un forum (regret ou déception)	• Quelques chanteurs français (Amel Bent, Bénabar, Vincent Delerm)

Projet : Roman « à la carte »

Situations orales	Prononciation	Compréhension des textes	Écriture	Civilisation
• Présenter quelqu'un – Prendre congé de quelqu'un • Demander et donner des informations à propos d'un projet (intention, renoncement) • Demander quelque chose – Refuser	• Différenciation [œ] - [ø] - [ɔ] - [o]	• Extraits d'ouvrages et de magazines portant sur l'avenir • Articles de presse sur le développement d'une entreprise • Informations sur l'économie française	• Exposé d'un projet ou d'une situation future	• L'économie française (agriculture et industrie) • Quelques entreprises et marques célèbres • La baie de Somme
• Demander / donner une explication • Convaincre quelqu'un de faire quelque chose • Mettre en garde, menacer	• Distinction voyelle nasale / voyelle + n	• Articles d'information	• Réponse à une demande d'explication	• Le système éducatif • Principes, emblèmes, symboles de la République française
• Interdire • Demander, donner une autorisation • Donner des instructions • Accuser, réprimander, se défendre	• Différenciation [y] - [i] - [u] - [ø]	• Textes d'opinions • Lettres de demandes et de réclamations	• Lettres de demandes et de réclamations	• S'informer et faire valoir ses droits en France
• Commencer une réunion, présenter les participants • Enchaîner des idées (succession, parallélisme, etc.)	• Enchaînement des constructions avec deux pronoms	• Textes présentant des opinions et des propositions • Descriptions de coutumes et de traditions	• Rédiger une proposition (pour l'amélioration de la vie urbaine) et la défendre • Décrire une habitude ou une coutume	• Les villes françaises (amélioration du cadre de vie) • Habitudes et traditions dans le monde

Projet : Ma vie est un roman

Crédits photographiques

p. 5 : ht © REA/Ludovic ; m © SIPA PRESS/Alfred ; bas TCD/ BOUTEILLER/Prod DB © Les productions du trésor/DR – p. 6 et 7 : © RUE DES ARCHIVES/Collection BCA – p. 10 : ht © EYEDEA/Hoa-Qui/Repérant ; bas © EYEDEA/Hoa-Qui/Guichaoua – p. 13 : g © FRANCEDIAS.COM/Murier ; ht d TCD/ BOUTEILLER © Gaumont/DR – p. 14 : ht g © ALDAG Delphine ; bas d © EYEDEA/Gamma/Vandeville – p. 15 : ht g © CORBIS/Keystone/Ruetschi ; m d © FRANCEDIAS.COM/Jarry-Tripleton ; bas © AFP/Solaro – p. 18 : © EYEDEA/Hoa-Qyui/Roulland – p. 20 : g © EYEDEA/Top/Riviere ; d © Fotolia/Vericel – p. 21 : g © CIT'IMAGES/CIT'EN SCENE/Ravel ; d Office de Tourisme, Bourges © B. Poisson – p. 22 : d © AFP/Guez – p. 22 et 23 : © EYEDEA/Gamma/Duclos-Robert – p. 23 : DSL Productions/Frederic da Silva – p. 26 : © EYEDEA/Hoa-Qui/Escudero – p. 28 : g © L'ILLUSTRATION ; d ESPACE CULTUREL PAUL BEDU, Milly-la-Forêt – p. 29 : © EYEDEA/Gamma/Benainous – p. 30 : ht d © PHANIE/Kubacsi ; bas g Dist RMN © ADAGP, Paris, 2008/CNAC/MNAM/Rzepka – p. 30 et 31 : © ARTEDIA / VILLE OUVERTE – p. 31 : © LEEMAGE/Electa/Musée van Gogh, Amsterdam – p. 35 : © CORBIS-Sygma/Vauthey – p. 37 : © CORBIS/Peterson – p. 39 : © EYEDEA/Hoa-Qui/Grandeur Nature/Sevos – p. 40 : LAGARDERE ACTIVE/DR – p. 42 : g © TCD/ BOUTEILLER/Prod DB/DR ; ht © SIPA PRESS/Villard/Niviere – p. 43 : ht TCD/ BOUTEILLER/Prod DB © Films Corona/DR ; bas CHRISTOPHE L © Calt Production/DR – p. 44 : © SIPA PRESS/Interfoto Usa – p. 45 : ht TCD/ BOUTEILLER/Prod DB © Films Christian Fechner ; m © REA/Damoret ; bas © ANDIA PRESSE/Larbi – p. 46 : bas g © EYEDEA/Gamma/Imaz Press Reunion ; ht d © EYEDEA/Gamma/Travers – p. 47 : ht © AFP/Guillot ; bas © EYEDEA/Rapho/Desmier – p. 51 : © SIPA PRESS/Haley – p. 52 : ht © AFP/Sakutin ; bas © SIPA PRESS/AP/Cironneau – p. 53 : © AFP/Yamanaka – p. 55 : M6© Plotnikoff – p. 58 : © Fotolia/Foxytoul – p. 60 : © SIPA PRESS/OH/NRJ/NIKO/TSCHAEN – p. 61 : TCD/ BOUTEILLER/Prod DB © K.G. Productions/DR – p. 62 : ht g © Fotolia/MAXFX ; ht d © Fotolia/Ostroukh ; bas g © OREDIA/Retna/Symons ; bas d © Fotolia/MAXFX – p. 63 : ht d © RMN/Ollivier/Musée de la voiture, Compiègne ; m © B. Domenjoud ; bas d Droits Réservés ; bas g © EYEDEA/Mary Evans – p. 67 : © SCOPE/Galeron – p. 68 : ht © REA/Bessard ; bas © REA/Ortola – p. 69 : © REA/Hanning – p. 70 : g © REA/Gleizes ; bas © EYEDEA/Top/Jarry-Tripleton – p. 71 : © AFP/Galatry – p. 75 : © REA/Desmaret – p. 82 : ELECTROLUX/DR – p. 83 : g Nestle Waters France/DR ; d Office de tourisme de Chypre/DR ; bas Saint Quentin en Picardie/DR – p. 84 : ht Orangina Schweppes/DR ; bas MAAF Assurances/Studio Virgul/DR – p. 85 : ht © URBA IMAGES/AIR IMAGES/Castro ; m © AFP/Huguen – p. 86 : © SIPA PRESS/DPPI/Alfred – p. 87 : © SIPA PRESS/Haley – p. 91 : © ANA/Jobin – p. 92 : bas © AFP ; ht © EYEDEA/Gamma/Paris/Taub – p. 94 : ht Beinecke Library/Yale university/DR ; bas © Fotolia/Piccaya – p. 95 © Fotolia/Fons – p. 98 © RMN/Lewandowski/Musée du Louvre, Paris – p. 100 : ht g © RMN/Ojéda/Musée d'Orsay, Paris ; ht dt (c) AFP/National Research Council of Canada ; bas © RMN/Lewandowsli/Musée de l'Orangerie, Paris – p. 101 : g Dist RMN/CNAC/MNAM/Migeat © ADAGP, Paris, 2008 ; d Dist RMN/CNAC/MNAM/Migeat © ADAGP, Paris, 2008 – p. 102 : ht © FRANCEDIAS.COM/Murier ; bas © ARTEDIA / VILLE OUVERTE/Denancé – p. 103 : © AFP/Julien – p. 107 : © ASA-Pictures/Courtois – p. 108 : ht g Plan extrait du Guide vert Michelin Provence © 2007 Michelin, Propriétaires-éditeurs ; ht d © SCOPE/Guillard J. ; bas g © CORBIS/Franken– p. 109 : g TCD/ BOUTEILLER/Prod DB © Transfilms-Eiffel Productions/DR ; d TCD/ BOUTEILLER/Prod DB © Epithete/DR – p. 110 : ht © HEMIS.fr/Lenain ; bas © HEMIS.fr/Guiziou – p. 111 : © SIPA PRESS/Chamussy – p. 114 : © PHOTONONSTOP/Guittot – p. 117 : © VISUAL PRESS AGENCY/Gaffiot – p. 120 : ht © AFP/Cabanis ; m Plan extrait du Guide vert Michelin Bretagne © 2007 Michelin et Cie, Propriétaires-éditeurs – p. 122 : © ENGUERAND/BERNAND/B. Enguerand – p. 125 : ht © REA/Ludovic ; m © SIPA PRESS/Chamussy ; bas © SIGNATURES/Jastrzeb – p. 126 et 127 : avec la gracieuse autorisation de l'artiste © Chayan Khoï – p. 130 : © SCOPE/Guillard J. – p. 132 : VEOLIA WATER SOLUTIONS & TECHNOLOGIES/Photothèque VE/VWS – p. 133 : ht Baccarat/DR ; m Seb/DR ; bas Dim/DR – p. 134 : bas g © HEMIS.fr/Gardel ; d © AFP/Senna – p. 135 : © Fotolia/Kan – p. 138 : © SAGAPHOTO.com/Forget – p. 142 et 143 : © EYEDEA/HPP/Gamma/Aksaran – p. 150 : © URBA IMAGES/AIR IMAGES/Vielcanet – p. 151 : © REA/Decout – p. 155 : © Fotolia/Bono – p. 156 : © SIPA PRESS/Frilet – p. 157 © SIPA PRESS/Tahiti Presse – p. 160 © FEDEPHOTO.COM/Le Monde/Frey – p. 164 : TCD/ BOUTEILLER/Prod DB/DR.

N° de proget: 10143502 - Dépôt légal: Févriér 2008
Achevé D'imprimer en Italie par Rotolito